JN123019

自伝的革命論 〈68年〉とマルクス主義の臨界

笠井潔

言視舎

はじめに

一九六八年から七三年まで、共産主義労働者党という新左翼党派の一員として少なくない量の文章を書いた。黒木龍思の党名で商業誌に掲載した評論と、機関紙誌に書いた組織文書のうち、比較的長めの文章を列記すると次のようになる。

＊階級形成論の方法的諸前提　「拠点」1号　1969年10月
＊戦術＝階級形成論の一視点　「情況」1969年　10／11月号
マルクス主義革命論における権力論と危機論　「構造」1970年5月号
「科学的社会主義」の先駆者か、「黙示録的〝革命〟」の予言者か【書評　モーゼス・ヘス著『初期社会主義論集』】「構造」1970年8月号
＊革命の意味への問いの究明　「構造」1970年11月号
第三世界革命への合流に向けて　「構造」1971年3月号
書評　湯浅赳男『スターリニズム生成の構造』「情況」1971年12月号
＊戦後解体期における時代精神　「情況」1972年1月号
＊日本革命思想の転生　「情況」1972年5月―1973年7月
観念と歴史　「情況」1974年7月号
＊ふたたび「革命の意味」を問うこと　『全共闘　解体と現在』田畑書店　1978年

七〇年代反帝闘争の立脚点 「革命の武装」1号 1970年9月
共産同の近代主義的本質と大衆運動主義への転換 「統一」 1970年10月11号―11月1号
国際国内共産主義運動の革命的伝統の継承・止揚の下、党内―分派闘争の新地平を「建党―勝利・団結の5大会」へ――『紅旗』発刊の辞（共産主義労働者党首都圏委員会『紅旗』編集局）「紅旗」1号 1972年12月
9・15赤色戦線活動者集会基調報告（赤色戦線首都圏協議会）「紅旗」1号 1972年12月

本書には以上から＊を付した論考を収録した。いずれも革命党に所属するコミュニストの活動の一環として執筆した文章で、公表に際しては党機関の承認を得ている。収録に際して新左翼スタイルで読みにくい文章に手を入れた箇所はあるが、すでに歴史的文書であるため内容にわたる加筆訂正は控え、基本的には発表当時のままとした。ただし長大にすぎるため、「日本革命思想の転生」は一部を削除して再編集し、その詳細については収録箇所に注記した。

その当時、いいだももなど年長の知識人党員は、評論家のような外見で商業誌に登場していたが、それではコミュニスト失格ではないか、自分は同じようにはしないと決めていた。こうしたリゴリズムには理由がある。

共労党は小党派でもマルクス・レーニン主義を標榜する革命党だから、党員はその立場で商業誌にも文章を書かねばならない。とはいえ一九歳で入党したとき、わたしは常識的なマルクス主義とは容易に一致しえない思想的立場にすでに立っていた。マルクス主義の言葉でいえば確信犯的な「小ブル急進主義者」で、そのことを反省する気など皆無だった。

イマニュエル・ウォーラーステインによれば、一九六八年に開始された革命は東欧社会主義政権が連続崩壊した八九年に終わる。このように〈68年〉革命には、二〇世紀コミュニズム＝ボリシェヴィズムの歴史的崩壊をもたらした面がある。

常識的なマルクス主義は労働者革命論だから、それに対抗した〈68年〉の運動が「小ブル急進主義」として非難されたのには根拠がある。ようするに「小ブル急進主義」は〈68年〉革命の精神で、それは一八四八年革命の主役がパリやウィーンなど都市社会の貧民プロレタリアだった事実に歴史的に照応する。

〈68年〉の主観的な思想感性と客観的なマルクス主義理論を、原理的に突きあわせる作業から逃亡して、両者を曖昧に折衷することは許されない。前者に固執しながら後者を徹底化すること。市民社会的に微温化したコミュニストではなく、ボリシェヴィキ的革命家として自身の生を可能な限り形式化し、対立的な二極間で引き裂かれる緊張と苦痛に耐えること。

一九歳のときに書いた「階級形成論の一視点」から二三歳で書きはじめた「日本革命思想の転生」まで、本書に収めた文章には共通する性格がある。それらはいずれも「小ブル急進主義」という〈68年〉の精神が、客観的なマルクス主義と接触したときに散った火花だった。あるいは〈68年〉という歴史的な磁場に引きよせられたマルクス主義の、その臨界で企てられたぎりぎりの思考の痕跡でもある。

社会主義が崩壊して三〇年以上が経過した今日、マルクス主義やマルクス的コミュニズムが二〇世紀に持ちえた圧倒的な力は失われた。それでもアソシエーションやエコロジーをマルクスのテキストに作為的に読みこむことで、マルクス主義の延命をはかる姑息な論者は絶えることがない。市民社会的に微温化したマルクスは、ボリシェヴィズムが二〇世紀に累積した「悪」には責任がないものとして免罪される。

こうした思想状況が存在する一方、二〇一一年の国際同時蜂起を新たな起点として、世界は〈68年〉を超えるような大衆蜂起の大波に洗われはじめた。東アジア諸国で歴史的な大規模蜂起が起きていないのは、北朝鮮と日本に限られる。であれば日本の〈68年〉にマルクス主義の臨界でなされた思考を、半世紀後の今日、あらためて読み返してみることにも相応の意味はあるかもしれない。

黒木名で公表された文章を再録して一書を編もうと考えたのだが、言視舎の提案で年度別に配列した旧稿の前に、それが書かれた背景や事情についての新稿を配置することにした。タイトルを「自伝的革命論」としたのは、新稿部分は黒木時代の自伝的文章としても読めるからだ。ただし語られているのは党生活をめぐるもろもろで、ボリシェヴィキ的革命家にも多少はあった私的生活には触れていない。その点では自伝として片翼的だ。

〈68年〉当時にブントや中核派や解放派で活動していた同世代の回想録は目につくが、それ以外の小党派の活動家による類書は少ない。本書の新稿部分は、二〇歳を挟んだ六年間を共労党の党員として生きた者による当時の証言でもある。

自伝的革命論　〈68年〉とマルクス主義の臨界　目次

1967年

生まれたのは一九四八年一一月一八日、築地の聖路加病院だったという。海軍から復員してきた父が妻子を連れて、戦災をまぬがれた月島の実家に転がりこんでいたからだ。第二次大戦直後のその頃、吉本隆明氏が都電通りを挟んで反対側にいたことを知ったのは、何十年もあとのことだった。四歳で伯父の町工場がある砂町に移り、小学校二年のときに父親の仕事の関係で横浜の新興住宅地に引っ越した。一九五〇年代の東京の下町には、同時期の横浜のサラリーマン居住地と比較して、まだしも土着的な文化性が生き延びていたように思う。サラリーマンのマイホーム建設のため雑木林の丘陵を宅地造成した新興住宅地では、小学生が学習塾に通うような学校化社会が早くも形作られようとしていた。

喰わなければ生きていけないという庶民的なエゴイズムの論理が露骨であるぶん、パンの論理には還元されない文化的次元が、さまざまな形で東京の下町には曖昧に残っていた気がする。たとえば祭における蕩尽の習俗。これはイニシエーションと並んで、人間が聖なるものに触れる体験として蒼古からのものだ。実家には、若い父親が褌姿で神輿を担いでいる古い写真が残っていた。

明治期の新興住宅地「山の手」は、戦前昭和期には杉並や世田谷にまで領域を拡大していく。第二次大戦後、横浜の丘陵地帯で増殖したサラリーマン居住区は、戦後における脱聖化と世俗化の必然性が最も典型的にあらわれた東京近郊地域かもしれない。一九六〇年代以降、こうした地域は多摩地方や埼玉県の南部まで拡大していく。

生まれ育った下町では一九五〇年代まで、あるいはそれ以降も子供は受験競争などとは無縁だった。もともと教育による規律化に適応できない子供で、幼稚園は入った直後に登園拒否、小学校では教室の秩序を乱して日に三回も懲罰で立たされていた。それでも放課後の子供共同体での、学校の規律訓練とは原理的に異なる技芸の伝承としての「教育」は、それなりに身についたと思う。焼け跡の空き地で師匠のガキ大将に教えられたのは、メンコやベーゴマや自転車の三角乗りなどなど。

東京の下町から横浜の新興住宅地に移った小学生は、深刻なカルチャーショックに見舞われることになる。江戸期の記憶にまで曖昧に連続するだろう、消尽の習俗をかろうじて残した下町文化と、社会的上昇のための禁欲の倫理が支配的な横浜の新興住宅地の文化なきサラリーマン文化。

横浜に引っ越した直後に、現場の技術者だった父親が勤務先の工場で事故死した。松山出身の祖父が東大の研究者でイノシン酸の発見者だったことをアイデンティティにしていた、横浜に家がある母方の親類との距離が縮んだことも、転居や早すぎた父の死による不適応を加速したかもしれない。

伝統という根を奪われた、むしろ自主的に放棄した新興住宅地の思想は、消尽の聖性なき世俗の論理に染め上げられていた。人生の最高価値は安定した生活を得るところにある。換言すれば、戦後社会の理想である「平和と繁栄」を個人の位相で達成すること。社会的な経済成長至上主義はパイのより大きな分け前を獲得するための、受験戦争の論理として子供社会に浸透していた。明治以来の学歴主義は、博士や大臣をめざすエリートたちの世界を超えて、戦後社会の大衆である平凡なサラリーマン家庭までをも呪縛しはじめていた。

受験競争の強制は戦後社会の欺瞞の産物ではないか。人が生きるとは、たんに「喰う」ことではないはずだ。ローンで建てた家に、ひたすら家電製品を詰めこむ人生にどんな意味があるというのだろう。

大企業への就職。そのための有名大学への進学。さらにそのための、小学生のときからはじまる受験勉強。こうした世俗の論理に新興住宅地のサラリーマン家庭は支配されていた。自己保身が至上価値として信奉され、安定した生活に通じる以外の努力は、端的にゼロと見なされる。世間的成功以外には、どのような評価基準も持ちえない世俗社会。

貨幣の蓄積を目的とする近代的な商品社会は、かならずしも世俗性の全面支配には帰結しない。無償の利他的行為が、たとえばボランティアとして賞賛される社会もある。そこでは社会と等置される国民共同体としての国家に、私利私欲を離れて貢献するのは価値ある行為だ。

しかし国民を、たとえば兵士としての義務から解放した戦後日本は、公的な行為の価値を実質的にゼロにまで切り下げ、私利私欲の主体を最大限に称揚する。日本の戦後社会とは、近代の本拠地である欧米をも超えて完成された、人間の超越的欲望を徹底的に排除する世俗社会だった。マイホームや三種の神器と呼ばれた家電を所有する「豊かさ」など、パンの論理の延長にすぎない。そこには生気を奪われた人間を、魂の深みにおいて蘇生させるような魅惑などかけらも感じられない。

この社会の息苦しさに我慢できないという気分、日常的な鬱屈は小学校の高学年から中学生の時期にかけて膨張し続けた。横浜の公立受験校に入学した頃に、それは絶頂に達した。

アイデンティティの危機と人格の不安定化は、近代社会では成長期の少年に一般的だ。それが第二次大戦後の先進諸国では、世界史上はじめて到来した「豊かな社会」への不全感としてあらわれる。さらに日本では、敗戦時の国民的自己欺瞞への鬱屈が加わっていた。高校一年のときに愛読していた坂口安吾『堕落論』の影響で、この不全感の根拠には第二次大戦の終わり方、終わらせ方の問題があると考えはじめた。未遂の本土決戦へのオブセッションを描いた大江健三郎の初期作品、たとえば『遅れてきた青年』が印象的だったのも同じ理由からだ。

自分が何者であるのかわからない不安や居心地の悪さ。それが意味への渇望をもたらし、聖性、超越性、精神性の領域に引きこまれていく。あるいは生の充溢やエロティシズム。この時期に思考の手掛かりにしていたのは、ドストエフスキイ『悪霊』のキリーロフが語る人神論だった。「地球と人類の物理的変化」という米川正夫訳の言葉に震撼され、それを三島由紀夫が好んだアーサー・C・クラークの『幼年期の終り』の人類進化のヴィジョンに重ねて、霊的進化論のようなことを考えはじめていた。少しあとに読んだコリン・ウィルソンの『賢者の石』にも触発された。

小学校入学時の多動症的逸脱にはじまる規律化権力との一〇年闘争の果てに、灰色の学校生活とは訣別することにした。親や親類や教師の「世間を舐めると生きていけないぞ」という高圧的な言葉には、「それなら世間とやらを死ぬまで舐めてやる」と言い返して一年終了時に高校を中退する。戦後社会が枯渇させた超越性と精神性を、「死にいたる生の高揚」のエロスをめざして「日常生活の冒険」に出発すること。「日常生活の冒険」とは大江健三郎の小説のタイトルで、『われらの時代』、『叫び声』、そして『日常生活の冒険』など。高校中退と前後する時期には同時代の大江作品を愛読していた。

ロールモデルは戦場を求めて出奔するスタンダール『パルムの僧院』のファブリス少年で、まだ自分のためのワーテルローは発見できていないとしても、なにを敵とするかは明瞭だった。精神性なき愚者の楽園、自堕落にも「平和と繁栄」を謳歌する戦後社会を爆破しなければならない。

一六歳から一八歳までの「日常生活の冒険」の数々は以下のようだ。友人と哲学や経済学の読書サークルをはじめた、「反日共系全学連」のジグザグデモに紛れこんで機動隊と衝突した、文学同人誌を創刊をもくろんだ、映画製作に首を突っこんだ、反戦市民運動の事務所に毎日のように通った、実家の隣の大学で学生べ平連を結成した、などなど。

神奈川大学でべ平連を立ち上げたのは背景がある。春に高校を中退してから半年が経過し、自室で本を読んでいるのにも飽きた頃、神奈川大学の大学祭を見物することにした。哲研の展示はサルトルがテーマで、説明役の学生に二、三立ち入った質問したところ返答に窮し、「道場破り」のガキに対応するために奥から出てきた「道場主」が田口孝吉氏だった。

それから毎日のように、田口さんと大江健三郎や井上光晴、サルトルやカミュについて議論するようになる。大島渚の『日本春歌考』や『忍者武芸帳』も一緒に観にいった。

学生運動に熱中していた時期にはつきあいが途絶えていた田口さんと、一九七三年に新宿紀伊國屋横で偶然に再会する。それまで国際放浪をしていたという年長の友人に出遭えなければ、二年後にフランスに送り出されることもなく、東京の片隅で『テロルの現象学』を書き継いでいたろう。ゴーストライターという妙なアルバイトで、一年か二年は執筆に専念できる資金を稼ぎためていたからだ。そうしていれば『テロルの現象学』は完成できたにしても、『バイバイ、エンジェル』を書くことにはならなかったわけで、田口さんには本当に感謝している。

高校中退の風来坊少年はべ平連事務局長の吉川勇一氏、世話人の武藤一羊氏とも親しくなり、吉川さんの家にはよく泊めてもらった。深夜におよぶべ平連の世話人会のあとは同じ横浜在住の武藤さんに、自宅までタクシーで送ってもらうことも多かった。所感派共産党の学生活動家だった両氏は、一九五〇年代から六〇年代前半まで共産党系の平和運動に携わっていたが、原水禁運動分裂の前後に党を除名されたようだ。この二人からは党派根性とは無縁の、自由闊達なコミュニストの生き方を教えられたように思う。

＊

黒木龍思の筆名で公表された文章を集めるという本書の趣旨には反するが、【一九六七年】の項には、まだ小規模だった神楽坂のべ平連事務所で「声なき声の会」小林トミさんに頼まれて、笠井聖志の名前で書いた小文を収録する。この会の小冊子に掲載されたエッセイだが、一九七〇年に高畠通敏編『戦後日本思想大系14　日常の思想』に全文収録され、小熊英二『〈民主〉と〈愛国〉』に一部が引用された。

少年ファシストの安保体験

現在、ぼくはたぶん人が平和運動と呼ぶところのものに参加しているのだろう。いや、この平和運動はたんに平和運動であるにとどまらず、反権力の運動、そして社会変革の運動にまで当然発展していくべきものであるのだ。それではぼくは「社会主義者」であるのか。少なくとも「平和主義者」であるのか。こう考えた時、いつでもたまらない不安と気恥かしさに捕えられてしまう。いや、ぼくは断じて社会主義者でも平和主義者でもない。自分は果たして何者であるのだろう。こんな疑問が浮かぶこともある。深夜、ガランとした横須賀線の電車に揺られながら、手にした本を読むのでもなく、窓ガラスの向こうにいるもうひとりの自分を眺めながら、あるいは喫茶店の中で、煮え切らぬ態度の友人に「行動」への参加を執拗に訴えたあと、冷えたコーヒーを一息に飲みほして立ち昇るタバコの煙を見上げながら、ぼくはふと考える。自分は果たして何者であるのだろうか、と。

共産主義者とも社会主義者とも自認できぬままに、社会変革を指向する自分。決して平和主義者という名に満足できぬままに、平和運動と呼ばれるものに参加する自分。この自分を解明することなしに、ぼくは平和を革命を語ることができない。

大江健三郎はこう記したことがある。「ぼくは政治的なタイプの人間ではないが、一九六〇年前後は、そのぼくがもっとも深く政治的なウズマキの中にはいりこんでいた時期だった。」六〇年安保闘争に一般市民として、たとえば「声なき声」グループの一員として参加したことのある人たちは、この大江の言葉を自分のそれとしてさほどの違和感は持たないだろう。イデオロギー的に自己限定することなく、ひとつの運動に参加できるのは、ぼくが受けた「民主教育」の成果であると考えることは可能である。しかし、それは真実ではない。ぼくは大江健三郎のように、そして「声なき声」グループの人たちのように、戦後民主主義を全的に肯定したことは一度もなかった。いや、ある一時期のぼくにとって民主主義とは、憎むべきもの以外の何ものでもなかったのだ。一九六〇年夏、ぼくは横浜の高台にある小学校の六年生で、少年ファシストだった。

十二、三歳だったぼくが、北一輝の著作を手にして歩いたことの意味を誤解してほしくない。横浜の住宅街に住む少年にとって、たとえば「受験」という言葉は、小学生の時でさえもうおなじみのものなのだ。ぼくはあらゆる意味で、学校と家庭の公認する価値基準から外れていた。もちろんぼくも、評判のよい「坊ちゃん」になりたいと思った。しかしその為の努力は、何ひとつ効果をあげはしなかった。激越なプライドは常に傷つけられ、疎外されていた。教師からも親からも自分は憎まれているようだった。評判の良い坊ちゃんどもは模擬試験の結果から自分を軽蔑していた。そして彼らの価値基準を支えるものが民主主義だった。猿のような教師は、社会科の時間にもっともらしい顔で平和と民主主義について説いていた。少年期のぼくにとって、ファシストであることこそがその反逆のすべてだった。

「恋の片道切符」という歌が流行したのもあの年だった。激動の六月にぼくは、全学連の行動を「ファシストとして」支持したものだった。彼らもまた、大人の設定した愚劣なルールを踏み破り、自らの血をもってその結果を引き受けた者だったからだ。そしてあの乾いた夏。ぼくは砂ボコリの白い小学校の校庭と、あの歌の切迫した焦燥感に満ちたリズムとを夏の終わりの日の思い出に持つ。浅沼刺殺事件。あの事件の衝撃はオリのように澱んで、いつのまにかぼくにファシストであることを止めさせた。そして数年間。

ぼくは決して民主主義に信頼など寄せはしない。いまでも、やはり議会制民主主義とは打倒されるべき目標であるにすぎない。しかし民主的諸理念（自由、平和といった）については異なった考えを持つようになっている。かつての自分、少年期のぼくが全身をこめて否定したものは、ニセの民主主義であるのだ。あの生活の中に自由があったか、平和があったか。否、否、否。

ぼくは自分を含めて存在する世代を信頼している。ニセの民主主義に疎外され、ニセの平和とニセの繁栄に傷つけられた世代。彼らはいつか怒り狂って立ち上がるだろう。そしてぼくは、その日のためにこそ、社会主義者としてでも平和主義者としてでもなく、運動を続けるのだ。

1968年

六〇年安保は小学校六年のときだった。全学連が国会前で機動隊と衝突する映像がTVニュースで流され、戦後社会の抑圧と真剣に闘うのは右翼ではなく左翼急進派のようだと知って、右翼はやめることにした。

中学生の頃は映画好きで、ガールフレンドと日比谷映画街に出かけることが多かった。ヴィスコンティの『山猫』を日比谷映画で観たあとのことだと思うが、数寄屋橋で大日本愛国党の赤尾敏が演説をしているのを目にして愕然とした。宣伝カーに日の丸と星条旗を掲げているのだ。アメリカによる占領体制に迎合するのが戦後日本の右翼であることを知って、この連中こそ敵だと思った。

それまで敵対していた日教組的な戦後民主主義は、社会党や共産党など既成左翼の理念だということもわかってきた。中学生のときはもう、新聞にときどき出てくる「反日共系全学連」というのに将来はなるのだろうと、漠然とながら思いはじめていた。

高校を中退して生まれてはじめて参加したのは、日韓条約反対の国会デモだ。そのときにはもう、何一〇万人というデモ隊が国会を包囲した六〇年安保闘争は、すでに伝説と化していた。わずか五年前のことだというのに。大江健三郎『遅れてきた青年』の主人公が、栄光ある戦争の時代に生まれ遅れたことを嘆くように、六〇年安保闘争に生まれ遅れたことに焦燥感を覚えた。伝説と神話の時代はもはや過去のものだ。われわれの眼前では伝説とも神話とも無縁の索漠とした高度成長社会が、空疎きわまりない「平和と繁栄」を謳歌している。

伝説的な六〇年安保闘争のように、来るべき七〇年安保を闘わなければならない。このような言葉があちこちで語られていた。一九六五年の日韓闘争、六六年の横須賀米原子力潜水艦寄港阻止闘争、そして六七年の三次にわたる砂川米軍基地拡張阻止闘争を通過し、運動は上げ潮という雰囲気が漂いはじめていた。デモの動員力が増してきた背景にはヴェトナム戦争の激化がある。ヴェトナム反戦闘争の高揚から、六〇年安保に匹敵する七〇年安保闘争の爆発をめざすこと。

六〇年の学生デモに学んだ治安警察は、投石よけネットや特殊ヘルメット、窓のないカマボコ型警備車などの新兵器を投入し、一九六五年の日韓闘争や六六年の横須賀闘争では学生デモの抑えこみに成功していた。日韓デモや横須賀デモで学生の隊列に紛れこみながら、拭いがたい疑念と欲求不満を覚えていた。「内ゲバ」と呼ばれる党派闘争では使用する角材を、どうして機動隊に向けないのかと。大学や公園で革マル派と角材で乱闘を演じたあと、その場に武器を残してデモに出発するという通例は倒錯的だ。

機動隊が警棒で弾圧するなら、われわれも角材で対抗するべきではないか。殴られた人間には、殴り返す権利がある。公園の出口付近でジグザグデモをしたあとは、優勢な警官隊に左右をサンドイッチされ、一方的に殴られたり蹴られたりしながら解散地点まで引きずられていくという屈辱的な経験には、誰もがうんざりしていた。

一九六七年の一〇月八日、佐藤首相のヴェトナム訪問阻止を掲げた羽田現地闘争には、小学校時代からの友人と参加することにした。学生の前夜集会に紛れこみ、会場の床に新聞紙を敷いて寝た。菓子パンの朝食のあと暗いうちに電車に乗った。結集地点の公園には、異様に興奮した雰囲気が流れていた。三派全学連の一派が、首都高速で機動隊の阻止線を角材で突破したらしい。殴られたら殴り返せ、警棒には角材をという主張がようやく実現されたようだ。

羽田空港占拠を叫びながらデモ隊は公園を出発した。しかし、じきに進路は警備車に遮られてしまう。蒲田から羽田にいたる三つの橋はカマボコ型警備車で完全に封鎖されていたのだ。橋の手前でわれわれは座りこんだ。警備車のタイヤに火がつけられ、黒煙が秋の澄んだ青空に立ちのぼった。離陸したジェット機の轟音が、頭上を通りすぎる。

ふいに催涙弾を打ちこまれ、警棒を振りかざした機動隊の大群に左右から襲われた。全員検挙、全員検挙という叫び声が聞こえる。機動隊は前面の橋のほうにいると思いこんでいたデモ隊は、不意をつかれ算を乱して敗走しはじめた。

機動隊の警棒で殴られ血を流して蹲っている学生がいる、公安の私服に押し倒されている学生もいる。生まれてはじめての修羅場なのに、流血と悲鳴が自分とは無関係な、どこかしら抽象的なものに感じられた。

街路の共同水道で頭部の傷を洗っている負傷者がいる。中核派なのか「仲間が機動隊に殺されたんだ、橋に戻ろう」と泣きながら訴えている学生がいる。しかし、その呼びかけに応える者はいない。屈辱感を噛み殺しながらデモ参加者は街路を安全な後方に、無気力に流れていく。まるで『パルムの僧院』の、ワーテルローの敗戦を描いた場面のようだと思った。小さな公園で再結集し穴森橋まで引き返して坐りこんだが、警棒をかざした機動隊の突撃でまたしても蹴散らされた。ベ平連の事務所を訪ねてきたことがある中核派の北小路敏が、一人で警官隊のほうに歩いて行くのを見た。

高校を中退してから、しばらくはベ平連の事務所に通って雑務の手伝いをしていた。『何でも見てやろう』の小田実が代表の市民団体が、清水谷公園で集会をするという小さな新聞記事を目にしたのがきっかけだった。岩波・朝日的な戦後教養主義にこだわらない青年知識人の旅行記はとても面白かったから、小田実を見物しようと集会に顔を出すことにした。それらがきっかけでベ平連事務所に通いはじめ、事務局長の吉川勇一氏を手伝うようになる。高校をやめて暇だったし、なにか手応えのあることをしたかったのだ。

日韓闘争、横須賀闘争、砂川闘争など大きな街頭闘争の際は、同年代の高校生や浪人生と誘いあわせて学生デモに紛れこんだ。理論趣味のある早稲田付属高生の大沢幹夫や、一〇・八羽田のときも一緒だった教育大学附属駒場高の粒良文洋らと、読書会でマルクス主義関係の本を読んだ。早大附属や教駒、慶応附属、麻布などには、六〇年安保時代からの高校生運動が多少は残っていた。早大文学部と東大にそれぞれ進学した大沢や粒良とのつきあいは、その後も続くことになる。一〇年ほどあとのことだが、パリの屋根裏部屋で書いた『バイバイ、エンジェル』が本になったのは、粒良から角川書店の見城徹に原稿が渡ったからだ。その屋根裏部屋に入れ替わりで住んだのは、遅れてパリに来た大沢だった。

六〇年代後半の大衆ラディカリズムは今日、〈68年〉と称されている。〈68年〉革命より前の戦後社会運動は、労働運動や学生運動など階層別に組織されていて、階層社会から脱落した少年には参加のしようがない。吉川氏に誘われて事務所に通いはじめたのも、べ平連が社会運動への唯一の入り口だったからだ。知識人は市民革命の「市民」のような、近代的な政治主体を念頭に置いて市民運動を語ることが多い。しかしそれは、一九六〇年代後半の「市民」運動の半面しか捉えていない。六七年頃から猛烈な勢いで増えはじめた地域べ平連は、ポスト戦後的に脱階級化した群衆的な存在形態の若者たちの、他にない政治参加の通路として機能しはじめる。

そうした群衆的政治主体にとっては、穏健な市民運動と過激な学生運動という二項対立などそもそも存在しない。名古屋の高校生べ平連運動家から連合赤軍兵士になった加藤倫教は、決して例外的な存在ではない。身近なところでも、べ平連事務所で一緒に手伝いをしていた二人が一九六九年には赤軍派になっている。元べ平連で新左翼の党派活動家、全共闘の無党派活動家になった例は数知れない。小熊英二の『１９６８』を典型とするような、「穏健」な市民運動と「過激」な学生運動を対立させる六八年史観は歴史を偽造している。

その頃、岩波映画をやめた岩佐寿弥氏から映画の自主制作活動に誘われていた。いつまでも高校中退生として、ふらふらしているわけにはいかない。映画なら映画と本業を決めるべきではないか。しかし岩佐氏

の誘いは断ることにした。映画など作っている場合ではない。一〇・八羽田闘争の衝撃的な体験は、待望の

「ワーテルロー」の到来を直感させた。この時代の「ワーテルロー」は文学でも映画でもなく、革命運動にあるのではないか。

秋山駿は日本赤軍のテルアビブ事件を論じて、「われわれのなかのあるタイプの青年が、自分を過激な行動にゆだねていくその発条には、必ずこの三つのもの――生の直接性と、果てまで行こうとする意志と、絶対を問うということ、その三つのものへのひどい渇きがある」(「渇いた心の語るもの」)と語った。

秋山のいわゆる「あるタイプの青年」を、のちに書いた小説『哲学者の密室』では二〇世紀青年として典型化することになる。それは第一次大戦の大量死を体験して、進歩と啓蒙の一九世紀的な精神性を破壊された若者たちを原型とし、それは第二次大戦世代、さらに〈68年〉世代まで引き継がれていく。

先にも触れたように、小学生のころから自分が何者であるのかわからないという、アイデンティティの空虚に悩まされていた。そこには転居による環境の激変や父親の死などの個人的な事情もあったろうが、一九世紀的な人間性の理念が崩壊したあとの二〇世紀精神の宿命も影を落としていたに違いない。二一世紀の若者たちには理解しにくいかもしれないが、「生の直接性と、果てまで行こうとする意志と、絶対を問うこと」に憑かれた時代精神は、かつて無数の青年たちの魂と肉体を逃れがたい力で攫んだのだ。

こうして戦場が発見された。やるなら徹底的にやらなければならない。アンドレ・ブルトンの『ナジャ』や倉橋由美子の『パルタイ』などを抱えて学生デモに紛れこんでいるような芸術的反抗派や、ベ平連でのボランティア活動に満足している市民派の高校生や大学生とは訣別して、ボリシェヴィキ的「革命家」をめざすこと。「小ブル急進主義でなにが悪い」とうそぶいていた少年は、来たるべき戦場で前線に立つためにコミュニストになること、新左翼の党派活動家になることを即決した。

ただし、ここには少し複雑な事情がある。街頭で機動隊と対決し、「平和と繁栄」を謳歌する戦後社会に

暴力的に挑戦した新左翼活動家の大半は、実のところ急進化した戦後民主主義者だった。このことはかつて新左翼学生、全共闘学生だった者たちの大半が、一九九一年のソ連崩壊や湾岸戦争をきっかけに、雪崩を打って戦後民主主義に回帰した事実からも明らかだろう。

とはいえ、これらの人々も二〇歳前後の時機には二〇世紀精神の「空虚な過激性」に突き動かされてはいた。だから一時期のことにしても、戦後社会と戦後民主主義を不倶戴天の敵とし、あるいは、硬直的なレーニン主義の用語で語るコミュニストとして活動していた。アイデンティティの危機に駆りたてられた「空虚な過激派」としては、こうした人々と同じ場所に身を置くしかないと判断した。

指揮監督されての労働など我慢できそうにないから、就職して労働運動をするという発想は皆無だった。新左翼運動の実質は学生運動だし、コミュニストとして党派活動をするためには、まず学生になる必要がある。高校中退者が大学の入学試験を受けたければ、文部省の大検をパスしなければならない。しかし大検の実施は夏である。正規のルートでは、学生になれるのは早くて翌々年のことだ。冗談ではない。そんなふうに悠長にかまえていたら、戦後社会を揺るがすだろう危機と激動の時代に後れてしまう。

高校中退でも入学試験を受けられる大学が幸運にも存在した。設立されて三年目という小さな私立大学の試験を受け、一九六八年の四月にはなんとか大学生の身分を得た。

その大学にはほとんど通うことなく授業料未納で除籍処分になるのだが、親には無駄な入学金を払わせたことになる。六八年の夏から全共闘運動が本格化し、日大や東大のバリケードには他大学の学生をはじめ、高校生や浪人生までもがたむろしはじめたからだ。大学生でなくても学生運動ができる時代の到来を、半年早く予測できていたら大学に入ることなどなかったろう。

「生の直接性と、果てまで行こうとする意志と、絶対を問うということ」。ようするに一〇・八羽田闘争以後の時代を最前線で、あるいはその渦中で、自身の身体性において最後まで生きるには文化左翼や市民運動ではなく、コミュニズムの綱領による党的な組織活動に自己投入しなければならない。しかし戦後社会の爆破を夢想する「空虚な過激性」の感情と身体を、客観的なマルクス主義の理論と接合することは可能だろうか。マルクス主義を掲げる党派の活動家になった同世代の大多数は、あれこれと複雑なことを考えた様子はないし、いつの時代も現場のコミュニストはそうなのかもしれないが、しかし理屈で納得することが必要だというタイプも存在する。

一〇代の読書遍歴について簡単に触れておこう。中学生の頃は世界文学全集と内外のSFや探偵小説を愛読していた。一〇代の後半には、大江健三郎や安部公房など日本の同時代文学に熱中した。人間が生きることの意味そして倫理。それらを欠いて、むしろ意図的に足蹴にすることにおいてのみ繁栄しえている愚者の楽園を土台から転覆しなければならない。そうした焦燥感と切迫感に駆られていたから、三島由紀夫が『英霊の声』で二・二六の蜂起軍人や特攻隊員の亡霊たちに叫ばせたような、戦後社会の平和と安定に対する呪詛の大合唱も理解はできた。社会の制度性や現実性から追放されているという否定的な感覚は、『自由への道』や『蝿』や『汚れた手』などJ＝P・サルトルの文学作品を愛読させもした。ただし『嘔吐』で暗黙の敵とされている、アンドレ・マルローの『征服者』や『人間の条件』の行動的ニヒリズムにも思想的な近さを感じていた。

いまでも不思議に思うのは、〈68年〉以前の東京の付属高や受験高に棲息していた文学的反抗派や芸術的反抗派の友人たちとは違って、レーニン主義のリゴリズムのほうに引き寄せられたことだ。ませた同世代の高校生のなかで多数派を占めていた彼らは、ブルトンやソレルス、寺山修司や倉橋由美子などを愛読していた。芸術的反抗派は不徹底であると感じながらも芸術的反抗派と共有する感覚もあって、あらゆる意味で糞真面目な態度を馬鹿にしていた、戦後民主主義的なそれであれ左翼的な倫理主義であれ。結果として彼らとは違う進路を選んだのは芸術的反抗では満足できそうにない、即物的に社会を破壊してしまいたいという観念的欲望の強度と関係があるのかもしれない。

はじめて読んだ哲学書は大江健三郎のエッセイから知ったサルトルの著作で、『弁証法的理性批判』や平凡社のアンソロジーで抄訳が読めたメルロ＝ポンティの『弁証法の冒険』から、ルカーチの『歴史と階級意識』を発見することになる。日本の〈68年〉は、一九五〇年代後半に成立した学生左翼の反スターリン主義的な思想的教養を破壊したのだが、その大波を被る以前に学生左翼の必読文献であるヘーゲルとマルクス、宇野弘蔵や梅本克己の著書も読んではいた。もちろん埴谷雄高や吉本隆明も。

子供の頃から抱え込んでいた生の不全感や意味への飢餓感の根拠を知ろうとして、マルクスの著作を『経済学・哲学草稿』から『資本論』まで読んでみた。しかし左翼党派として身近に存在するコミュニズムの「政治」にかんしては、どうにもなじめそうにない。

サルトルの『汚れた手』に登場する労働者革命家のエドレルが、知識人コミュニストの青年ユゴーを評して、「君は革命を望んではいない。社会を爆破しようとしているだけだ」と批判する。それを読んで「小ブル急進主義でなにが悪い」と思った。ユゴーと同じで現実的な社会変革というより、抑圧的な社会の爆破を熱望していたからだ。サルトル自身の存在はユゴー、当為はエドレルだった。しかしユゴーがエドレルになるのは不可能だし、そうした努力は無意味といわざるをえない。努力の末にブルジョワ性からプロレタリア性への「階級移行」が達成されたと思うなら、それは自己欺瞞にすぎない。

戦後社会を爆破したい主観的情熱とマルクス主義の客観的理論のあいだには、簡単には越えられそうにない深い溝がある。それを倫理主義的に飛び越え、「プチブル性」を自己批判さえすればコミュニストになれるという発想は安直で欺瞞的だ。サルトルの左傾化の際にも見られた、その種の政治主義的態度は容認しえない。

戦後社会に対する根深い反感とマルクス主義のあいだに存在する溝は、全体として近代の評価に関係していた。ちなみに日本思想史で語られる近代主義は正確には「近代化主義」で、第一次大戦後の「モダニズム」とは関係がない。モダニズムは内容的には「ポスト近代」主義だった。

近代にかんする問題の第一は、科学と技術の評価をめぐる。日米戦争を科学技術の敗北であると総括した点で、保守派と革新派に根本的な対立は存在しない。それが第二に労働と生産をめぐる問題を提起する。戦後社会の支配原理は労働至上主義、生産至上主義だが、子供の労働である学校教育を心底から嫌悪した者には、労働それ自体が抑圧的であると感じられていた。

以上の二点は、第三に前衛党と労働者階級の問題に転化する。科学的認識の真理性において権利づけられた前衛党論や、労働概念の中心性から導かれる労働者本隊主義を認めることはできない。これらの観点は近代精神の完成態であると自負するマルクス主義の認識論、唯物史観、革命論とそれぞれ根本的に対立する。そうした各論の背後には、さらに本質的と思われる対立が潜在していた。

その頃読んで衝撃を受けた長崎浩『叛乱論』の言葉を借りるなら、革命の根拠には近代世界における「行為の本質への飢餓」がある。解放は物質的＝社会的な過程からではなく、意味的＝精神的な過程から追求されねばならない。収奪された意味の回復に他ならない実存論的な革命イメージと、マルクス主義の唯物論のあいだに妥協の余地はあるのか。

第一の問題はマルクス主義哲学の客観主義的・実証主義的歪曲に主体性を対置した日本の戦後唯物論や、『弁証法的理性批判』での分析的理性の批判など、疎外論の立場を導入することで超えられるかもしれない。しかし各種の疎外論には、どれも共通して人間主義的な限界性が無視できないように思われた。「完成された自然主義＝人間主義」の理念など、戦後社会の爆破を夢見る観念のテロリスト志願者には牧歌的にすぎると感じられた。

梅本克己や黒田寛一よりも熱心に読んだのは宇野弘蔵の著作だった。宇野経済学による自然科学と社会科学、総じて科学とイデオロギーの分離の試みには、疎外論よりも説得的なものがある。唯物史観による革命の必然性を否定し、「革命の根拠は説きえない」とする宇野の見解は、ブルジョワ社会の森羅万象はことごとく物象化され尽くしているというルカーチの主張と並行的だろう。福本和夫と同じドイツ留学生だった宇野だから、その時期にルカーチを読んだとしても不思議はない。

疎外論に距離を置いたのは第二の問題とも関係する。『経済学・哲学草稿』を背景とした疎外論には労働概念の特権化がある。あるいは人間と自然の弁証法における労働実践の中心化。吉本隆明は例外的で、そのマルクス論で復権が主張されている観念の自己疎外論には労働疎外論に還元されえないものがあるとしても。なかでも最大の難問は第三の革命主体をめぐる。その点を曖昧にしたままでは、マルクス主義の左翼党派に志願することなど不可能だ。春闘という「ゼニ取り・モノ取り」運動に血道を上げている、高度成長社会に順応した組織労働者はかけらほども革命など望んでいない。しかしマルクス理論の大前提は労働者革命論だ。プロレタリアートの存在と当為、その現実と理念の分裂が暴露されたのは、第一次大戦直後のことだった。ドイツの労働者本隊は右翼や復員軍人と結託して革命的群衆のレーテ革命を血の海に沈めた。ハンガリーでは工場労働者が「プロレタリア独裁を打倒せよ」と叫んだ。戦後日本を含めて第二次大戦後の先進諸国では、労働者階級は福祉国家の体制的支柱となる。

革命的であるべき労働者階級が非革命的あるいは反革命的である現実を、マルクス主義はどのように説明しうるのか。その議論には大別して三つのタイプがある。第一のタイプは簡単にいえば自然発生論だ。支配階級に欺瞞されて体制内化しているプロレタリアートの基幹部隊も、情勢の緊迫と前衛部隊の突撃によって本来の革命性に覚醒するだろう。それは安保ブントの末流に多く見られる発想だった。

第二のタイプであるトリアッティ主義者は、東ドイツの経済学者ツィーシャンクの現代資本主義論を援用して構造改革（正確には構造的改良）を唱えていた。しかし、いずれも説得力を欠いている。ブント的な自然発生論は、現実に存在している労働者階級なるものに対する絶望感が稀薄にすぎる。どのような情勢の急迫下でも、その実践的惰性態（というような言葉を、サルトルの本で読んでいた）は破壊されえないのではないか。革命派の急進主義が徹底化されるなら、クーデタやテロリズムに帰結する以外ない。だが自然発生論者にはそうした思想的な断念がない。

構造改革論は自然発生論よりも認識において現実的だろう。しかし、それは先進国の労働者本隊が革命も社会主義も求めていないという現実を、たんに追認しているにすぎない。であるなら革命など不可能かつ不必要であると結論すればよい。依然として社会主義に拘泥しているのは自己欺瞞にすぎない。戦後民主主義左派の急進派がブント系、穏健派が構改系だが、一方はプロレタリアートの当為を疑わない革命派で、他方はプロレタリアートの現実を容認することで革命を棚上げする。

構造改革論は社会民主主義化した西欧ボリシェヴィズム（吉本隆明によれば「ソフトスターリニズム」）の理論として、日本でも一九六〇年代前半に一部で流行していたが、その帰結は議会主義と組合主義への埋没にすぎない。しかし、その原点には西欧革命の敗北をめぐるアントニオ・グラムシの総括がある。議会主義化した共産党と訣別して形成された新左翼党派は、いずれもレーニン主義への回帰を唱えていた。一九五六年のハンガリー革命以来スターリニズム批判の意識は一般化していたから、ボリシェヴィズムからスターリニズムを差し引いたレーニン原理主義への復帰ということになる。

となると革命戦略は中央権力への武装蜂起を最高形態とするロシア革命型（グラムシによれば「機動戦」）の無批判的な踏襲に帰結する。それでは先進国革命は不可能だというグラムシの発想は、しかし間違っていない。高校中退から三年間の読書や友人たちとの議論からは、そのような結論が導かれていた。

改良闘争と革命闘争を分断するレーニン主義に、権力闘争としての革命でも社会民主主義的改良でもない第三の闘争領域として「構造的な改良＝中央権力を包囲する塹壕や陣地の持続的な構築」を対置したグラムシの後継者たちの発想は、それ自体としては妥当だった。トリアッティ主義が駄目なのは、塹壕や陣地を自治体や組合としか捉えられない点にある。グラムシ的な持久的陣地戦と、ローザ・ルクセンブルクの革命的自然発生の理論を結びつけることで、新左翼党派のレーニン原理主義とは異なる革命理論を構築しなければならない。

『なにをなすべきか』に典型的なレーニン組織論に、スターリニズムとして完成されるだろう病理的兆候を読んだルクセンブルクの批判は正当に違いないし、こうした問題意識から一九六八年まで、友人たちと立ち上げたローザ・グラムシ研究会でマルクス主義関係の読書会を続けて、ブント系や中核派のレーニン原理主義派とは一線を画していた。しかしマルクス・レーニン主義を掲げる党派に加入するとしたら、この点に解答を見出さないわけにはいかない。

研究会ではルクセンブルクやグラムシの他に、ヒルファディングの『金融資本論』も読んだ。コミュニストに志願することにしたのは、高度経済成長による「豊かな社会」の寛容的抑圧こそ最大の敵だと考えていたからだ。そのためには『資本論』の時代とは段階的に異なる、現代資本主義のシステムを理解しなければならない。レーニン『帝国主義論』は、世界戦争の時代の資本主義論としては有効だったにしても、冷戦下の高度資本主義と「豊かな社会」の構造分析には役に立たない。そもそも米ソ対立の二〇世紀後半は資本主義諸国の不均等発展を理論的なベースとした『帝国主義論』の守備範囲を超えている。その点、ヒルファディングによる株式会社論や金融資本主義論は触発的だった。

第三のタイプである「日本の反スターリン主義」は、現実の労働者階級の革命性に対するシニシズムやニヒリズムにおいて、トリアッティ主義とも共通するところがある。それでも「革命的プロレタリアート」の理念を放棄しようとしない。認めることができないのは、現実と理念に分裂したプロレタリアートを革命党の先験的な理念において統一してしまう観念主義である。

いずれも「真の前衛党」をめざす左翼反対派だが、ブント系は「行動」において、革マル派は「認識」において自己特権化する。両者の折衷形態が中核派だ。こうした左翼反対派の独善性と尊大さには辟易させられた。たとえば市民運動を見下そうとする発想。一方は市民のデモの合法主義を侮蔑し、他方は労働者階級ではないプチブルの運動にすぎないと侮蔑する。しかも「真の前衛党」の「指導」に従えという命令口調は変わらないのだ。場合によっては実力で従わせる、という唾棄すべき発想も。

高校中退生はマルクス主義の理論と新左翼党派のスタイルに、嫌悪すべき教師根性や受験教育の優等生に共通する臭気を嗅ぎつけた。それも当然のことで、戦前共産党から安保ブントまで日本のコミュニズム運動の中心は東大生で、受験エリートが左翼のエートスを体現していたからだ。

容易にはマルクス主義に通じる敷居は超えられそうにない。もしも突破口があるなら、ルカーチの『歴史と階級意識』ではないだろうか。ルカーチは物象化論で、なぜ現実の労働者階級が現状肯定的な存在であるのかを解明する。森羅万象が物象化されるとき、プロレタリアートの意識のみ例外というわけにはいかない。しかしルカーチは同時に、ブルジョワ社会を全体性において認識せざるをえない、だから社会総体の変革を求めざるをえない、プロレタリアートの立場の必然性をも解明していた。

ルカーチ的に解釈＝改釈されたマルクス主義なら承認できる。そう結論して理論的な結集軸が曖昧な、ようするに海のものとも山のものとも知れない党派に入ることにした。高校中退の風来坊少年はベ平連の事務局長の吉川勇一氏、世話人の武藤一羊氏から専業的に活動するコミュニストの生き方を学んだ。この二人が結党に関与した新興党派なら、なんとかやっていけるのではないか。レーニンの『共産主義の左翼小児病』は、ルカーチなどルクセンブルク派の左翼共産主義を標的にした書だし、『歴史と階級意識』はコミンテルン四回大会で議長ジノヴィエフに断罪されている。レーニン主義を標榜する新左翼党派で理論的な統制が厳しい大組織では、ルカーチ主義者として発言し行動することなど不可能だろう。

一九六八年三月、大学入試にパスした直後に組織的にも理論的にも未整備な共産主義労働者党に入党した。この党は、一九六一年の共産党八回大会除名グループ（いわゆる構造改革派）の一部、六五年の九回大会除名グループ（いわゆるソ連派）の一部、いずれにも属さない独立コミュニストによって一九六六年に結成された。その国際路線は「平和共存」、国内路線は「反独占民主主義＝構造改革」でルカーチ的な左翼共産主義とは対立的だが気にすることはない。

必要なのはルカーチ主義の党を創設するための場だし、紛糾の末に栗原幸夫氏の発案で決まったという党名が気に入ったこともある。レーニンに左翼小児病として非難された、レーテ革命期に活動したドイツの左翼共産主義の党が共産主義労働者党だった。ルカーチ主義の党にこれ以上ふさわしい名称はない。

こうして一九歳から六年間、コミュニズムの党派に所属して半専従的な活動を続けることになる。レーニン主義の用語でいえば、「二四時間の政治生活」を原則とする「職業革命家」あるいはその訓練生だ。

大学入学と同時に手帳のスケジュール表は上から下まで真っ黒という、過労死寸前の猛烈サラリーマンと似たような生活をはじめた。サラリーマンと違うのは経済的保障が皆無なばかりか、逮捕投獄は日常茶飯事という苛酷でブラックな「労働」条件だ。あの時代たぶん全国に五〇〇〇人、もしかして一〇〇〇〇人は、こうした「ルンプロ」コミュニストがいたのではないか。

ルンプロとはルンペン・プロレタリアートの略である。マルクスはルンペン・プロレタリアートを侮蔑し、人間の屑として嫌悪していた。失業したギルド的職人をはじめ、屑屋や行商人から乞食や街娼にいたる雑仕事（プチメチエ）を生業とする都市貧民は、買収されて反革命の傭兵になる必然性がある。近代的に組織され、機械制大工業の生産点で組織性と規律性を獲得した産業労働者の大群だけが、共産主義革命の主体だというマルクスの認識が事実に反していることは、すでに良知力などの歴史研究が明らかにしていた。フランス大革命はもちろん、一八四八年革命からパリ・コミューンまで一九世紀の諸革命を実践的に担ったのは、マルクスが嫌悪したプロレタリア貧民だった。

古典的なマルクス主義では、ルンペン・プロレタリアは蔑称以外のなにものでもない。親の仕送りを打ちきられ、喰うや喰わずという経済的苦境の下で党派活動に挺身するコミュニスト青年が、それでも「ルンプロ革命家」を自称する。この心理的屈折には無視できない意味がある。マルクス主義の教条に反して、ルンプロこそ大衆蜂起の歴史的主体だった事実を、学生「ルンプロ革命家」は無意識のうちに理解していたのだろう。

宮本顕治の党内覇権が確立されていく八回大会、九回大会前後に共産党から追放された勢力の総結集という目論見は外れ、予想していた半分か三分の一程度の規模で発足した共労党には独自の学生組織がない。六〇年安保期の全学連反主流派／全自連の組織的遺産は、合流を拒否した統一社会主義同盟（学生組織はフロント）に主として引き継がれたからだ。ソ連派の「日本共産党（日本のこえ）」の学生組織だった民主主義学生同盟は、一九六七年まで関西学生運動では社学同に対抗する一大勢力だったが、一〇・八羽田闘争以降の街頭実力闘争の波に乗り遅れて、傘下の学生自治会数などの組織力も動員力も低下しはじめていた。

一九六六年から六九年まで、民学同には日本のこえと共労党という二つの上部団体が存在する変則的な事態が続いた。前者の拠点校は大阪大学、後者は大阪市大と京都大学。東京の共労党系学生部隊は、法政大学の社会学部自治会と中央大学の民学同支部しか存在しなかった。とんでもない弱小党派である。

入党したとき学対部長は中大ＯＢの藤川、そのあとは法政ＯＢの太田だった。「部長」とは名ばかりで、関西の民学同左派の指導は京大ＯＢの白川真澄や大阪市大ＯＢの戸田徹などが担当していたようだ。藤川も太田も出身大学の自治会運動や学内運動にしか関心がなく、無名の小さな大学の学生を指導する気などなさそうだ。

あとからわかってきたことだが、民学同の現役学生やＯＢは、市民運動などを活動基盤とした知識人の幹部党員に根深い不信感を抱いていた。地味な組織活動を担うことのない軽佻浮薄な文化左翼として嫌っていたようだ。また階級（階層）的に組織された運動を特権化する戦後学生運動の固定観念から、ベ平連を含めた雑多な都市群衆の運動を見下すという無知と傲慢もあった。

だから吉川勇一や武藤一羊が拾ってきた氏素性の知れない輩だとして、放置されていたのかもしれない。この時期の党内には内藤知周議長の構改派路線と、いいだもも書記長の新左翼路線が対立していたが、指導部の知識人党員と党組織（学対、労対、地区組織）の対立のほうが根深く、その爆発が七二年には党の分裂を招くことになる。

学対は機能していないので勝手にやることにして、ベ平連周辺の群衆化した高校生、予備校生、学生をオルグして政治サークル〈反戦学生同盟〉を立ち上げた。反戦学同はブントの学生組織である社会主義学生同盟の前身だから、この名称も構改派学生運動の枠で発想する学対や関西民学同を逆撫でしただろう。六八年時点では潜在的だったが、こうした運動センスの違いが翌年には決定的な対立となる。

六〇年安保闘争の際に、「雨が降ると座り込みもやらないスマートボーイ集団」と吉本隆明に揶揄された構改派学生運動は、三派全学連（社学同・マル学同中核派・社青同解放派）の街頭実力闘争が大衆的に支持されている状況でも、「暴力反対」の平和的デモに終始していた。しかし〈反戦学同〉のメンバーは一〇・八羽田闘争以降に登場してきた新世代で実力闘争への抵抗感はなく、王子闘争で投石戦を闘った高校生や東大全共闘に紛れこんで共産党のあかつき行動隊と乱闘する予備校生もいた。

一九六七年一〇・八羽田闘争を画期とする大衆ラディカリズムの爆発は、六八年に入っても続いた。一月の原子力空母寄港阻止の佐世保闘争、二月の成田新空港阻止の三里塚闘争、三月の王子野戦病院開設阻止闘争など、日本政府のヴェトナム戦争加担に実体的な打撃を与える反戦現地闘争が連続した。フランスでは「五月」闘争がド・ゴール体制に政治危機をもたらした。

一九六七年一月の上海コミューンで頂点に達した中国文化大革命から、六八年一月にはヴェトナムのテト攻勢とプラハの春、五月にはフランス五月革命、八月にはアメリカのシカゴ民主党大会阻止闘争と、東西の体制を越えて国際的・同時的に巨大な大衆蜂起が連鎖する。そして一〇月に日本では米軍タンク車阻止の一〇・八新宿闘争、続いて騒乱罪を引き出した一〇・二一新宿闘争が闘われる。それが一八四八年の世界革命に一二〇年の時を隔てながら呼応する、もうひとつの世界革命、〈68年〉革命だったと了解しえたのは一〇数年後のことだ。一九八一年には「私的SF作家論」の連載で次のように書いた。

> 十年以上の歳月を置いて改めて眺めてみると、あの一九六〇年代後半の数年間とは、ブランキ主義者とフーリエ主義者が活動した一八四八年の世界革命に呼応する、もうひとつの世界革命だったことがよく判る。この六〇年代後半の世界革命の理念こそ、ル＝グィンが『世界の合言葉は森』で描き出したものに他ならない。それは管理社会的抑圧や新植民地主義的侵略に抗議するだけでなく、その構造的根拠である近代世界とその支配精神である科学主義や人間主義そのものに対してのラディカルな批判であった。
>
> （笠井潔『機械じかけの夢』）

〈68年〉革命の歴史的な意義については『増補新版　テロルの現象学』の「補論1　68年ラディカリズムの運命」を参照されたい。

「平和と繁栄」を謳歌する戦後社会を爆破したいという熱望が、ヴェトナム反戦と大学解放を二つの柱とする大衆ラディカリズムの爆発をもたらし、そこでは「祝祭としての叛乱」が比喩でなく現実として生きられた。そうした体験の意味を求めて、全共闘学生はアンリ・ルフェーブル『パリ・コミューン』や山口昌男「失われた世界の復権」などを手にした。

一九六八年の解放感に溢れた「祝祭としての叛乱」と大衆蜂起の怒濤のような攻勢局面は、翌六九年には一転して権力との重苦しい対峙局面に入る。転機は六八年一一月二二日の東大構内集会（東大・日大闘争勝利全国学生総決起大会）だった。党派無党派を問わず全国から結集した数千の学生で安田講堂前から銀杏並木までが埋め尽くされた。その全員が共産党のゲバルト部隊を排除するため角材や鉄パイプで武装していた。それを目にして、無数の槍が林立する光景を比喩する「すすきの穂のような」という言葉が浮かんできたことを覚えている。しかし全学バリケード封鎖の決行方針は変更され、得るところなく集会は解散した。

前哨戦にすぎない個別大学闘争で戦力を消耗するわけにはいかない。もしも全学封鎖を決行すれば、東大構内に機動隊が導入されて学生部隊との激突になる。こうした警戒心から、中核派を中心とする党派勢力が、東大全共闘の無党派指導部による全学封鎖方針を潰した。六〇年安保の記憶に呪縛された新左翼党派指導部は、日米安保自動延長阻止の全人民的政治闘争、国会や首相官邸を焦点とする中央政治闘争こそ七〇年安保の天王山だと位置づけていたからだ。

一〇・二一新宿に続いて日本の〈68年〉は質的飛躍の決定的なチャンスを逃した。問われていたのは街路占拠、大学占拠闘争だった。新宿一帯をバリケードで封鎖し占拠する闘争、テントを張って全国結集の学生が半永続的に東大構内を占拠する闘争。街路や大学を武装した人民拠点に転化する闘争こそが求められていた。そうした民衆の大規模占拠闘争は四三年後の二〇一一年、タハリール広場やウォール街を典型として全世界に拡大する。

この年の一一月に二〇歳の誕生日を迎えたが、〈68年〉革命の高揚の日々は過ぎて、季節は冬になろうとしていた。

＊

ローザ・グラムシ研究会でマルクス主義文献を読みながらも、マルクス主義を信奉してコミュニストになることには抵抗があった。コミュニズムの源流はフランス革命期の民衆的な平等主義派で、それを継承したバブーフ／ブオナロティ／ブランキの系譜が一九世紀にはコミュニストと称されていた。

しかし二〇世紀コミュニズムはボリシェヴィズムと同義で、コミュニストとは革命党の一員として活動する者を意味する。マルクス主義を理念的に支持するだけでは、コミュニストとはいえない。マルクス主義の経済学批判や唯物史観だけではなく、革命党の組織論を含む革命理論に賛同し、それを組織的に実践することだ。

ボリシェヴィズムの教科書であるレーニン『なにをなすべきか』によれば、理論的に与えられている社会主義的意識性を、非革命的で現状肯定的な労働者階級に「外部注入」しなければならない。しかしレーニンは、党の意識性を科学的認識としか根拠づけていないし、労働者階級の非革命性についても俗流社会学的な説明しか見られない。その結果として、おのれの認識を科学的「真理」であると信憑した党派集団が、僭越にも階級を善導しようとする。そんな組織論を認めるわけにはいかないが、しかしルカーチには根本的に違うものがあるように思われた。

平時においてプロレタリアートの階級意識は、心理学的意識としての虚偽意識に分厚く覆われている。真実の意識である階級意識は、階級的な無意識として潜在している。虚偽意識の惰性的な皮膜を破ってプロレタリアートの階級意識が噴出するのは、革命的危機の瞬間だ。

このように捉える点で、ルクセンブルク的な革命的自然発生論とルカーチ主義のあいだに相違はない。異なるのはルカーチが、平時において階級意識を理論的意識として先取りしている革命党の必然性を認める点にある。とはいえ、党の意識性の根拠づけは『なにをなすべきか』のように粗雑ではない。革命党の意識性は、あくまでも来るべき階級意識の理論的な表現にすぎないとルカーチはいう。それは科学的認識のように、それ自体として自己完結的に与えられるものではない。階級意識に基礎づけられ、それを理論という物象的形態で先取りするものとして革命党の意識性はある。そうした党の意識と、階級が置かれている現実との弁証法的な緊張と相互関係が階級意識の歴史的顕現を準備する。

『歴史と階級意識』の読書経験は、革命党の組織論や階級意識論に限定されない了解をもたらした。たとえば近代科学への批判だ。もろもろの疎外論にも自然弁証法の批判や、マルクス主義の真理性を実証科学のそれに還元したエンゲルスへの批判はある。しかし『経済学哲学草稿』に影響された疎外論よりも、方法的にマルクスのヘーゲル化を徹底化したルカーチ理論のほうが説得的だった。ルカーチによるエンゲルス的科学主義への批判は、当時は未刊行だった『経済学哲学草稿』ではなく『資本論』の論理に則して克明になされていた。

主体と客体の弁証法を提唱するルカーチはエンゲルスの自然弁証法より、さらに徹底して労働概念を中心化している。子供の労働（学校）も大人の労働（工場）も抑圧だと考える者には同意できないところだが、ルカーチの黙示録的な雰囲気を放つ極端化されたヘーゲル＝マルクス主義は、そんな躊躇を押し流してしまう迫力を感じさせもした。たとえばルカーチは、晩年のインタヴュー『生きられた思想』で次のように述べている。

全体としての基本的な存在論上の誤りは、わたしが本質的には社会的存在だけを存在として認め、『歴史と階級意識』のなかに、なにしろここでは自然の弁証法が排撃されているわけですから、無機的自然から有機的自然を導き出し、有機的自然から労働を経由して社会を導き出すというあのマルクス主義の普遍性が、完全に欠如していることです。そしてここでさらに付け加えておかなければならないのは、全体の社会的および政治的な把握のなかで、すでに述べたあのメシア主義的なセクト主義が大きく関与している

という点です。〔傍点引用者〕

スターリニズムの文化官僚として延命する道を選んだルカーチが、のちに全面的に自己否定した『歴史と階級意識』のメシア主義とは、第一次大戦後の二〇世紀的な時代精神に他ならない。苛酷な塹壕戦と一〇〇〇万の戦死者の重圧で崩壊したヨーロッパ精神を、虚無から再建しようとする全体性への意志、堕落した世界を断罪する預言者の口調、ユートピアの暴力的な到来を熱望する黙示録的な精神。それらを『歴史と階級意識』は、エルンスト・ブロッホの『ユートピアの精神』やハイデガーの『存在と時間』と共有している。

労働と教養の合理的な発展過程の果てに人間の、そして歴史の自己完成を展望するヘーゲル哲学の構想は、メシア主義や黙示録的な熱望とは無縁だ。しかしルカーチは、ヘーゲルにおいて終焉している歴史を、終焉が切迫している現在進行形の歴史に置き換えることで、ユートピア的かつ黙示録的なヘーゲル＝マルクス主義哲学を樹立した。ルカーチにおいて歴史の終焉とは、プロレタリアートの階級的な無意識が深層から噴出するだろう革命の瞬間だ。歴史が終焉した地点から精神の発展過程を叙述するヘーゲルの学的観望者は、プロレタリアートの階級意識を先取りして語る革命党に他ならない。

一九六八年の夏休みに、それまでの『歴史と階級意識』読書の成果を文章にまとめた。「階級形成論の方法的諸前提1」と題された文章は、翌年一〇月に創刊された「拠点」1号に掲載される。ペンネームはコミンテルンの二七年テーゼで批判されている、日本で最初のルカーチ主義者である福本和夫の党名KUROKIを借用して黒木とした。龍思の龍は死んだ父親の名前、辰洋の辰に由来する。

「拠点」は盛田書店から刊行された商業誌だが、編集長の栗原幸夫をはじめ執筆者も共産主義労働者党の党員によって占められた事実上の党派機関誌だった。一九七〇年に刊行される「拠点」2号に「階級形成論の方法的諸前提2」を掲載する予定は果たされなかった。その事情は【一九六九年】の章で述べるが、本書に収録するに当たってタイトルから「1」は削除した。

共労党の党内での反響はゼロに等しかった本論だが、『現代革命論への模索』で言及するなど廣松渉氏による評価には励まされた。伝聞だが黒田寛一氏も読んでいて、「いいだももが黒木をどんなふうに育てるものか」と感想を口にしたとか。革マル派による他党派の内情暴露はたいていピントがずれているのだが、この場合も同じで、いいだももは後進を育成する気など皆無の人物だった。

階級形成論の方法的諸前提

理論家はプロレタリアートよりも前を歩くけれども、レーニンの言ったようにただ一歩だけ前を歩くのである。すなわち、大衆は彼らの知らぬところで練りあげられたすぐれた政策のための単なる手段ではないのである。大衆は操られるのではなく、訓練されて党の政策に真理の刻印を刻みこむのである。

モーリス・メルロ＝ポンティ『弁証法の冒険』

情勢の新展開は、革命の理論の新たな構築をわれわれに要請している。とりわけ、組織論・階級形成論の分野は、「理論的に徹底した研究がなされるという点では、現在もっとも遅れている問題の一つである」「なお多くの場合、たんなる技術的な問題として取りあげられるにとどまり、革命に関するもっとも重要な、精神的な問題としては取りあつかわれてはいない」と半世紀の昔、若きルカーチによって批判された水準を一歩も出てはいない現状にある。ところが、革命の現実性に対して最も強く要請される理論分野こそこれであるのだ。組織＝階級形成論は、理論と実践との結合環なのである。

『階級形成論の方法的諸前提』は、党組織論・ソヴェト論、プロレタリア独裁論などの諸課題の具体的解明に向けて、それに先行するものとして書かれたものである。方法論の確立なしに組織＝階級形成論を展開することはできない。

1

われわれは、メルロ＝ポンティによって「革命とマルクス主義との青春が蘇っているこの闊達な力づよい試論」と評された、若きルカーチの記念碑的著作『歴史と階級意識』をここで検討することから始めようと思う。若きルカーチの構想した理論体系には、組織＝階級形成論の方法をめぐる論理がその中枢に組み込まれており、これとの執拗で厳密な理論的対決が、この著作の成立後半世紀の今日でもいまだに求められているのだから。若きルカーチとの思想的格闘ぬきに、組織＝階級形成論も、その方法も語ることはできない。若きルカーチの俗流マルクス主義に対する批判は今でも有効である。そしてこれが未だ有効である分だけ、ルカーチと対決し、彼の提起した問題を真に止揚するための作業が、われわれに強いられているのである。

若きルカーチが提起した諸問題の中でほんとうに重要な点は次にある。

（1）歴史におけるプロレタリアートの使命は、国家を止揚し、無階級社会を建設するという政治的使命だけでなく、歴史に真理をもたらす哲学的使命でもあること。

（2）知のブルジョワ的諸形態が、例外なく「主客の二律背反」に陥ることをもってその方法的限界を暴露していること。

（3）主客の二律背反を止揚し、全体性における知を歴史にもたらしうるのはプロレタリアートのみであること。だからプロレタリアートは「知の全体性」の担い手であること。

われわれには、ルカーチがカント哲学の批判を通じて、主客カテゴリーの歴史性を暴露したその方法をここで検討する余裕はない。ただルカーチのすべての分析を前提に、近代に特有な主客カテゴリーと資本制的生産との関連を多少とも明らかにしていきたい。

知のブルジョワ的諸形態（ブルジョワ・イデオロギー）は、例外なく主客の二律背反に陥ることによってその原理的限界性を明らかにするのだが、この場合の客体とは何であり、主体とは何であるのか。近代哲学における「客体」とは、結論的にいえば「幻想的諸過程を排除して自立的なる自己運動を展開する資本制的経済過程」を哲学的に加工した概念に他ならない。そして「主体」とは、こうした資本制的経済過程の自立的なる自己運動の合法則性に規制され支配されているブルジョワ的個人を素材とした概念なのである。主体・客体というカテゴリーは資本制的商品経済社会を不可欠の前提としている点で、すぐれてブルジョワ的なカテゴリーなのであり、決して超歴史的なものではない。

経済過程の自立性は、経済過程を規定要因とする幻想的諸過程の相対的自立性をもたらす。こうして、社会的現実は人間から自立して、人間によっては変えることのできない「永遠の法則性」をもって人間に敵対してくる。第二の自然である社会的現実がこうした様相を呈してくると、その投影として第一の自然の方も同様に見えてくる。第一の自然と第二の自然にとりかこまれたブルジョワ的個人は、ただ静観的な態度で、自分とは無関係に動いていく外界の法則性を観察し、形式的な体系に創りあげようとする。経済学を始めとする社会諸科学がブルジョワ社会において初めて発展しえたのは、こうした理由による。また、その本格的発展がブルジョワ社会において初めておこなわれた原因を考察するならば、いわゆる自然科学もまた知のブルジョワ的形態をなすにすぎないことが確認される。したがってそれは、ブルジョワ社会とともに墓穴に蹴りこまれるべきものにすぎない。

自然科学の発展はブルジョワ社会において初めて本格的となった。まずブルジョワ社会において社会的現実が法則性をもった自立的自己運動を展開し始め、これとの対応において主体は客体に静観的に対し、客体の内在「法則」を形式的に観察するというブルジョワ的・悟性的方法が発生した。こうした方法をもって自然を眺めた時、自然は中世的な「生物態的自然」ではなく、社会的現実と同様に主体を排除し内在的な法則によって運動する「近代的な自然」となる。この過程をまって初めて、自然の諸法則についての学としての自然科学は、本格的に発展することが可能となった。「客体」カテゴリーの底には、自然的環境から社会的現実まで一貫したものとして、主体とは無縁の独自の法則性をもって運動する対象性という規定が埋められている。こうした規定は、ブルジョワ社会における経済過程の自立的なる自己運動に起因している。

それでは、このような資本制的商品経済社会における経済的現実過程とは何であるのか。

資本制生産に先行する諸形態においては、経済的現実過程と幻想的諸過程（政治的・法的・イデオロギー的諸過程）とは未分化のまま混在しており、融合状態にあった。資本制社会に先行する諸社会の社会的経済生活は、「何等かの宗教的な、慣習的な、権力的な、あるいは政治的な制度をもってなされたのであった[註1]」。つまり資本制社会に先行する諸社会において、経済的現実過程は政治的・イデオロギー的過程を媒介してのみ、その再生産を維持することができたのである。資本制的商品経済社会における経済的現実過程と幻想的諸過程との分離は、第一に社会の物質的生産からあらゆるイデオロギー的幻想性を排除し、その物質性が端的に物質性として発現する、第二に、あらゆる階級社会に不可欠な属性としての「直接生産者の剰余労働の収奪」が、経済外的強制なしに資本制的合理性をもって貫徹するにいたる、などの諸結果をもたらす。第一点に関しては、たとえば生産の古代的形態においては宗教的イデオロギーが不可欠の構成要素をなしていたこと、第二点に関しては、中世的な「名目的土地所有者のための剰余労働は、経済外的強制――それがどんな形態をとるかを問わず――によってのみ彼等から収奪されうる[註2]」というマルクスの記述によっても明らかだろう。

前資本制社会における経済的現実過程と幻想的諸過程との融合状態は、いかにして資本制社会におけるその分離、そして経済的現実過程の自立的自己運動の開始へと転換していくことが可能だったのか。それはただ、商品経済の発展によってのみ可能となった。「商品経済は、共同体の終るところに、すなわち共同体が他の共同体または他の共同体の成員と接触する点に始まる[註3]」、そして生産物は共同体の対外生活において商品となるや否や、ただちに反作用によって共同体の内部生活においても商品となる。商品がこうして登場すると、それはもはや各共同体がいかなる経済外的規制をもってその生産物を生産したかを問わない、純経済的な形態を展開することになる。そして次第に、労働生産物の一部は交換のためにのみ最初から生産されるようになり、消費のための有用性と交換のための価値との間に分裂が始まる。こうした商品経済は前資本制社会とともに発展し、徐々に前資本制的共同体を内部と外部から掘り崩していった。

商品形態はまず流通過程を支配した。けれども、これだけでは資本制的商品経済社会は成立しえない。経済的現実過程が自立的なる自己運動を開始したとはいえない。「商品流通が前資本主義社会でうけとる形態そのものも、社会の基本的な構造に決定的な影響をおよぼすことはできない。商品流通は社会の表面にくっついているだけで、生産過程そのもの、ことに生産過程と労働との関係を支配できない[註4]」。すなわちマルクスにならってルカーチが強調する点は、商品形態は流通過程だけでなく、生産過程を包摂することによって初めて自己を完成するということに他ならない。「商人はどんな商品でも買うことができたが、商品としての労働力だけは買うことができなかった。彼はただ、手工業生産物の売り捌き人としてのみ黙許されていた[註5]」とマルクスは指摘している。商品形態が生産過程を包摂し、商品経済が自己を完成させるためには、労働力商品の登場が必要であり不可欠であった。

労働力商品の出現によって、商品生産はたんに「商品を生産する」段階から「商品によって商品を生産する」段階に転化する。商品形態は、労働力の商品化によって生産過程を支配するが、それは資本による生産過程の支配として実現される。「商品経済は資本主義としては一社会の経済過程を全面的に規定するものとして、歴史的な一社会になるのであって（略）、またそれは同時に経済過程を、いわゆる社会の上部構造としての法律、政治、宗教その他のイデオロギーの実質的支配から独立に展開せしめることを可能ならしめる[註6]」真の根源は、労働力商品の実現にある。経済過程の自立的なる自己運動は商品形態による生産過程の包摂によって、商品形態による生産過程の包摂は労働力の商品化によって各々可能となる。こうして確立される資本制的商品経済社会は、その基底において経済法則に支配されたものとして存在する。

たとえば、何をどれだけいかにして生産するのかは、価格の運動を規定する経済法則によって決定される。直接の生産者たる労働者はもちろん、資本家の判断でさえ、経済法則の主観的契機にすぎなくなる。「資本家としての人間の行動は、この客観的な法則に支配されるものとして、また支配されながらこの法則を実現するものとして、いわば主体性を失って客体的な運動の主観的要因をなすにすぎない。それは直接の生産者たる労働者が、その労働力を商品化することによって、経済原則に対するいわば人間的な、直接的関係を喪失することに対応するものである」(註7)。資本制的商品経済社会における経済的現実過程は、こうして幻想的諸過程を排除しつつ、その法則によって人間の行動を規定しながら自立的な自己運動を展開する。ここで詳しく触れることはできないのだが、宇野弘蔵が『恐慌論』において解明したように、この自己運動の原動力は労働力商品の矛盾にあり、経済的現実過程の自立性を保証するものもまた労働力商品の存在である。

主客カテゴリーにおける客体とは、直接的には自律的なる自己運動を展開する経済的現実過程に他ならないが、その自立性、その自己運動を保証するものが労働力商品の存在である以上、労働力商品の担い手としてのプロレタリアートは、資本制的商品経済社会の普遍的本質の具体的定在であり、その限りで主客カテゴリーにおける客体そのものに他ならない。商品形態こそが主体と客体の結合環であり、「商品関係の構造のなかに、ブルジョワ社会でのあらゆる対象性の形態と、これに対応する形態との原型を見つけ出すことができる」とルカーチが語ったのも、このことを指している。

自律的な自己運動を展開する経済的現実過程から排除され、その法則によって外的に規定されたものとしてのブルジョワ的「主体」であるとともに、この過程の自立性の保証であり、自己運動の原動力として「客体」でもあるプロレタリアートは、「主体の対象についての意識が対象の自己意識であり」また「対象の自己意識が主体の自己意識である」という条件を満たしうる。すなわち、プロレタリアートの社会的現実（その規定的要因は経済過程にある）についての意識は、経済過程の自立性の体現者としての、自己運動の原動力としての商品の自己意識であり、商品の自己意識は、労働力商品としてしか存在しえないプロレタリアートの自己意識である。

こうしてブルジョワ・イデオロギーの二律背反を止揚し、知の全体性を担う者として、プロレタリアートが歴史に登場してくる。プロレタリアートの自己意識は、知の全体性の実現であり歴史の自己意識に他ならない。歴史は自己を意識するにいたる。人類の前史は終焉するだろう。

ルカーチは、プロレタリアートの主客の同一性に触れて語っている。「プロレタリアートは、たしかに社会的な現実の総体を認識する認識主体である。しかし、それはけっしてカント的方法の意味における認識主観、すなわちけっして客観とはなりえないものとして定義される主観ではない。プロレタリアートはけっして社会的な現実の発展過程に参加しない傍観者ではない。プロレタリアートは社会的な現実全体の行動し、受苦する部分である[註8]」。受苦するものとしてのプロレタリアートのみが、歴史の終焉を告知しうる。

こうしてわれわれは、ブルジョワ社会の構造とそれに対応する一般的な生活意識、この生活意識を土台として、その上部に体系化される「意識の意識」としての「知のブルジョワ的形態」＝ブルジョワ・イデオロギー、ブルジョワジーの階級意識とプロレタリアートの階級意識との構造的な差異、プロレタリアートによる階級意識獲得の必然性などについて検討する段階に達した。知の全体性とは、プロレタリアートの階級意識に他ならない。

まず、ブルジョワ社会の構造に全面的に規定される自然発生的な生活意識の内容について解明しなければならない。

すでに強調したように、ブルジョワ社会の特性は、商品形態が流通過程のみならず生産過程をも包摂し、それによって経済的現実過程がいっさいの幻想的諸過程を排除して自立的なる自己運動を、内在的な法則性をもって展開しているところにある。この点から、ブルジョワ的な生活意識の内容を導出しなければならない。

ブルジョワ社会の自然発生的意識とは、「物象化された意識」であり、それは商品の物神的性格に根ざしている。これについてマルクスは次のように指摘する。

> 商品形態の神秘性なるものは、単に次の点にある、——というのは、商品形態は、人間自身の労働の社会的諸性格を、労働諸生産物そのものの対象的諸性格として、これらの諸物の社会的な自然諸属性として、人間の眼に反映させ、したがってまた、総労働に対する生産者たちの社会的関係を、彼らの外部に実存する諸対象の社会的な一関係として人間の眼に反映させるということ、これである。(註9)

商品の物神的な性格は、本来の人間関係に物的な外被をかけ、人と人との関係があたかも物と物との関係であるかのような幻想的形態をもたらす。商品のこうした物神的性格は何に起因しており、人間にどのような態度を強制してくるのだろうか。

商品のこの性格は、商品を生産する労働の社会的な性格から生じてくる。諸使用対象は、相互に独立して営まれる私的諸労働の生産物としてある。これらの私的諸労働が社会的総労働の一分肢としてのみ存在する事実は、生産物が商品として交換された後にしか確証されえない。このために諸労働の社会的性格は「彼等の諸労働における人と人との直接的に社会的な性格としてではなくて、むしろ、人と人との物象的諸関係および物象と物象との社会的関係として、現象するのである」(註10)。こうして交換こそが、労働諸生産物に商品としての物神的性格をもたらすことが明らかとなる。この交換を可能にするのは、相異なる質の具体的有用労働の、同質な抽象的人間労働への還元であり、生産物の商品への、したがって有用物の価値物への転化に他ならない。交換は価値の決定によって可能になる。価値は交換者たちの意志や予見に係わりなく変動するから、「交換者たち自身の社会的運動が、彼等の眼には、諸物象――彼等によっては制御されないで彼等を制御する諸物象――の運動という形態をとる」(註11)。

こうして、商品の物神的性格は、人間の社会の社会的関係を物象化し、その物象的外被の内部を透視しえないばかりか、逆に物象によって規制される「物象化された意識」をもたらす。

資本形態は、商品形態がその価値と使用価値との矛盾を、貨幣形態を経て現実的に止揚したものとして出現する。資本制的商品経済の本質は、商品形態が流通過程（G―W―G'）だけでなく、生産過程をも全面的に包摂する（G―W…P…W'―G'）ことにある。資本制的な経済過程は純粋に自立的なる自己運動を展開し、幻想的諸過程はこれとの対応において、これに適合する限りにおいて運動するものとしてあらわれる。だから資本制的商品経済社会におけるあらゆる人間関係は、商品と商品との交換関係として実現される。ブルジョワ社会における自然発生的な生活意識は、この社会のもっとも原基的な関係としての商品（交換）関係を、日々、あらゆる場所で反復され続ける体験として意識化したものに他ならない。

この意識形態は、階級関係を商品関係として意識する限りにおいて階級関係を隠蔽する。なぜなら、ブルジョワとプロレタリアとの関係もW―G、G―Wとして、つまり商品関係としてのみ存在するからだ。「商品関係についての意識」としてのブルジョワ社会における自然発生的な生活意識は、自己の外部で客観的な法則性をもって展開し、自己を規制してくる客体に対して（それは自己の社会的運動に他ならないのだが）、静観的・傍観的態度をとらざるをえない。このように物象化された意識は、他方で「自由」や「平等」についてのブルジョワ・イデオロギーを受けいれる素地となる。この点についてマルクスは、次のように皮肉に語っている。

労働力の売買が、その限界内でおこなわれる流通または商品交換の部面は、事実上、真の天賦人権の楽園であった。ここでもっぱら支配的に行われるのは、自由、平等、所有、およびベンタムである。自由！けだし、一商品、たとえば労働力の購買者と販売者とは、彼等の自由意識によってのみ規定されているのだから。彼等は自由で法律上同じ身分の人格として契約する。契約はそれにおいて彼等の意志が一つの共通の法的表現を与えられる最終結果である。平等！けだし、彼等は商品所有者としてのみ相互に関係し合い、等価物を等価物と交換するのだから。所有！けだし、誰もみな、自分のものだけを自由に処分するのだから。ベンタム！けだし、相方のいずれにとっても肝要なのは自分のことだけだから。(註12)

ところでレーニンは、何故大衆の自然発生的な意識がブルジョワ・イデオロギーの方向に進むのか、と設問してこう答えている。「それはブルジョワ・イデオロギーが、社会主義的イデオロギーより、その起源においてずっと古く、いっそう全面的に仕立てあげられており、はかりしれないほど多くの普及手段をもっているという、単純な理由によってである(註13)」。けれどもこのレーニンの論議は充分に明確であるとはいえない。ブルジョワ社会における自然発生的な意識形態は「商品関係についての意識」として本質的な規定を受けていることに、その根本的な理由がある。

ブルジョワジーの階級意識は、生活意識としての「商品関係についての意識」を土台として、その上部に「意識の意識」としての知のブルジョワ的形態＝ブルジョワ・イデオロギーを展開する複合体をなしている。ブルジョワジーの階級意識は、「資本家の関心は（生産という視点からみれば）副次的な問題である流通という視点をどうしても固執せざるをえない(註14)」結果として、社会をその構造において捉えることができない。資本家は社会の本質を他の階級に知らせないことが利益であるため「ブルジョワジーのイデオロギー的歴史とは——ごく初期の発展段階、たとえば、ただシスモンディの古典経済学批判だとか、自然法のドイツ的な批判だとか、初期のカーライルなどを思い浮かばせるにすぎないような段階からして——ブルジョワジー自身のつくった社会の真の本質を洞察することをさまたげようとして、すなわち自分の階級意識をほんとうに意識するまいとして、死に物狂いに闘うことにほかならない[註15]」という結果が生まれる。ブルジョワジーの階級意識は虚偽の意識である。ルカーチのいうように、虚偽なるものが虚偽なるものとして真であるような、こうした弁証法的な内実において、それは虚偽の意識なのである。

ブルジョワジーの階級意識に次いで、プロレタリアートの階級意識の考察に進まなければならない。プロレタリアートの階級意識こそ、知の全体性の内容に他ならないのだから。

資本制社会に実存する個々の労働者の日常生活では、プロレタリアートの階級意識は原理的に獲得されえない。ルカーチは『歴史と階級意識』第三論文の冒頭に「ここでは、このまたあのプロレタリアートが、あるいはプロレタリアートの全体さえもが、その時々に何を目的として頭に描いているかが問題なのではない。問題なのは、プロレタリアートが何であるか、またこの存在に応じてプロレタリアートが歴史的に何をなさざるをえないか、ということである[註16]」というマルクスの文章を引用している。ルカーチにおいてプロレタリアートの階級意識は、その心理学的な意識とは明確に区別されている。だからといって階級意識が、たんに哲学者の頭の中で空想されたものでないことも明らかである。ルカーチにとってプロレタリアートの階級意識とは、マルクスによる資本家的商品経済の構造分析を前提に、その構造内でプロレタリアートが必然的に獲得せざるをえない固有の意識形態に他ならない。

プロレタリアートの心理学的な意識は、ブルジョワ社会における自然発生的な生活意識としての「商品関係についての意識」である。この点ではブルジョワジーのそれと基本的に変わらない。ただしプロレタリアートはブルジョワジーとは異なって、この生活意識にとどまったり、あるいはその上に「意識の意識」としてのブルジョワ・イデオロギーを展開することはできない。

いっさいの人間性の捨象が人間性の外見の捨象さえもが、完成されたプロレタリアートのうちに実践的に完了しているために、プロレタリアートの生活条件のうちに今日の社会のいっさいの生活条件の、もっとも非人間的な頂点が集中されているために、人間がプロレタリアートたることによって自己を喪失しており、しかも同時にこの喪失の理論的意識をかちえているだけでなく、また、（略）絶対に有無をいわせぬ窮乏（略）によって、この非人間性にたいする反逆へと直接に追い込まれているために、そのためにプロレタリアートは自分自身を解放することができるし、また解放せざるをえない。(註17)

このように若きマルクスが語ったように、同じように物象化された生活でもブルジョワジーが安穏と身の保証を感じるのとは反対に、プロレタリアートはそこで自己の無力さと非人間的在り方を感じざるをえない。プロレタリアートは、ブルジョワ的な生活意識にとどまりえないことを強制されている。それではプロレタリアートは、いかにして虚偽の意識を突破するのか。何故プロレタリアートのみが虚偽の意識を止揚しうるのか。

それは、この生活意識がプロレタリアートにとってひとつの巨大な欺瞞だからである。「商品関係についての意識」は、プロレタリアートにとって日々の生活的現実の意識化であるとしても、その裏側には、資本と賃労働との分裂に基因する階級的関係が事実として存在している。マルクスは『資本論』第一部第二編第三章において「等価交換の法則を維持したまま、貨幣は資本に転化しうるか（剰余価値はもたらされうるか）」と設問し、第三編第四章を経て第五章において「手品はついに成功した。貨幣は資本に転化した」と結論する。この間に解明された問題こそ、剰余価値生産の秘密と呼ばれるものに他ならない。

この秘密とは、「労働力商品はその価値以上の価値を、その使用価値の消費過程において生産しうる」点にある。いっさいの交換が等価かつ自由に行われている。労働力と賃金の交換もまた「自由で平等」である。けれども労働力商品は、その特殊性によって直接生産者のためにではなく、資本家のために剰余価値を生産する。流通過程における「自由と平等」は、生産過程における階級的収奪の形式的外被にすぎない。G—WとW—Gの等価交換関係の背後には、W…P…W'の合理化された搾取関係が存在するのである。

プロレタリアートは自己の身体的精神的な力が、商品として客観的法則性に支配されることによって、次に価値増殖過程における合理的な搾取によって、第三に労働の細分化・合理化によって、商品関係についての意識としての生活意識から排除されざるをえない。ただし、その形式性が暴露された後でも依然としてプロレタリアートは、現実的な関係である商品関係を否定することができない。同時に商品関係を認識することで現実の階級関係を承認してしまうことも不可能である。ここにディレンマがある。プロレタリアートは、このディレンマを「商品関係」ではなく「商品」についての意識を獲得することによって止揚する。商品についての意識とは、労働力商品の自己意識であり、プロレタリアートの自己意識に他ならない。

プロレタリアートの自己意識とは、「商品についての意識」＝「労働力商品の自己意識」であり、そのようなものとしてプロレタリアートの階級意識の本質規定をなすものである。

商品関係についての意識という虚偽意識は、商品関係という物象性の背後にある階級関係を透視しえないが故に虚偽であった。プロレタリアートは、労働力商品の人格的担い手というその本質規定によって、商品の自己意識としてのプロレタリアートの階級意識を、社会的現実の全体構造の認識として、すなわち物象化された意識を克服する真実の意識として獲得しうる客観的可能性を有している。プロレタリアートの方法は弁証法であり、彼らは社会現象の全体把握を、したがって真理をその階級意識の裡に実現するのである。

けれども既に確認したように、こうした階級意識はプロレタリアートの心理学的な意識（それはブルジョワ的な生活意識にすぎない）とは明白に異なっている。だからルカーチにとって、「階級意識の客観的理論は階級意識の客観的可能性の理論なのである[註18]」。その客観的可能性が実現されない段階においては、プロレタリアートの階級意識は「階級的な無意識」としてのみ存在する。

階級的な無意識は、ブルジョワ社会の深まる危機と迫り来る破局のなかで一挙に顕在化し、一挙に階級意識として獲得される。この瞬間、歴史はついに自己を意識するだろう。「階級意識の真の本質であるその実践的・活動的側面が、その本当の姿をあらわすことができるのは、歴史過程が階級意識の効力発現を命令し、要求する場合のみであり、経済の緊迫した危機がそれを行為にかりたてるばあいのみである[註19]」という特徴的な発想を、後にルカーチはメシア主義的、黙示録的な発想であると自ら語っている。

註

（1）『経済学方法論』宇野弘蔵（東大出版会「経済学体系1」）7頁
（2）『資本論』マルクス（青木書店版）112頁
（3）同 196頁
（4）『歴史と階級意識』（白水社版「ルカーチ著作集」第九巻）116頁
（5）『資本論』595頁
（6）『経済原論』宇野弘蔵（岩波全書版）46頁
（7）『経済学方法論』111頁
（8）『歴史と階級意識』59頁
（9）『資本論』172頁
（10）同 174頁

(11) 同　176頁
(12) 同　328頁
(13) 『何をなすべきか』レーニン（大月書店「レーニン全集」第五巻）408頁
(14) 『歴史と階級意識』127頁
(15) 同　134頁
(16) 『資本論』354頁
(17) 『聖家族』マルクス＝エンゲルス（大月書店「マルクス　エンゲルス全集」第二巻）34頁
(18) 『歴史と階級意識』156頁
(19) 同　90頁

2

階級意識とは、ルカーチの規定によれば「生産過程のなかの一定の類型的状態に帰せられ、それに合理的に適合する反応」(註1)である。諸々の階級意識のなかでもプロレタリアートの階級意識は、歴史的に唯一である真実の意識として独自のものといえる。たとえば、前資本主義的な階級意識は次のような理由で、本質上明確な形態をとりえない。

そこ〔前資本主義社会─引用者註〕では経済がまだ──ヘーゲル流にいえば──客観的にも対自態という段階に達してはいない。だから、このような社会のなかでは、あらゆる社会的諸関係の経済的基礎が意識されるようになる立場は、客観的に実現しているとはいえないのである。(註2)

前資本主義的な社会ではどの社会をとってみても、その社会の本質から階級の利害がまったく（経済上）はっきりした形であらわれえないのである。事実、社会がカストとか身分などによって構成されている場合には、社会の客観的・経済的な構造のなかには、経済的な要素が政治的・宗教的などといった要素と解けがたく結びついている。(註3)

すなわち、経済的現実過程と幻想的諸過程の分離が決定的でないような諸社会においては、意識が社会的現実に埋没しているために身分意識といった類の、イデオロギー的外被にまといつかれた意識形態が支配的である。商品経済の発展と、それによる生産過程の支配をもって初めて成立する資本家的経済社会においてのみ、客体的現実の法則的自己運動の自立性から主体が完全に排除されて、意識による対象の全面的認識が可能となる。資本主義社会においても前資本義的要素にその存在の基礎をもつ諸階級意識は、身分意識などの歪曲され混濁した形態でしか存在しえない。

資本主義社会における二つの基本的な階級意識、ブルジョワジーの階級意識とプロレタリアートの階級意識のうち、前者は次のような特質をもつ。ブルジョワジーは流通過程にのみその関心をもつ。ブルジョワ経済学が「それ自身において利子を生むものとしての資本」という幻想を突破しえず、G―W―G'の商業資本範式やG―G'の利子生み資本範式の背後にあるものを考察しきれない限界を背負っているのも、またブルジョワジーが、商業活動こそ利潤の根源であるという欺瞞に陥るのも、すべてはブルジョワジーの階級意識の視点が流通過程にのみ置かれているからだ。それは商品関係という形態をもった階級関係の真実を透視しえない。だからブルジョワジーの階級意識は、社会的現実の真の姿を見ることのできない虚偽の意識である。

真実の意識としての階級意識、より明確に規定すれば「階級意識としての階級意識」は、プロレタリアートのみのものだ。プロレタリアートの階級意識は、歴史上最初の階級意識であり、また最後の階級意識でもある。

プロレタリアートが血みどろの階級闘争の最後の勝利者であり、階級そのものを止揚しうる唯一の主体であるのも、彼らが社会的現実の真実を見ることができるし、見ないわけにはいかない立場にあるからだ。前資本主義社会における諸階級意識は「即自的」an sich だった。資本主義社会が成立し、歴史が自らを外在化しえた後に初めて「対自的」für sich な階級意識は存在しうる。「それ自体で」an sich 存在するものは自己が何であるかを知らない。

「前資本主義社会では階級といってもそれは、客観的に存在するわけではなく、史的唯物論という歴史解釈をたよりにして、直接的にあたえられた歴史的現実から引き出されるものであるのに対して、資本主義社会になれば階級というものが直接的な歴史的現実そのものとなっている[註4]」とルカーチは語った。あるいは宇野弘蔵は、歴史的に一貫して存在してきた経済原則もその存在が意識されるのは、経済原則が商品経済のうちに自己を経済法則として展開し、その経済法則を科学的に解明した後であると再三にわたって強調している。いずれも「歴史の疎外態としての資本主義社会」についての問題提起に他ならない。

たとえば『精神現象学』の次の箇所には、ヘーゲルからマルクスが、そしてルカーチが継承した認識拠点の在り方が典型的に示されている。

精神的なものだけが現実的なものである。精神的なものは実在すなわち自体的に在るものである。つまり自己に関わるものであり、規定されたもの、他在でありながら自己に対する有である。そしてこのように規定されていることにおいて、すなわち、自己の自己外有において自己自身に止まるものである。言いかえれば即且対自的である。だがこのように即且対自的に有するのは、まだやっとわれわれにとって、すなわち自体的なことである。つまりそれは精神的実体である。この即且対自有は自己自身に対するものでもあり、精神的なものについての知であり、また精神としての自己についての知でもあるのでなければならない。すなわち、それは自己にとって対象として在るのでなければならない。しかし、同時にそのまま止揚された対象、自己に帰った対象として在るのでなければならない。この対象は、その精神的内容が対象自身によって生み出されている限り、自己に対しているといっても、それはわれわれにとってだけのことである。だがこの対象がまた自分で自分に対している限りでいえば、この自己を作り出すはたらき、すなわち純粋概念は、対象にとっては同時に、対象を定在させる対象的場でもある。そして対象は、こういうふうにして、その定在において自己自身で（にとって）自己に帰ってきた対象である。(註5)

〝それ自身においてあるもの〟としての即自的 an sich なあり方は自己を知らない。〝他としてあり、自己に対してあるもの〟としての対自的 für sich なあり方もやはり自己を知ってはいない。ただ、〝自己に対してありながら自己のうちにとどまっているもの〟としての即自・対自的 an und für sich なあり方のみが、自己を知り、それればかりか自己の過去の姿としての即自的な、あるいは対自的なあり方をも認識しうるのである。即自的なものがたんに即自的なのではなく、あくまでも「即自・対自的なもの」にとって、すなわち「われわれにとって」für uns「即自的」であるのは、こうした論理による。

前資本主義社会はヘーゲル風に表現すれば「即自態」だから、その階級意識も即自的で、自己を自己として意識することができなかった。資本主義社会は歴史の「対自態」だから、その階級意識（ブルジョワジーの階級意識）は弁証法的な矛盾に満ちたものであり、たんなる即自的なものではないけれど、やはり自己を自己として知ることはできない。ブルジョワ社会における自然発生的な意識形態としての「商品関係についての意識」を、生活としてブルジョワジーと共有するプロレタリアートの意識もまた、この段階ではたんに対自的な意識として自己を意識するものではない。ただプロレタリアートの対自的な意識は、即自・対自的な意識へと自己を止揚する客観的可能性をもっている点で、ブルジョワジーの階級意識とは異なる。プロレタリアートの階級意識は即自・対自的な意識であり、ブルジョワ社会における生活意識としての対自性から区別されなければならない。

ヘーゲルにおける「われわれ」wirとは絶対精神であり、あるいは「哲学者たち」でしかなかったが、真の意味での「われわれ」とは、階級意識を獲得したプロレタリアートの立場に他ならない。ブルジョワジーの階級意識も、プロレタリアートの立場から見てのみ、すなわち「われわれにとって」für unsのみ、階級意識として意識されうる。ブルジョワジーは自己の意識形態を「人類の普遍的な」意識だと信じて疑わない。

だからプロレタリアートの階級意識は実現されていない。在るがままの心理学的なプロレタリアートの意識は、ブルジョワ的な生活意識に表層をおおわれていて、個々の労働者の深層に沈殿している。けれどもそれは来たるべき革命的危機において、一瞬のうちに顕在化するだろう。その時点までプロレタリアートの階級意識は、「実存としてのプロレタリアート」die Existenz als Proletariatに対する「立場としてのプロレタリアート」der Standpunkt als Proletariatとしてしか把握しえない。

われわれは、ここで一つの決定的な難問に突き当たる。もしもプロレタリアートの階級意識が経験的現実でないのなら（そしてこれは事実なのだ）、それは理論家の空想でしかないと何故いえるのか。ルカーチが直面したこの困難性を、メルロ＝ポンティは次のように表現している。

> 論理というものは意識にたいしてしか存在しないので、プロレタリアたちは歴史の全体性を認識していると主張するか、あるいはプロレタリアートは即時的には（つまりプロレタリアート自身にとってでなくわれわれの目には）真の社会の実現をめざしている勢力であると主張するか、そのいずれかでなくてはなる

まい。[注6]

したがって「困難は、プロレタリアートが主体でなければならないか、それとも理論家にとっての客体でなければならないかという点にある」。[注7]メルロ＝ポンティは、こうしたルカーチのディレンマを解決する方向性を示している。しかし、われわれはさらに、このディレンマに深く関わらなければならない。この二律背反こそが組織＝階級形成論における諸々の誤謬の源泉となっているからだ。この分裂を最終的に解消しうる者のみが、組織＝階級形成論の構築をなしとげるだろう。

このディレンマを決定的に止揚するために、ヘーゲル、マルクス、ルカーチと継承的に発展させられた方法の一側面を徹底化しなければならない。そうすることによって初めて問題の所在は明確化されるし、ディレンマを解決する糸口を摑むこともできる。

ヘーゲル哲学が全体性の哲学であるのは、その特有の方法に根ざしている。

世界がいかにあるべきかを教えることにかんしてなお一言つけ加えるならば、そのためには哲学はいつも来方がおそすぎるのである。哲学は世界の思想である以上、現実がその形成過程を完了しておのれを仕上げた後にはじめて、哲学は時間のなかにあらわれる。（略）哲学がその理論の灰色に灰色をかさねてえがく時、生のひとつの姿はすでに老いたものとなっているのであって、灰色に灰色ではその生の姿は若返らされはせず、ただ認識されるだけである。ミネルヴァのふくろうは黄昏とともにとびたつ。[注8]

ここで象徴的に語られているように、ヘーゲル哲学の立脚点は、ヘーゲルの眼前で歴史はその発展を終えて停止しているというところにある。「真理は全体である。だが全体とは自らの展開を通じて、自らを完成する実在のことに他ならない。絶対者について言わるべきことは、絶対者が本質においては〝結果〟であり、〝終わり〟にいたってはじめて、自ら真にある通りものとなる、ということである」(註9)。このようにヘーゲル哲学は、その「現在」において歴史を終焉したものと見なし、過去を振り返りつつ部分に全体が優越することを確認するという論理構造をもっている。歴史はすでに終焉しているからこそ、哲学者は歴史を全体性として把握しうる。

しかしヘーゲルとは異なって、ルカーチの「現在」では歴史はいまだ終焉していない。真実の意識として、プロレタリアートが階級意識を全的に獲得するであろう未来の一時点に、あるいは「革命の黙示録的瞬間」にルカーチは思想的な飛翔をとげ、そこから歴史を後向きに振り返る。だから「全体性」はヘーゲル哲学を継承するものとして、ルカーチの理論体系の中にもちこまれることができた。ルカーチの全体性カテゴリーは、こうして、プロレタリアートの立場（それが実現されるのは、革命の黙示録的瞬間であろう）を抜きにしては存在しえないが、この「立場としてのプロレタリアート」der Standpunkt als Proletariat を理論的に想定しうるのは、マルクス主義がプロレタリアートのなるであろう姿を先取りするからだ。この意味でマルクス主義は、いまだ実現されていないプロレタリアートの階級意識に他ならない。

ルカーチの方法を劇的に印象づけるこの独自性、歴史を全体性において把握するために自己の認識拠点を「革命の黙示録的瞬間」へと投げかけるこの姿勢を可能とさせた、マルクスの理論とは一体いかなるものであるのか。われわれの探究はそこへと向けられねばならない。

マルクスの方法はソシュールにならって「通時的」diachronique 方法と「共時的」synchronique 方法とに分類して解明することができる。通時的方法の成果として『ドイツ・イデオロギー』を、共時的方法のそれとして『資本論』を、すなわち唯物史観と経済学とをあげることができる。

まず、唯物史観生誕の書としての『ドイツ・イデオロギー』の方法を明らかにしよう（この際、問題となる第一篇第一章の殆どがエンゲルスの手になったものであるという、最近の研究の成果について触れることはできない)。

『ドイツ・イデオロギー』はその方法について「われわれがそこから出発する諸前提は、けっして手あたり次第のものでもなければ、教条でもない。それは空想のなかでしか無視しえないような現実的諸前提である。それは現実的諸個人であり、かれらの行為とかれらの物質的生活諸条件――既成のものであれ、かれら自身の行為によってうみだされたものであれ――である。それゆえ、これら諸前提は純粋に経験的な方法で確認されうるものである[註10]」とする。果たして唯物史観は、「生きた人間的諸個人」から出発しさえすれば、その諸前提と論理過程は、したがってその全体系は経験的に実証可能なのだろうか。その方法は経験的なものといえるのか。結論から先に記せば、われわれはそうだとは考えない。

そもそもの出発点としての「現実的な諸個人」なるものが、超歴史的には措定されえないためである。この「個人」カテゴリーは、シュティルナーに触発されたエンゲルスがマルクスに先行して導入した概念であるといわれるが、『唯一者とその所有』の結語「僕はすべてに無関心だ[註11]」に端的に示されているように、これはブルジョワ的個人におけるその最後の姿としての「実存」に他ならない。そして、こうした「個人」そのものがブルジョワ社会の歴史的産物でしかないことは、後にマルクスが『経済学批判要綱』で論証している。

フォイエルバッハ的「類」概念の実念論的欠陥を止揚する主体概念として、エンゲルスの提起した新たな主体概念は、マルクスによって「思弁哲学者が、順次連綿と創造行為を達成するのは(略)彼がリンゴの表象からナシの表象に移行していく彼自身の活動を、絶対的主体の、すなわち『果物なるもの』の自己活動であると公言することによってである[註12]」と批判された、ヘーゲル=ヘーゲル左派的実念論を克服したものであったろうか。エンゲルスの主体概念も、キェルケゴール=シュティルナー的「個人=実存」を「人間」として一括したとたんに、たとえ「飲みかつ食わねばならない」「具体的な」と限定したところで、唯名論的立場からの逸脱はまぬがれがたい。『唯一者とその所有』のあらゆる主語は「僕は」である。「シュティルナーは人間である」「エンゲルスは人間である」という類の文章から「人間」という言葉を取り出し、次に「人間は……である」を立てたとたんに主述の転倒がおこなわれ、実念論的立場が顔を覗かせる。だからもしもエンゲルスが、シュティルナー的「個人」から出発するというのなら、すでに一般者として語られている「個人」からではなく、まさしく「僕」から、すなわちシュティルナーにとってシュティルナーであったところのもの、だからエンゲルスにとってはエンゲルスであるところのもの、こうした純粋の「個人として の個人」から出発しなければならない。

エンゲルスは唯物史観を「エンゲルスから」つまり「僕から」始めることができるだろうか。不可能といわざるをえない。このようにレアリスムとノミナリスムの地平においては、どちらにしても唯物史観の出発点を設定することができない。それはただ、レアリスムとノミナリスムとの対立の地平を超えたところに、すなわちキェルケゴール＝シュティルナー的主体をも相対化する地点にのみ発見されるだろう。そしてキェルケゴール＝シュティルナー的主体概念を、ブルジョワ的主体最後の形態として相対化しうる場とは、ブルジョワ社会そのものを歴史のなかに相対化する唯物史観にしか存在しない。これはディレンマである。フォイエルバッハよりさらに一段とまわりくどい方法で、『ドイツ・イデオロギー』は独立の主語とされた述語「人間」を起点としている。シュティルナー的主体を出発点となしえない以上、唯物史観は決して経験的に確認しうる理論ではありえない。唯物史観はその成立根拠を唯物史観それ自体におくのだという限り、このディレンマは唯物史観に必然的に内在するといわねばならない。

『ドイツ・イデオロギー』で提起された唯物史観の諸テーゼは、そのすべてが資本主義社会において初めて認識の客観的可能性を獲得したものである。現実的経済過程と幻想的諸過程との分離が決定的となって初めて、歴史の土台が生産・交通関係にあることも、それによって意識形態を含む政治的・法的諸形態が規定されていることも認識可能となる。前資本主義的な諸社会においては主客は融合しているから、主体が客体を構造的に認識する必要性も可能性も存在しえない。たとえば中世の人々にとって主客の分離は不徹底だった。ホイジンガは次のように語っている。

「実念論・象徴主義・擬人観、この三つの思考方法は、一本の太い光の束となって中世精神を照らしだしていた(註13)」、「処女をバラとの形容は、たんに詩人が娘に着せる日曜の晴着に終わるものではない。まさしく処女はバラでありバラは処女なのだ(註14)」。中世の人々が、野に咲き乱れる白いバラを処女と、赤いバラを騎士と考えるとき、それは決して近代人が考える意味でのアレゴリーではない。まさに「処女はバラでありバラは処女なのだ」。ここには主客融合の心的状態があるのだが、われわれはこうした中世の人々の発想をなにか胸をつくような新鮮さをもったものとして感じないでいられない。即自と即自・対自が異なり、主客の融合とその分裂の後の止揚が異なるとしても、共産主義社会の未来人たちもまた「バラと処女」とをまったく同じものとして見る感受性を持つのかもしれない。

ヘーゲルの場合、その哲学はア・プリオリにしてア・ポステリオリであった。マルクスの哲学と唯物史観は、ア・プリオリなものとして存在する。それは決して「経験的な方法で確認しうるもの」ではない。したがってマルクス主義には、その内部において歴史は終焉しているという一面が確実にある。吉本隆明が逆レーニズムと名づけた埴谷雄高の方法は、ある意味ですぐれてマルクス主義的だった。「埴谷雄高の方法は、レーニンの達成をふまえることによって一挙に未来の無階級社会に身をおき、そのとき可能であろう視野から逆に現在を視ようとする(註15)」。

通時的方法におけるマルクスが、ア・プリオリなものであることは確認された。それでは共時的方法においてはどうなのか。

『資本論』の方法を考察する前に、方法におけるヘーゲルとマルクスとの連続と断絶について確認しておかなければならない。ヘーゲルは『法の哲学』で、「経験的な諸学においては、人々は通常、表象のうちに見出されるものを分析する。そしてこんどは個別的なものを普遍的なものにつれもどした場合、そこでこれを概念と呼ぶ。われわれはそのようなやり方はしない。というのは、われわれはただ、どのように概念が自己を規定していくかを、よく追って見てゆこうとするだけであって、われわれの意見や思惟はひとつもつけ加えないように強く自制するわけだからである[註16]」と述べている。これにたいしてマルクスの主張は次のようだ。

具体的なものが具体的であるのは、それが多くの規定の総括だからであり、したがって多様なものの統一だからである。それ故、具体的なものは、それが現実の出発点であり、したがってまた直観や表象の出発点であるにもかかわらず、思考においては総括の過程として、成果としてあらわれ、出発点としてあらわれないのである。第一の道〔下向法―引用者註〕では充実した対象が蒸発させられて抽象的な規定にされ、第二の道〔上向法―引用者註〕では、抽象的な諸規定が、思考のみを通って、具体的なものの再生産にいたる[註17]。

両者の類似性は一見して明らかだろう。上向法の主張に際して、すなわち抽象（概念）から具体への方法において、ヘーゲルとマルクスは完全に一致する。『法の哲学』§一八九には、国民経済学の方法をめぐる批判が、マルクスのそれと殆ど同じ内容で展開されている。としたらマルクスとヘーゲルの方法は、どこで決定的に異なるのか。「私の弁証法的方法は、根本的にヘーゲルのそれと相違するばかりでなく、それの正反対のものである。へーゲルにとっては、彼が理念という名称を附して一つの自立的主体に転化さえした思惟過程が、それの外的現象たるにすぎぬ現実的なものの創造者である。私にあっては反対に、観念的なものは、人間の頭の中で転変され翻訳された物質的なものにすぎない。（略）弁証法は彼にあっては逆立ちしている。ひとは、合理的核心を神秘的外被のうちに発見するためには、それをひっくり返さなければならぬ」[註18]。ここでマルクスのいうヘーゲル弁証法の神秘的外被とは、『聖家族』において暴露された「思弁的構成の秘密」すなわち述語の独立の主語への転化、本来の主語の述語化、実念論の極限化に他ならない。この点について、廣松渉の次のような発言にはきわめて興味深いものがある。

『論理学』冒頭における〝有〟や『精神現象学』冒頭の〝此れ〟は、一見、端的に主語として立てられているようにみえるが、実はすでに主語に繰り込まれた述語である。ヘーゲル自ら繰り返し述べている通り、真の主語はつねに〝絶対者〟であり、『論理学』では絶対者は有であるという提題が第一次的に措定されている。いわゆる端初における〝有〟はこの第一次的提題の述語が主語に繰り込まれたものであって有即無が措定される際には〝有〟であるところのエトヴァス＝絶対者は単にこの規定の限りでは無である、という仕掛けになっている。そして次には、有であり無であるところのエトヴァスは成である。という仕方で述語が次々と主語に繰り込まれる[註19]。

廣松によれば、ヘーゲルのこの方法こそ、『聖家族』のマルクスが批判したところの〝述語の主語への転化〟とは異なる、〝述語の主語への繰り込み〟という側面である。この「連続命題の意味論的重層構造」こそ、実念論と唯名論の伝統的な対立を止揚すべきマルクスが、ヘーゲルから継承した弁証法の精髄であった。ここでわれわれは、ヘーゲルとマルクスの方法における接点として、「われわれにとって」für uns という概念を見いだす。

たとえば『精神現象学』における「此れ」は「此れとしてのエトヴァス」である。廣松が指摘しているように、論理的にはいまだその内容が明らかとなっていないエトヴァス（何ものか）がさしあたり究極的な主語として設定され、「此れ」はこの究極的な主語に繰り込まれた述語としてある。そして次々と述語は主語に繰り込まれ、エトヴァスは内容を次第に豊富化し、ついに絶対知としてその姿を顕現させる――このヘーゲルの論理展開においては、その発端からエトヴァスが絶対知であることをヘーゲルは知ってしまっているところに、注目すべき点はある。「此れ」は、もちろん即自的なるものだから、「此れ」は絶対知にとっての「此れ」である。あるいは「われわれにとって」für uns「それ自体」an sich であるものだ。論理展開の出発にあたって既に結論がア・プリオリに前提されており、その結論も論理展開の過程において内実を形成していくという方法こそ、上向の過程においてもその現実的な終着点である「主体が、社会が、前提としてつねに表象に思いうかべられていなければならない」というマルクス的な上向法の原型をなしている。この方法においては、「われわれ」wir の存在が陰の主役として登場せざるをえない。ヘーゲルにおける「われわれ」とは、意識の全発展過程を見きわめた者としての「哲学者たち」に他ならなかったが、マルクスにおける「われわれ」は何であり、どこにいるのだろうか。この設問に答えるには、『資本論』の方法について検討しなければならない。

最近の構造主義による指摘をまつまでもなく、『資本論』の方法が「共時的方法」であることは、宇野弘蔵の諸業績によって容易に理解できる。

宇野によれば、『資本論』とは資本主義の原理を解明した書物である。産業資本主義に傾向的な自己純化を理論的な究極におし進め、そこに想定される「純粋の資本主義経済」の内部構造と運動原理を解明した原理論が、すなわち『資本論』である。無限に自己運動する純粋の資本主義社会の分析の書が『資本論』であるなら、それは資本主義の成立と没落の論理を直接に解明するものではない。こうした主張によって、『資本論』を通時的なものの分析・過程の論理であるとし、したがって『資本論』によって資本主義没落の必然性が直接的に立証されているとする俗流マルクス経済学を宇野は批判していく。

宇野「原理論」研究とその規定が、構造論的方法における「共時的」研究と相異なる点をもっていることは事実だとしても、それについては触れず、ここでは両者の共通性にのみ注目しておくことにする。

『資本論』の方法が共時的方法であるとしよう。社会全体を「不動の・固定化されたもの」として、すなわち共時的なものとして捉え、その全体構造を把握するための方法的視点はどこに設定されるべきなのか。いうまでもなく、それは固定化された対象の外部である。共時的方法とは、結局、「対象の認識論的固定化」であり、対象から排除された主体が固定化された対象の構造をその外部から認識する方法に他ならない。この認識論的対象固定が、方法においてヘーゲル以前的な悟性的認識をもたらすと考えるのは当を得ている。ここに、宇野経済学が執拗に「科学主義」と非難されてきた真の理由がある。宇野は「構造」から「絶対的に自立的な」科学＝経済学という、経済学の物神化・科学主義に陥っている。この点でアルチュセールより優れている宇野も、たんなる構造論者の域にとどまっている。

『資本論』の方法は共時的であるが、マルクスはこの方法が陥りがちな悟性的認識を避けるために、いくつかの方法的諸前提を提起している。その第一は「上向法」、第二は「経済学研究における導きの糸としての唯物史観」、第三は「プロレタリアートの立場 der Standpunkt als Proletariat に視点を設定したこと」である。

国民経済学の悟性的認識の方法である「下向法」に対して、マルクスが「上向法」を対置したことは、悟性的認識を避けるための方法的前提をなしている。これが第一とすれば、第二は「私の到達した、そしてひとたび自分のものとなったのちは私の研究にとってのみちびきの糸となった一般的結論は簡単に次のように定式化することができる〔として、この後、有名な唯物史観の公式が語られる─引用者註〕」というマルクスの証言に示されている。[註20]

第一においてマルクスは、抽象の底から資本主義社会の具体的全体を思いうかべつつ上向することとの必要性を強調することによって〝ア・プリオリズム的方法〟の端緒を切り拓く。「具体的なものは、それが多くの諸規定の総括であり、したがって多様なものの統一であるからこそ、具体的なのである」とするなら、そうした「具体的なもの」をいまだ「具体的なもの」にたどりついていない「抽象的」な水準で、どうして「思いうかべる」ことが可能であるのか。あらゆる分析と綜合を完了したのちに、マルクスは『資本論』を書き始めたのだと考えるべきだろう。「商品」についてもっとも抽象的な考察を展開している際にも、マルクスは、『資本論』の最後の言葉としての「諸階級」（それによって具体的に構成されている資本主義社会）を想定しているのであり、「諸階級」（＝具体的な資本主義社会）こそは、ヘーゲルにおけるエトヴァスとして『資本論』の真の主語なのである。

「商品はさしあたり、その諸属性によって人間の何らかの種類の欲望を充たすところの、一つの外的対象・一つの物・である[註21]」という『資本論』冒頭近くの命題においても、「商品」が真の主語なのではなく、「（資本主義社会における）商品は……である」という具合に読むことができるし、また読まねばならない。廣松渉の言葉を借りるなら、これはヘーゲル弁証法に特有の「連続命題の意味論的重層化」作用に他ならない。マルクスとヘーゲルの方法において特徴的なその同一性を、〝ア・プリオリズム的方法〟と呼ぶことができる。われわれは既に、唯物史観はその成立の根拠を唯物史観の内部に持つと結論してきた。このことはすなわち、『資本論』においてそうであるように、唯物史観もまた「連続命題の意味論的重層化」作用によってその論理を展開させるという構造をなしていることを意味する。『資本論』においてそうであり、唯物史観においてそうであるようなこの方法を、われわれは〝ア・プリオリズム的方法〟と呼ぶ。

唯物史観にしても、『資本論』にしても、その方法は、たんに「純粋に経験的な方法」ではありえない。それは「経験的方法」ではなく弁証法的方法なのだ。

歴史認識において弁証法的方法が可能であるのは、「実存としてのプロレタリアート」ではない「立場としてのプロレタリアート」の視点、すなわちいまだ獲得されていないプロレタリアートの階級意識から歴史を後ろ向きに通観するからだ。いいかえれば、真と偽の交錯ときらめきが無時間的に永続化する未来の革命の時点に、その視点を移動させるからである。完了しているからこそ歴史の全体的把握は可能なのだ。とするなら構造認識の場合、その視点はどこに設定されるべきなのか。

唯物史観における「われわれ」wirとは、革命の黙示録的瞬間において全体認識たる自己意識を獲得した「革命的プロレタリアート」に他ならないが、『資本論』の「われわれ」wirについては、梯明秀が「実在的商品を研究対象とする『われわれ』とは論理的に何であろうか[註22]」と設問している。

> 直接的に感性的な人間の生きた労働が、その労働力を商品化することによって、全面的に人間性を喪失する事態をみる。この人間性の奪還のためには、賃労働者は、自己のこの否定を媒介して自己にかえるという絶対否定の立場にたつほかはないのであるが、かかる歴史的自覚をもつ賃労働者の精神こそは、端緒的商品の自己運動を学的に観察しうる「哲学的な自己」でなければならないのである。これは、端緒的商品を研究対象とする自然的意識にあるわれわれの立場が、賃労働者の立場に自己転化することによって初めて成立するところの、歴史的な「われわれ」の立場である。[註23]

梯明秀のこの指摘は、若干の不明確さ（たとえば「歴史的自覚をもつ賃労働者の精神」なる概念を使用しながらも、ルカーチが直面し、われわれが直面したあのディレンマを問題化しえていない点など）を残しつつも、『資本論』と「われわれ」wirの関連については相応の妥当性が認められる。

ここで、先に指摘したマルクスの方法的前提における第二が問題となる。「経済学研究の導きの糸としての唯物史観」とは、唯物史観によってまず「立場としてのプロレタリアート」が措定され、そこから資本主義社会の構造認識が可能となる。次に、構造認識の深化によって「実存としてのプロレタリアート」の構造が解明され、その帰結として「立場としてのプロレタリアート」の措定の正当性が論証され、逆に唯物史観そのものも論証されていく。こうした関係にある歴史認識と構造認識とは、第三点の「立場としてのプロレタリアート」を方法的前提とし、〝ア・プリオリズム的方法〟――ア・プリオリズムを自覚したア・プリオリズムとしてそのア・プリオリな方法的前提を論理過程において論証することを目指す――をその共通項とするものである。

マルクスの歴史認識と資本主義社会の構造認識を発条として、ルカーチは「革命の黙示録的瞬間」へと視点を飛翔させたのだが、そもそもマルクスの方法それ自体に、こうしたルカーチ的発想が含まれていたといえる。ヘーゲル弁証法の「連続命題の意味論的重層構造」を、〝ア・プリオリズム的方法〟としてマルクスが再生している点で。この確認は、われわれを一層の困難な問題領域へと投げやるだろう。当為か存在か、党か大衆か、レーニンかルクセンブルクか。組織論に関する古くて新しいディレンマは、マルクス主義の方法そのものに由来するアポリアに他ならない。

このディレンマを解決するため、われわれは歴史の黄昏から、総てが停止し全体性がその姿を開示する黙示録的瞬間から、具体的に生起し、流動し、生成しつつある歴史の場としての現在に立ちもどらなければならない。

註

（1）『歴史と階級意識』 108頁
（2）同 118頁
（3）同 115頁
（4）同 120頁
（5）『精神現象学』ヘーゲル（河出書房「世界の大思想一二」 25頁
（6）『弁証法の冒険』メルロ＝ポンティ（みすず書房） 358頁
（7）同 359頁
（8）『法の哲学』ヘーゲル（中央公論社「世界の名著」三五） 174頁
（9）『精神現象学』 24頁
（10）『ドイツ・イデオロギー』マルクス＝エンゲルス（合同新書版） 29頁
（11）『唯一者とその所有』シュティルナー（岩波文庫版） 538頁
（12）『聖家族』 59頁
（13）『中世の秋』ホイジンガ（中央公論社「世界の名著」五五） 380頁
（14）同 381頁
（15）『擬制の終焉』吉本隆明（現代思潮社） 303頁
（16）『法の哲学』 224頁
（17）『経済学批判要綱』マルクス（大月書店）第一分冊 22頁
（18）『資本論』 86頁
（19）「弁証法の唯物論的転倒はいかにして可能であったか」廣松渉（至誠堂『マルクス主義の成立過程』所収）

225頁

(20)『経済学批判』マルクス（国民文庫版）9頁

(21)『資本論』113頁

(22)『ヘーゲル哲学と資本論』梯明秀（未来社）266頁

(23)同　271頁

1969年

一九六九年一月一八日、一九日の安田講堂籠城戦は、街頭蜂起の祝祭性が党派的なスペクタクル効果に置き換えられていく出発点を画した。戦力温存を優先した党派の横車で、二カ月前に「戦わずしての敗北」を受け入れた東大全共闘は、先のない籠城戦に追いこまれたともいえる。ただし党派側は来たるべき「決戦」の前宣伝として、TV放映された籠城戦のヴィジュアルを存分に活用して存在感を示した。

安田講堂籠城戦に続く四・二八沖縄デーでは霞ヶ関が焦点になる。国会や首相官邸に向かうため東京駅、新橋、銀座方面が主戦場となったが、治安当局による大規模化した警備体制に圧倒され街頭戦は散発的な展開に終わる。この敗北が、銃や爆弾など武器をエスカレートすることで機動隊の壁を突破し、閉塞状態を打破すると主張する赤軍派の登場を促した。

日米安保の自動延長に向けて、佐藤首相が一一月に訪米する日程を政府は決定する。その前に武装蜂起して首相官邸を占拠すると赤軍派は主張していた。そこで臨時革命政府を樹立して帝国主義政府と革命政府の二重権力状態を実現し、長期にわたる革命戦争を開始するというのが赤軍派の前段階武装蜂起論だった。

一一月一八日には日大全共闘の銀ヘル部隊と聖橋でバリケードを築いていた。『オレの東大物語』で知ったが、加藤典洋もすぐ近くにいたらしい。一九八〇年代には加藤と親しかったが、全共闘時代のことを話題にしたことはない。その類の話を二人とも嫌っていたからだろう。ろくに闘わなかった者が、あとになって武勇伝まがいの話に興じたりする。

四・二四晴海闘争で逮捕され、四・二八当日は築地署の留置場にいた。日が暮れると催涙ガスの臭いがする逮捕者が続々と入ってくる。どんな闘争になったのか事情を訊きたいと思ったが、同じ房には入れようとしないので無理だった。

春から夏にかけて、全国の大学に築かれたバリケードが次々と機動隊に解除されていく。党派と無党派を問わず、活動家のあいだには緊張と重苦しい雰囲気が漂いはじめた。秋期にはかつてない規模と深度の、生死を賭した決定的な闘争になるだろう。それが本土決戦を前にした一九四五年の学生たちの切迫感を、精神史的に反復するものでもあったことに気づいたのは、それから何年かたってのことだ。

『歴史と階級意識』の全篇に木霊している黙示録的な切迫感が、リアルなものとして迫ってきた。「娼婦バビロン」を再現するように倫理性や精神的なるものを足蹴にして、傲慢にも安定と繁栄を謳歌してきた戦後社会は、いまや最大の危機に直面しつつある。いや、是非ともそうであらねばならない。戦後社会の革命的瓦解は生の意味の鮮やかな回復とヘーゲル＝ルカーチ的な精神性の実現を可能とする。そのためにこそ秋期決戦に突撃しなければならない。

どこまで真剣に、七〇年安保闘争が戦後社会の瓦解をもたらしうると考えていたのか、いまではよくわからないところがある。切迫した暴力の雰囲気と、観念的な激語が飛びかう異様に高揚した観念空間においては、現実と願望がしだいに混濁し、日常的に自明な判断力が徐々に麻痺していく。この意識状態は政治的というより、宗教的なものだったかもしれない。

警備車の投光器の光と、燃えあがる火炎瓶の炎。アスファルトに木霊する群衆の足音、呪文のようなアジテーション。街路を埋めるヘルメットと林立する角材。街頭叛乱において日常の見慣れた街路は、一瞬にして魔術的な異空間に変貌する。そうしたとき人は、魂が肉体から離脱するような一種異様な感覚に捉えられる。

視覚や聴覚に特殊な刺激をあたえることで、人間の意識を日常的次元から引き離すことができる。リズミカルな読経の声、灯明にきらめく金泥の仏像などなど、仏教寺院における儀式の演出にも、ディスコティークやロックコンサートの鼓膜を破るような大音響、乱れ飛ぶレーザービームという演出にも、こうした古代からの技術は巧妙に活用されている。

たとえば叛乱群衆に占拠された六八年一〇月二一日夜の新宿の街路が、光と音の非日常的な乱舞という点で、宗教的な祝祭と似た雰囲気に満ちていても不思議ではない。群衆蜂起は祭の近代における形態でもあるからだ。

祭の無時間的な大衆的熱狂から黙示録的な破局の予感へ。そうした発想の空想性が事後的に確認されたにしても、当時のユートピア的熱狂を否定しさることはできない気がする。キリスト教異端派による革命的千年王国主義運動の昔から、都市貧民による近代の群衆蜂起まで、最後には壊滅したユートピア的叛乱の無数の連鎖は、つねにそのようなものとして闘われたのではなかったか。

戦後社会を爆破しうる政治的な可能性と、歴史における精神の一挙的実現の可能性とを曖昧に重ねあわせながら、決定的な闘争に踏み出そうと決意した瞬間に、ルカーチ主義でも補塡しえない空隙が生じはじめた。梅本克己による「人間は自己の体験しえない未来の人間の幸福のためにいかにして自己の生命をささげる事ができたのか」といった戦後主体性論の愚直な自問など、はなから馬鹿にしていた小ブル急進主義者でさえ無視できない難問が。

あらためて思想的に吟味される必要のない、内的に自然なものである行為への衝迫と、行為者に「死」をも予感させはじめた政治行動の、かつてない異質な水準とのあいだに歴然とした格差が生じるに及んで、ルカーチ的な階級意識論は戦術＝階級形成論への飛躍を求められたともいえる。しかし本当は、死をめぐる自己倫理の主題がそこでは問われていたのだが。

四・二八闘争の新左翼五派共同声明に参加して、共労党も秋期決戦に向かう態勢を整えはじめた。

一九六九年三月に民学同は分裂し、共労党系の左派はプロレタリア学生同盟を結成する。われわれの〈反戦学生同盟〉もプロ学同結成大会に参加したが、党京都府委員長の白川真澄を象徴人格とする民学同左派がなにを考え、なにをしたいのかはよくわからないまま、京都大学に置かれた指導部とは接触のない状態が続いた。

法政OBの太田学対は、関西を拠点とする左派民学同の東京代表という趣で、『なにをなすべきか』の党派主義と政治主義を無内容に振り回していたが、そんな一知半解期の俗流レーニン主義などむろん容認できない。俗流レーニン主義は脱構改派傾向の早大や東大のフロントも同じで、そこから「学生党」の構想が生じたようだが、これについてはあらためて触れる。

俗流レーニン主義の党派主義と政治主義とは、そのうち正面衝突することになりそうな予感をはらみながらも、プロ学同東京都委員会で元〈反戦学同〉系の高校生や予備校生、和光大や成蹊大や青学大の支部が、法政大、中央大の元民学同支部と横並びで繋がっている状態は八月まで続いた。

五月には共労党の三回大会が開催され、平和共存・反独占民主主義路線との訣別が宣言された。いいだもも、白川真澄の理論的主導のもと「現代世界革命」の新路線が決定され、内藤知周などの右派グループは党の新左翼党派化に反撥して離党した。議長は空席のまま、いいだ書記長、白川副書記長が選出された。先にも述べたように、いいだももをはじめ、主としてべ平連の世話人として活動していた知識人指導部（常任委員としては武藤一羊、栗原幸夫、吉川勇一など）に左派民学同の学生党員や、関西の府県委員会を中心とする地方組織は根深い反感を抱いていた。三回大会のいいだ・白川体制は、秋期決戦を前にした両派の妥協の産物だった。

「平和共存」を主張したモスクワ宣言・声明の世界認識、国際情勢認識では六九年秋期決戦を闘いえないという現実の必要に迫られて、泥縄式に構想されたのが「現代世界革命」論だ。情勢の急迫がこの党派を、ソフト・スターリニズム的世界認識からトロツキズム的世界認識へと一挙に押しやったともいえる。

一九六〇年代後半の日本の新左翼で、トロツキズム的世界論は岩田弘の「世界資本主義論」（マル戦派）、それに対抗する形で提出された塩見孝也（一向健）の「過渡期世界論」（関西ブント—赤軍派）が代表的だった。理論水準の点では前者が圧倒的に優れていたが、学生活動家の思いつきを箇条書にしたような後者が関西ブントの理論的主導権を得ていた。革共同系（特に革マル派）の「反帝・反スタ」論は、逆説的ながらスターリン的な全般的危機論と論理的には照応し、「世界危機—世界革命」を呼号するための理論装置として機能するトロツキズム的世界論とは異質だった。

一学生党員の関知しないところで三回大会の準備は進んでいた。機関紙「統一」に掲載された基調報告案を一読して、平和共存や構造改革の看板を下ろすのは遅すぎるくらいで異存ないが、にわか仕立ての世界革命論に新味はないと思った。三大会路線で触発されたのは「政治社会同時革命」戦略と、それによる秋期闘争方針「叛乱型政治闘争」だった。武藤一羊が主唱したらしい前者はグラムシの機動戦と陣地戦を「同時」遂行するという路線で、権力奪取以前から社会革命を推進する点ではアナキズム的な要素を含んだ革命戦略だった。その応用篇の後者は、拠点山猫ストと街頭叛乱の結合で秋期決戦を闘うという方針だ。

党派的に組織された実力部隊と「野次馬」と呼ばれた反権力的な都市群集が、前年一〇・二一の教訓を学んだ高度な警備態勢によって分断され、徹底的に封じこまれたのが四・二八闘争の敗因だ。しかし一九六九年春から初夏にかけての、新宿西口の反戦フォーク集会が例示したように、警備の隙を突いて大群衆が街頭に湧出することは可能だ。前年一〇・二一を超える街頭叛乱を連鎖的・持続的に闘わなければならない。また樋口篤三労対部長は、秋期決戦に向けて拠点山猫ストの組織化を進めているようだ。これを数人の職場活動家による山猫ストで終わらせるのではなく、あくまでも社会革命の先駆的・例示的形態として闘うこと。

戦後社会を覆すだろう黙示録的破局の予感と、自身の決定的な行動への決断。そのために党の三回大会で決定された政治社会同時革命と叛乱型政治闘争の路線を、厳密なものとして再理論化しなければならない。逮捕と長期拘留が不可避だろう政治的行動に踏みきるために、多忙をきわめる活動の合間に「階級形成論の方法的諸前提2」として準備していたノートのもとに、「戦術＝階級形成論の一視点」を書き継いだ。公表の当てはないが、元〈反戦学同〉フラクションの意思統一には役立つだろう。

ルカーチその人からして、ハンガリー革命の指導者として多忙な最中に『歴史と階級意識』に収録された七面倒な論文を書いていたのだから、その後継者に志願した青年が似たようなことをしたのは当然のことだ。

統一社会主義同盟からも平和共存／構造改革派が離脱し、学生組織のフロント指導部を中心とする残存勢力と共労党の組織統一の話が、下部党員には説明がないまま進みはじめたようだ。しかも学対の太田は、共労党の知識人党員や労働者党員を排除した純粋レーニン主義党を学生中心に創設するというオルグを、プロ学同内で密かにはじめていた。当然、フロント側にも学生党を構想する勢力があるのだろう。

共労党そのものが寄せ集めの組織だ。それをルカーチ主義の党に再組織しようと努力しはじめた矢先に、またしても数合わせで新党を作ろうというのか。いいだなど常任委員会による統社同左派との組織合同プランも、太田学対による学生党構想も、組織原則を無視している点は少しも変わらない。加えて太田たちの場合は党内論争を呼びかけることもなく、陰でこそこそと組織工作をはじめている。

綱領と規約によるコミュニスト組織の団結の意味するところが、両者ともまったくわかっていない。個々の党員の意思などおかまいなしに、素材を適当に組みあわせればいいという機能主義組織論が前者とすれば、後者は理念ではなく人間関係に頼る共同体主義的組織論だ。

マルクス主義に由来する党には二つのパターンしかない。社会民主主義の議員政党とボリシェヴィズムの前衛党だ。第二次大戦後の西側先進諸国の共産党は両者の折衷になっている。社民化した共産党に反撥して生じてきた日本の新左翼党派は、初期の社青同解放派や共産同叛旗派を例外として、基本的にはボリシェヴィズムへの復帰をめざしていた。新左翼の内ゲバの背景のひとつがここにある。前衛党は一国に一党しか存在しえないから、自派以外のすべては前衛を僭称する偽物ということになる。大衆を欺瞞して階級闘争に混乱を持ちこむ偽物は、実力を行使しても打倒し一掃しなければならない。

注意する必要があるのは、〈68年〉の主役だった先進諸国の新左翼は、ボリシェヴィズムを含む旧左翼の外部から生じた場合がほとんどで、フランスの〈3月22日運動〉やアメリカのSDSなどの運動スタイルはアナキズム的だった。マルクス主義の圧倒的な理論的影響の点でも、「レーニンに還れ」をスローガンに「真の前衛党」建設をめざした点でも、日本の新左翼は特異だった。

社会民主主義の議員政党は政策実現のための職業政治家集団だが、ボリシェヴィズムの党は理念の共有による誓約集団で、その拘束性は近代市民社会では非常識的といえるほどに強力だ。構成員には「二四時間政治生活」が求められる。構成員の人生を理念的に拘束する強度の点では、カルト的な宗教団体とも共通する。ルカーチ主義の党も誓約性の高い政治結社の点ではボリシェヴィキ的だ。しかし「党の目的意識性／大衆の自然発生性」の二分法を拒否する点で、『なにをなすべきか』のレーニン組織論とは対立する。ルクセンブルク的な革命的自然発生論に、プロレタリアートの階級意識を理論的に先取りした革命家の党をプラスするところに、ルカーチ的な左翼共産主義の立場がある。党による革命的意識の外部注入ではなく、党と大衆の弁証法的相互性こそがめざされなければならない。

党は理念的団結体だから綱領こそが決定的に重要だ。綱領に記された理念でのみ党員は団結する。利害関係を前提に構成員を機能的に結合する近代的な官僚組織とも、前近代的な自生的共同性とも、それは原理的に対立する。また、革命党は労働組合を含む利益団体とは団結の質が異なる。構成員の理念的な自己拘束を共有化するものとして規約がある。

こうした方向に共労党を変革していくのが入党した目的だから、綱領と規約による誓約性を踏みにじるような数合わせ、寄せ集めの新党構想など問題にもならない。しかし秋期決戦の直前には、プロ学同とフロントの共同集会が豊島公会堂で開催され、反帝学生戦線を両派共通の大衆組織の名称とすることが決まる。それまでプロ学同の大衆組織は統一会議だったが、各大学で反帝学戦への名称変更がはじまった。

八月にはプロ学同二回大会が関西で開催され新委員長が選出される。結成大会の執行部では、秋期決戦を闘えそうにないという判断があったのか、新執行部は「決戦内閣」という位置づけらしい。東京プロ学同内の元〈反戦学同〉フラクションは、大会に代表を送ることもなく傍観していたが、京都大学出身の新委員長岩木による「攻撃型政治闘争」の提起は心外だった。党の叛乱型政治闘争論とも、それをルカーチ主義的に読み替えたわれわれの路線とも、真っ向から対立する内容だからだ。

以前から予感はあった。前年の一二月に意見交換をした際、民学同委員長が一〇・二一闘争を「壮大なゼロ」にすぎないと過小評価していたからだ。六八年一〇月二一日の大阪御堂筋デモはともかく、同日の新宿闘争は都心の街区を占拠するという完全に新しい闘争形態を生み出している。それが民学同左派活動家の共通見解だとすれば、プロ学同新委員長による攻撃型政治闘争の提起も必然的だったろう。

権力奪取の意識を獲得した学生実力部隊が政府中枢を制圧することで、量的に肥大化しただけの合法デモの水準を離脱しえない人民大衆を覚醒させ、革命的危機を創出するという攻撃型階級闘争論。それは俗流レーニン主義の党派主義＝前衛主義と政治主義＝中央決戦主義の産物で、秋期闘争路線としては赤軍派の前段階武装蜂起の微温的な水増しにすぎない。

佐藤首相の一一月訪米という日程が語られはじめた頃から、新左翼諸党派のあいだでは秋期決戦をめぐる主導権争いが激化していく。対立点は第一に、安保自動延長に向けた首相訪米の六九年秋期を「決戦」とするのか、あるいは安保条約が自動延長される七〇年六月が「決戦」なのか。革労協、ML派、フロントは、のちに「六月決戦」三派を形成する。

第二に六九年秋期を「決戦」とする場合でも、その頂点を一〇月（前年に新宿占拠闘争が闘われた一〇・二一国際反戦デー）に設定するか、一一月の訪米時とするか。前者であれば霞ヶ関の国会や首相官邸などが、後者の場合は羽田現地が焦点となる。一一月羽田決戦派の中心は中核派、それ以外の諸党派は霞ヶ関派で、首相官邸占拠の武装蜂起を宣言した赤軍派が最左派に位置した。

プロ学同の攻撃型政治闘争は、七〇年六月でなく六九年秋期、一一月羽田現地でなく一〇月霞ヶ関を重点化する点で赤軍派路線を踏襲していた。赤軍派の発生を間近で目撃した京大出身の岩木委員長は、意識的無意識的に前段階武装蜂起論に影響されたのではないか。六七年一〇・八以来の投石や角材による大衆実力闘争に出遅れ、急進化した学生大衆に見放されて後退を続けてきた民学同左派／プロ学同は、ここでこそ決死の飛躍を覚悟しなければならない。

新左翼党派は経済闘争に政治闘争を、現地闘争に中央闘争を対置し、中央政治闘争の最高形態として権力奪取の武装蜂起（権力闘争）を展望していた。なかでもブントは前年の一〇・二一にも米軍燃料タンク阻止を掲げた新宿現地闘争に、防衛庁闘争を対置していた。赤軍派はレーニン革命理論を戯画的なまでに極端化して一〇月の首相官邸占拠を、プロ学同指導部は政府中枢占拠を方針化した。

「レーニンに還れ」をスローガンとした安保ブントの末流である赤軍派が、俗流レーニン主義を極端化したのは理解できないでもない。六〇年安保闘争でブント系の全学連に対立した全学連反主流派／全自連を起源とする、平和主義と合法主義に染められていた構改派学生運動が情勢に押されて急進化し、街頭戦を闘おうと決断したのは結構なことだ。急進化した大衆の意識に指導者が鋭敏であれば、前年のはじめから三派全学連の成功に学んで、実力闘争に踏みきっていたろう。とはいえプロ学同の秋期決戦構想がブント流の俗流レーニン主義の模倣と後追いに終わるのでは意味がない。

全人民的政治闘争から中央権力の奪取に向かうというロシア革命型の「機動戦」は、西欧先進諸国では通用しない。グラムシによる、この「陣地戦」論を放棄してはならない。陣地戦と機動戦の結合形態を模索することが、グラムシ派の存在意義ではないのか。党三回大会の政治社会同時革命戦略は、まさにその方向をめざしていた。

安保自動延長阻止闘争の焦点は六九年一〇月の首相訪米時か七〇年六月の自動延長時か、あるいは秋期決戦としても一〇月霞ヶ関か、一一月羽田か等々の戦術論議には、自派の情勢分析と政治方針の優位性を他派に誇示する以上の意味はない。実力闘争は有利な地点を選んでやればよい。国会や首相官邸に向けられる攻撃型デモは「意識性が高く」、街路を占拠するだけの叛乱型デモは「意識性が低い」といった夜郎自大な自己特権化は愚劣だ。

党方針の叛乱型政治闘争に反する攻撃型政治闘争の提起に困惑し、常任委員の武藤氏に事情を訊いてみたが要領を得ない。プロ学同の新路線を抑えられない学対は更迭され、愛知県委員会指導部の江坂淳が臨時に兼務することになる。しかし江坂も常設の最高執行機関である党常任委員会とプロ学同指導部の連絡役にすぎない様子だ。

常任委員会のいいだももや武藤一羊などには、民学同左派ＯＢが主導する関西共労党に実効的な指導力はない。少なくとも拠点山猫スト方針には賛成らしい白川真澄と、京大の学部生時代は白川の右腕だったという新学対の江坂淳に事情を確認するため、関西まで出向くことにした。生まれて初めて新幹線に乗って京都、名古屋を訪れたのだが、たしかな手応えは得られなかった。民学同左派／プロ学同に紛れ込んできた異物、余所者など眼中にないといった態度で適当にあしらわれ、失望した。白川でさえプロ学同指導部の暴走は抑えきれないという現状だけは、それでも把握することができた。

京都の白川、名古屋の江坂、それに大阪の戸田徹など、ポスト六〇年安保世代の民学同左派ＯＢたちを、東京では小野義彦派民青、略して小野民と称していた。小野義彦は日帝自立論の主唱者として知られる大阪市大の経済学者で、組織者としても能力を発揮していたようだ。関西の小野派民青が宮本派共産党から排除されて民学同を結成し、共労党の関西組織を実質的に担うことになる。今回はプロ学同の新執行部の岩木が攻撃型政治闘争を打ち出して、京大ＯＢの白川に造反したということになる。

　プロ学同の結成に参加した旧〈反戦学同〉による叛乱型政治闘争のイメージは、山猫型の拠点政治ストと、それを支援し防衛する学生の実力闘争、スト拠点を含んだ地区一帯の騒乱状態化だった。騒乱地区をバリケード封鎖して数日でも持ちこたえられるなら、一〇・八羽田以来の大衆ラディカリズムを新たな水準に引き上げることが可能だろう。たとえば新宿郵便局の山猫ストと新宿西口一帯の騒乱化と街区のバリケード占拠を方針化することはできないものか。そのためなら全力で闘う覚悟はある。

　秋期決戦を目前に控えて九月五日に日比谷野外音楽堂で結成された全国全共闘連合の実体は、ようするに新左翼八派連合だった。安保自動延長をめぐる七〇年安保は、党派主導の決戦政治に切り縮められようとしている。われわれの秋期決戦構想は宙に浮いたまま時間は刻々と過ぎ、焦燥は募るばかりだった。秋期決戦の方針が定まらないまま、旧〈反戦学同〉グループの活動家たちも動揺しはじめていた。このままでは、われわれの秋期決戦はどうなってしまうのか。

*

　一九五〇年代後半に成立した反スターリン主義的な学生運動は、学年や世代を超えて、さまざまな技術性を蓄積していた。立て看板やガリ版の書体から、デモやアジテーションの身体的技法にいたるまで。マルクス主義に納得できないものを感じながらも、ボリシェヴィキ党派の世界に魅力を感じた理由のひとつは、学生運動に伝承されていた技術性にあった。技術といってもテクノロジーではない。業ともいえる職人的な技術性。

一九六八年以降に、万という規模で大量発生した全共闘活動家や全共闘大衆のほとんどは、戦後学生運動が蓄積してきた技術性と無縁だった。ガリ版の文字が金釘流のビラ、怒鳴っているだけのアジテーション。それらは技術性の枷なしに、「空虚な過激性」が自生的に露出した結果だろう。活字と見まがうガリ版ビラの書体は、習得された技術性の産物だ。習得に費やされた時間性が、そこには濃密に込められている。ガリ切りの技術から党派闘争における角材の戦闘術にいたるまで、戦後学生運動に蓄積された職人的技術性に惹かれる点も、同世代の無党派活動家とは違っていた。

技術は身体にこそ刻まれる。頭で理解していても身体化されていなければ、技術を獲得したとはいえない。また技術性は錬金術や占星学、密教や禅の修行を参照するまでもなく、霊的・精神的なものを内的に支える不可欠の要素だ。身体性（感覚的世界）の爆発を極限まで抑止する客観的な技術性が、超越性（超感覚的世界）に触れることを可能とする。『悪霊』のキリーロフが語る人神論を革命党の綱領に据えるべきだとしたら、技術性の領域を無視することはできない。

学生運動における技術性をレーニン的に一般化するとき、「戦術」のカテゴリーが導かれる。技術的なものとしての戦術こそが重要ではないのか。そのように考えることで、ルカーチ主義そのものだった「階級形成論の方法的諸前提」から前に進むきっかけを得たように思う。階級形成論を戦術＝階級形成論として展開していくこと。

『技術論』のハイデガーは近代的テクノロジーに、本来的な技術性として古代ギリシアのテクネーを対置した。近代的なテクノロジーは山を崩し海を埋め立て、自然を暴力的に人間化する。しかし古代的なテクネーは、そうした近代テクノロジーとは本質的に異なっていた。

夏目漱石の『夢十夜』に運慶の仏像をめぐるエピソードがある。漱石によれば、運慶は木材という素材に、制作者の意識に表象されている完成像を押しつけたわけではない。仏は木材のなかにはじめから埋もれているのだ。「なに、あれは眉や鼻を鑿で作るんじゃない。あの通りの鼻や眉が木の中に埋まつてゐるのを、鑿と槌の力で掘り出す迄だ。丸で土の中から石を掘り出す様なものだから決して間違ふ筈はない」。

明治の木には仏など埋もれていないという近代人の嘆息で、この短編小説は終わる。たしかに近代は、埋もれているものを引きだすという古代的なテクネーを無効化したのだろう。近代的な技術性とは、対象を恣意的に加工変形するテクノロジーにすぎない。

ところでルカーチ理論の核心は階級的無意識という観点にある。プロレタリアートという「木材」の底には、まるで「仏」のように革命的な階級意識が埋もれている。革命党は「仏師」さながら、すでに存在しているプロレタリアートの革命性を現実的に形あらしめる者ではないか。仏師が振るう鑿と木槌に当たるものが党の戦術だろう。

一九六八年の頃から目立ちはじめていた学対や民学同左派／プロ学同指導部の俗流レーニン主義、党派的な前衛主義と政治決戦主義への批判を込めた「戦術＝階級形成論の一視点」では、本来の（と解釈＝改釈することにした）レーニン的戦術を洗い出そうと努めた。また論文ふうに書かれた「階級形成論の方法的諸前提」とは違って、箇条書きの多い活動家ふうのスタイルで書くことにした。

先進諸国におけるレーニン主義の適応不全の根拠を理論的に検討してきたローザ・グラムシ派としては、学生党員のにわかレーニン原理主義など認めるわけにはいかない。しかし共労党もマルクス・レーニン主義を標榜する党派だから、反レーニン原理主義という本音は露骨には口にできない。『歴史と階級意識』のルカーチのように、革命戦略の領域でもレーニン主義を換骨奪胎しなければならない。

そのために一六歳で高校を中退し、さまざまに日常生活の冒険を試みた果ての二〇歳の秋、いよいよ決戦の秋(とき)は到来したというのに、どのように闘うのかも定まらないまま一〇月になろうとしている。そんなときだった、叛乱型政治闘争のルカーチ主義的理論化として夏のうちに書いた文章が、予期しない形で公表されることになったのは。

八月に出た「拠点」1号の「階級形成論の方法的諸前提」を目にした廣松渉氏の口添えがあったのか、編集長の古賀暹氏の判断で急遽、「情況」誌の10／11月号に「戦術＝階級形成論の一視点」が掲載されることになる。こうして黒木としての〈68年〉の思考は、秋期決戦の直前にかろうじて公表できた。ただし党員としての所属を文末に明記はしていない。太田の更迭など組織的な混乱のため、学対の掲載許可が得られなかったからだ。許可を求めた場合、掲載を禁じられた可能性もある。

編集部の要請で二〇〇枚ほどの原稿を、雑誌掲載に際して一五〇枚に短縮した。それでも「情況」に一挙掲載された論考としては、前年の長崎浩「叛乱論」に匹敵する長さだった。

本書に収録するに当たって、頁数の関係から「〔Ⅱ〕戦術＝階級形成論の実践的展開」の「(C) 反合＝職場闘争と現代プロレタリア革命」を削除した。

その頃、全逓労組は自動読み取り区分機導入阻止を方針化していた。削除した箇所では全逓などによる反合理化闘争を、賃上げ要求を主とする経済闘争＝改良闘争とは質的に異なるところの、資本の技術的構成／有機的構成の高度化に楔を打ちこむ革命的な社会闘争として論じている。資本が高度化する必然性を生産点で阻止するなら、その闘争は反資本主義的な革命的闘争となる。

「政治闘争／経済闘争」のレーニン主義的二分法を打破する「社会闘争」として反合理化＝職場闘争を捉えたのだが、そこには新宿郵便局の拠点ストを渦心とする新宿占拠闘争の秋期決戦構想が込められていた。グラムシの陣地戦を発展させるものとして、政治闘争とも経済闘争とも異なる第三の範疇として社会闘争が位置づけられた。それがロシア革命のソヴェト論に折り返されると、闘争機関や権力機関としての政治ソヴェトには還元できない、経済ソヴェトという独自の位相が浮かんでくる。

若い頃の文章を読み返して、本気でマルクス主義者たろうとしていた頃の自身の行動と思考が甦ってきた。

〈68年〉の半世紀前がロシア革命やドイツ革命の時代で、その半世紀後が今日ということになる。二一世紀の革命を論じるのに、一九一七年ロシア革命や一八年ドイツ革命を直接の参照例とする論者はもういない。しかし〈68年〉の時点では、依然として産業労働者は労働者階級の主力だったし、社会民主主義政党の最大最強の支持基盤でもあった。政党と組合にまたがる社民勢力は福祉国家の建設を推進し、その成功が労働者階級の非革命化と体制内化を促進し続けていた。こうした点に着目すれば、ロシア革命の時代と〈68年〉には連続性が存在していた。

しかし〈68年〉から半世紀を経た今日、産業構造は段階的に高次化して、産業労働者はすでに労働者階級の中心とはいえない。ロシア革命やドイツ革命を参照例としてプロレタリアートの階級形成を論じた本論に、もしも今日的な意味があるとすれば、〈68年〉の磁場で試みられたマルクス主義の臨界での思考という点だろう。その時点でさえ、「労働者のいないプロレタリア革命」というマルクス主義の自家撞着は明瞭だった。革命とマルクス主義を切断してしまえば難問は解決可能だが、コミュニストを志した者にとってそれは禁じ手だ。「戦術＝階級形成論の一視点」には、マルクス主義の限界を究めることで難問に解答を見いだそうと決意した、二〇歳の思考の軌跡が刻まれている。

戦術＝階級形成論の一視点

〔I〕戦術＝階級形成論の一般的前提

　現代プロレタリア革命の戦術＝階級形成論を提起するにあたって、その一般的前提を最初に明らかにしなければならない。一般的前提の内実は、第一に、戦術＝階級形成論をその構成部分として組みこんだ「革命理論」という特殊な理論分野の解明である。これは「階級形成論の方法的諸前提」の論議と重複した部分もあることから、要点を記すにとどめた。第二に、レーニンの戦術＝階級形成論の現在的な検討である。レーニン的戦術＝階級形成論は、現代プロレタリア革命の諸問題を、したがってその解決の方法をも、すべて萌芽として内包している。この二点を踏まえることによって、戦術＝階級形成論の実践的展開へと前進することができる。

（A）マルクスにおける革命理論

①理論認識と革命理論

革命理論を端初的に規定するなら、革命に対する客観的過程の分析としての、革命を可能とする条件・革命への接近過程・革命の内容規定を含む戦略論体系をなす部分と、革命主体の諸問題を解明する組織論体系としての革命に対する主体的過程の分析の、両者の複合体として位置づけられるだろう。ここで確認しておかねばならないのは、われわれが「革命」という場合、第一義的には狭義の革命としての政治革命を意味するということ、そしてこれに社会革命的内容が含まれる場合でも、それはつねに政治革命に集約され、その前提をなすものとしてであるということである。なぜならプロレタリア革命としての社会主義革命は、政治的国家（プロレタリア独裁国家も含めて）と、価値法則の止揚が実現されるまで永続的に遂行されるものであるが、そしてこの限りでは革命の主要な内容はあくまでも社会革命なのであるが、この社会革命の意識的かつ徹底的な遂行は、プロレタリアートによる政治権力の奪取（＝政治革命）とプロレタリアートの独裁権力の確立なしには実現されえないからである。プロレタリアートの哲学的意味での歴史的使命としての、「歴史の自己意識の実現」「歴史に真理をもたらすことにして」も同様である。

また「革命理論」とは、いうまでもなく「党の革命理論」である。プロレタリアートが「党」と「プロレタリア」とに本質的な分裂を強いられているのはブルジョワ社会に特有の問題であって、市民社会と政治社会の分裂・転倒というブルジョワ社会の矛盾的な存在様式をプロレタリア独裁＝ソヴェト権力は本質的に止揚するのだから、党は本質的にはプロレタリア独裁期においてさえその自立的存在様式の根拠を失ない、プロレタリアート内部に奪還される。だから革命理論の現在的解明は、あくまでも「政治革命」の問題領域においておこなわれなければならない。革命理論とは「党の革命理論」であり、また「政治革命の革命理論」であるという命題が導かれる。

こうした規定性をもつ革命理論は、一般的には「理論と実践の接点」として、「もっとも実践的な理論」なのである。われわれは、かかる特殊な理論領域としての革命理論を、理論認識一般との関係において解明しなければならない。

理論認識はブルジョワ社会の発展とともに、本格的に確立されるための基礎を与えられた。理論認識の方法上の特徴は第一に、対象が主体とは無縁に主体に対して外的に、自己完結な法則に沿って「自立的なる自己運動」を展開しており、主体はこうした対象を外部から静観的に観照することをもって、対象の「自立的なる自己運動」の内的法則を経験的に認識するというものである。したがって第二に理論認識は、ルカーチが『歴史と階級意識』で詳細に検討し結論しているように「知のブルジョワ的諸形態」としての「諸学」の方法に他ならないということである。ルカーチが指摘したように「知のブルジョワ的諸形態」としての「諸学」は、例外なく「主客の二律背反」という方法的限界に直面することになる。

第三にこうした理論認識はなぜ、近代＝ブルジョワ社会においてのみその基礎を与えられたのか。それは社会の物質的土台が「商品形態によって生産過程が包摂される」ことを媒介として、前資本主義的な「幻想的諸過程」と「経済的現実過程」との融合・未分化状態を脱し、自立するところにブルジョワ社会の独自性があるからだ。いわば幻想的諸過程を排除して「自立的なる自己運動」を展開する経済的現実過程も、これとの対応関係によっていっさいを規定される社会の上部構成体も、一つの法則性を体現するにいたる。ブルジョワ社会においては、社会的現実が主体とは無縁に、主体に対して外的な自己運動を法則的に展開している。前資本主義的な諸社会においては、物質的生産が多かれ少なかれ、政治的・イデオロギー的な規制を受けているので、理論認識もその基盤を成熟させていたとはいえない。だから理論認識はブルジョワ社会において本格的に確立されうる。

けれども理論認識は、「知のブルジョワ的諸形態」における「諸学」として、主客の二律背反という方法的限界に直面せざるをえない。この限界性を止揚するものが、歴史において主客の同一性を体現するプロレタリアートの自己意識、すなわちプロレタリアートの階級意識に他ならない。しかし、ここでわれわれは次のようなディレンマに直面する。

それは、「現実のプロレタリアの心理学的な意識が（これはその存在を経験的に認識できる）、プロレタリアートの階級意識だ」とするのか、あるいは「本来のプロレタリアートが持つべき意識（と理論家が仮定するところの）こそ、プロレタリアートの階級意識である」とするのか、である。もちろん前者ではありえない。個々のプロレタリアの心理学的な意識の内実は、原理的にブルジョワ・イデオロギーでしかありえない。それでは、プロレタリアートの階級意識は理論家の仮説にすぎないのだろうか。われわれはこの結論も受けいれるわけにはいかない。

②マルクスにおける理論

党が体現する「共産主義的意識」とは、未来に実現されると論理上措定されるプロレタリアートの階級意識の現在的先取りであるのだから、前記のディレンマは現実の階級闘争における即自的なプロレタリアートと党との弁証法的矛盾と、その現実的解決の過程で不断に止揚されていく。

共産主義的意識を正確に規定すれば、それは「疎外された対自的なプロレタリアートの階級意識」に他ならない。共産主義的意識は生活意識としてでなく、理論認識という意識形態をとってしか現在的に存在しえないのだから、それは「疎外されている」しかない。マルクス的諸学も理論認識という存在様式をもつ限りにおいて、共産主義的意識の限界性の根拠をなしている。共産主義的意識の内実は、マルクス的諸学とこれに立脚した革命理論とに他ならないからだ。マルクス的諸学は、ブルジョワ的諸学にア・プリオリに優越しているのではない。理論認識という様式を持つ点では、マルクス的諸学もブルジョワ的諸学も同じブルジョワ社会という地平に立脚している。「物象化は物象化であることを知るだけでは止揚されない」というマルクス的命題もここから提起される。

しかし、マルクス的諸学はブルジョワ的諸学に対して、方法上まったく優位にある。まさにマルクス的諸学の方法は、ブルジョワ的・経験的方法ではなく「ア・プリオリズム的方法」であるから。すなわちマルクス的諸学は党によって体現される共産主義的意識の内容としてある限りにおいて、不断に大衆との弁証法的矛盾を生きなければならない。この弁証法的過程に集約される点で、マルクス的諸学は理論認識という同様の存在様式を持つブルジョワ的諸学に、決定的に優位する。けれども学としての様式をもって現存するマルクス的諸学は、一方の主体として党と大衆との弁証法を過程するために、党的実践の指針としての水準に自己を具体化することが不可避となる。こうして形成される新たな理論領域が、「革命理論」に他ならない。

マルクスの場合、諸学と革命理論とはいわば人格的に統一されていた。「諸学」とは、具体的には、「自律的なる自己運動」を展開するブルジョワ社会の経済的現実過程の分析としての『資本論』に代表される経済学、『ドイツ・イデオロギー』に代表される唯物史観、ブルジョワ社会の幻想的諸過程についての学的解明の理論領域（国家・法・政治・諸イデオロギーについての学）の三部門に基本的には集約される。第三の部門に関してマルクスは、それを自立的・体系的に展開したとはいえない。マルクスの学的関心は第一部門の「市民社会の解剖学」に集中されていたからだ。これに対して革命理論は、『共産党宣言』『共産主義の原理』、『フランスにおける階級闘争』『ルイ・ボナパルトのブリュメール十八日』『フランスの内乱』などで、一八四八年革命やパリ・コミューンへの具体的な指針として、あるいはそれらの総括として展開されている。

フランス三部作がマルクス国家論の原典とされるのも、革命がまさしく政治権力の問題であって、これを抜きにしては革命理論が革命理論として成立しえないからだ。この主題についてマルクスは体系的に展開していないが、フランス三部作ではボナパルティズム論をはじめ問題別に部分的な解明が試みられている。

幻想的諸過程についての学的領域を、マルクスが決して無視あるいは軽視していたのでなかったことは、たとえば一八四五年一月頃執筆されたといわれている「市民社会と共産主義革命」(ＭＥＬ研究所による表題)というプランを検討すれば明らかである。

マルクスにおいては、比重の置き方は一様でなかったにしても、三部門の学と革命理論とは人格的に統一されていた。マルクスはエンゲルスと協力しつつ、実践的要請に応じて革命理論を解明し、さらに経済学研究を中心とする理論認識の深化を達成していくことになる。

(Ｂ) 党と革命理論

①ブルジョワ・イデオロギーと「党」の原理的規定

革命理論が「党の革命理論」に他ならないことをわれわれは指摘した。したがって次に、「党は原理的には何であるのか」を解明しなければならない。

われわれの前提は、プロレタリアートによる階級意識の獲得と対象の変革とは一致するということだ。すなわち理論と実践とは本質的に一致する。『歴史と階級意識』でルカーチは、この点について明確にしている。ルカーチによれば、情勢が危機におちいるとそれまでプロレタリアートの意識の表層を支配していた「心理学的な意識＝ブルジョワ・イデオロギー」は、意識の深部から顕現した本来の意識としての階級意識によって、おしのけられ粉砕される。階級の集合的意識の表層に一挙的に浮上してきた、それまでは無意識の領域に押しこめられていた本来の階級意識は、プロレタリアートに革命的実践を可能とさせ、社会変革の主体となることを強いる。このようにプロレタリアートの階級意識の獲得過程と、プロレタリアートによる社会変革の過程は一致する。けれどもプロレタリアートの階級的自覚は、情勢の危機を前提として一挙的に実現されるという原理的には正しい命題も、もしも無媒介的に革命理論の組織論的領域にもちこまれるなら、ルクセンブルク主義的な自然成長論に転化するだろう。このような誤謬を回避するためにも、「ブルジョワ・イデオロギー＝物象化された意識」に関して一層緻密な解明が要求される。

「階級形成論の方法的諸前提」におけるブルジョワ・イデオロギーの規定は、「商品関係についての意識」だった。けれども新たに獲得された視点からすれば、この規定は誤りでないとしても不充分といわざるをえない。この規定は、ブルジョワ社会の物象的性格を商品の物神性から説明するが、それにとどまるからだ。「商品形態は、人間自身の労働の社会的性格を、労働諸生産物そのものの対象的性格として、これらの諸物の社会的な自然諸属性として・人間の眼に反映させ、したがってまた、総労働に対する生産者たちの社会的関係を、彼らの外部に実存する諸対象の社会的な一関係として人間の眼に反映させる」（『資本論』）ので、これは「人々そのものの一定の社会的諸関係に他ならぬのであって、この関係がここでは、人々の眼には物と物との関係という幻想的形態をとるのである」。

ブルジョワ社会では「人々の社会的関係」が「商品と商品との社会的関係」に物象化される。商品の物神的性格は、ブルジョワ社会の中心に埋めこまれた直接的生産過程と剰余価値の搾取という階級関係の本質を、流通過程における「等価交換」という商品関係の擬制のもとに隠蔽する。ブルジョワ・イデオロギーとは、階級関係の現実を隠蔽する「商品関係についての意識」として規定できる。

しかしブルジョワ・イデオロギーの物象的性格は、たんに「商品の物神性」にのみ根拠があるわけではない。宇野弘蔵が明らかにしたように「商品経済における物神崇拝は、すでに述べたように、労働力の商品化による資本の生産過程においてその根拠を明らかにされるのであるが、それ自身において利子を生むものとしての資本において、その完成を見る」(『経済原論』)。すなわちブルジョワ・イデオロギーの物象的性格の根拠は、資本の物神性において完成された姿をとる。俗流経済学が「労働―賃金」を、「資本―利潤」「土地―地代」と同一視する限りでの階級性の隠蔽は、「資本―利子」定式の確立、あるいは、「同額資本に対する同額利子」「それ自身において利子を生むものとしての資本」という幻想の登場で完成する。直接的には「商品関係についての意識」として階級関係を隠蔽するブルジョワ・イデオロギーは、三位一体定式にいたる資本の物神性によってブルジョワ社会の構造を完全に物象化するにいたる。

こうして完成するブルジョワ・イデオロギーは、プロレタリアートの自然発生的な意識としての生活意識を完全に支配する。いまやプロレタリアートは自然発生的には、労働力商品と価値法則の止揚の必要性を理解することも意識することもなしえない。また、ブルジョワ・イデオロギーの制度的表現としての国家権力を止揚する必要性も意識しえない。プロレタリアートは「賃労働―資本―国家」のトリアーデに完全に封じられてしまう。

ここにいたって、プロレタリアートの階級意識を理論認識として先取りする「疎外された対自的プロレタリアートの階級意識＝共産主義的意識」の、またそれを体現する「党」の原理的な必然性が提起される。革命党はマルクス的諸学、とりわけマルクス経済学によって暴露されるブルジョワ社会の階級的性格の理論的認識を、政治方針のレヴェルにまで具体化しながらプロレタリア階級にもちこまなければならない。この契機なくしては、プロレタリアートが生産点における自己権力の確立から、プロレタリア独裁の主体にまで自己形成することはできない。レーニンが『なにをなすべきか』で提起したところの、「党による社会民主主義的意識のプロレタリア階級への外部からのもちこみ」あるいは「プロレタリアートは自然発生的には、社会民主主義的意識を生み出すことはできない」という主張は正当である。この結論に到達するための論理展開に若干の不明確さがあるにもせよ、『なにをなすべきか』の革命性は明らかだろう。

けれどもこのことは、個々のプロレタリアにブルジョワ社会の階級的性格を教え込むことや、これを党的活動の中心とすることを意味しない。これをまったく理解しえないのが革マル派である。「学習会左翼」革マル派の哀れな頭脳では、党が大衆を組織するのは、現実過程においてはいつでも、政治＝組織方針のレヴェルにおいてだということが理解できない。ソヴェト形成を彼岸化し、それまでは階級形成はすべて党形成（実際には革マル派の同心円的拡大）に「現在的には集約」されるなどという寝言を呟いている（東大闘争以後の今日、いかにも自信なげに）革マル派は、「学習会から党をつくる」妄想から抜け出しえない。階級形成と党形成、意識形成と「黒田寛一の本を読むこと」が四重写し的に混乱したピンボケ組織論は、われわれの断固たるイデオロギー闘争によって歴史のゴミ箱に放り込まれるだろう。

他方、組織的ガタツキによって既に自発的に歴史のゴミ箱にとびこんでしまった矮小なルクセンブルク主義者の社青同解放派も、その空疎な頭脳と小学生以下的抽象化能力のため、われわれの論理展開が当然にも理解しえない。彼らには「プロレタリアートの解放はプロレタリアート自身の事業である」と、「プロレタリアートからその本質上完全に分離した党による意識の外部からのもちこみ」という矛盾する二つの命題が、階級意識論によって媒介的に統一されることなど理解の外なのだ。

②マルクス以降の諸学と革命理論

マルクスにあっては人格的に統一されていた「諸学」と「革命理論」とは、マルクス以降、基本的に分岐して発展していく。一方ではマルクス理論の知的ヘゲモニーの確立に依拠しての、マルクスによって提起された諸学を研究者として緻密化する方向だ。他方では労働組合の発展と労働者政党の確立を前提とする、党の「綱領」の確定をめぐる方向だった。この段階にいたって問題は次のように整理されるにいたる。党は研究者によって提起されるマルクス的諸学の成果を前提に、それを活用して革命理論を創造しなければならない。こうして獲得される革命理論は、その普遍的部分を党の綱領として、その個別的部分を党の政治組織方針として具体化される。

個々の党員が優れた研究者でもあることは、もちろん可能である。たとえばヒルファディングなど幾人かの革命家は、社会民主党の指導者であると同時に有能な研究者だった。けれども、こうした事例を普遍化することはできない。個々の党員に革命理論の提起に加えて、マルクス的諸学の学問的研究までをも要求するのは、党形成論における手工業主義に他ならない。レーニンは抜群の革命理論家ではあったが学問研究者ではなかった。党は諸学や理論一般にではなく革命理論の形成を任務としている。それは党的実践に構造化されなければならない。

革命理論から導かれる政治組織方針によって党は大衆運動を組織し、市民社会内にプロレタリア拠点を構築する（理論形成・運動形成・拠点形成）。このようにして理論は実践化される。大衆は訓練されて党の方針を受けいれるのだが、大衆によって受けいれられない方針は無なのだ。党と大衆とは「革命理論―方針」を接点として、常に鋭い対峙的関係にある。党と大衆とは常に矛盾をはらんだ緊張状態に置かれ、その関係は弁証法的である。こうした関係はレーニンとボリシェヴィキの党的実践によって明らかにされている。ルクセンブルクが批判したように西欧の労働者政党が労働組合に埋没し、党が組合とは別に存在しなければならない根拠が曖昧になっていた状況の下で（ドイツにおけるその実情については、ルクセンブルク『大衆ストライキ、党および労働組合』を見よ）、こうした組織論的混乱に対処するものとして『なにをなすべきか』の党組織論をレーニンは提起した。

プロレタリアートの自然発生的な闘争に対して、党はそれに「対立し」「宣伝・暴露」によってそれと関わるという、党と大衆との関係の基本型が『なにをなすべきか』では提示されている。党の社会民主主義的意識性が大衆の自然発生性に、それ自体として優位にあるとレーニンは主張したわけではない。またレーニン主義の矮小な理解によって一部に生じているように、大衆の自然発生的高揚に対して、それが即自的で自然発生的だからという理由で、背を向けたり反撥したりする偏狭な保守主義を許したのでもない。一九一七年二月革命に際してのボリシェヴィキ党のような、大衆の革命的自然発生性に対する自己保身的態度は、党の側の頽落した「自然発生性」に他ならない。

レーニンはなによりも、党と大衆とを弁証法的関係の中で把握した。党は大衆に「対して」存在するけれども、大衆の傲慢な教師として存在するわけではない。メルロ＝ポンティによれば、「理論家は、プロレタリアートよりも前を歩くけれども、レーニンのいったように、ただ一歩だけ前を歩くのである。すなわち、大衆は彼らの知らぬところで練り上げられたすぐれた政策のたんなる手段では決してないのである。大衆は操られるのでなくて、訓練されて党の政策に真理の刻印を刻みこむ」「党は自己が労働者階級から受けいれられるようにすることによって、労働者階級の表現であることを確証しなければならない」（『弁証法の冒険』）。レーニンの自然成長主義批判は、党を大衆に対して超越させたことをまったく意味していない。『なにをなすべきか』におけるこの革命性を、われわれは繰り返し確認しなければならない。

(C) レーニン的戦術＝階級形成論の革命的意義

①『なにをなすべきか』におけるレーニン

戦術＝階級形成論を現在的に解明するにあたって、まずレーニンのそれを検討するところから出発しなければならない。この革命理論領域を初めて体系的に展開したのはレーニンだからだ（断片的にはストライキ論におけるルクセンブルクなどがあるとしても）。

レーニンの戦術＝階級形成論は、『なにをなすべきか』に代表される第一期、一九〇五年革命の総括をめぐる第二期、一九一七年二月から十月までの二重権力下における闘争を推進するものとして展開された第三期、そして、ロシア革命以降コミンテルンの指導者として、ヨーロッパ革命の戦術＝階級形成論を解明した第四期と、これら四つの時期に区分して考察しなければならない。第一期から第三期までは、戦術＝階級形成論におけるレーニン的形成、発展、完成の時期、第四期は新たな条件（ヨーロッパ革命）へのそれの適用の時期として把握できる。したがって当面、第一、第二、第三期のレーニン戦術＝階級形成論を検討することから出発しなければならない。レーニンが精力的に展開した労農同盟論、労農民主独裁としての中間政府論、そしてもっとも具体的な意味での武装蜂起論などは、ここでの検討から省かれる。その理由の一つにはロシア的特殊性の問題がある。もう一つは、われわれの階級闘争の水準が中間政府論や武装蜂起論などを必要としていないからだ。階級闘争が問題を実践的に提起しないうちは、それを解明する必要はないし、解明する前提も与えられてはいない。

レーニンが『なにをなすべきか』を執筆した背景として、第一に一八九〇年代中頃から開始されたロシア全土にわたるプロレタリアートの経済闘争、経済ストライキの自然発生的高揚がある。この高揚にいかに対するべきかを、戦術＝階級形成論的に解明することが、社会民主主義者に課せられた重大な任務だった。第二に、けれどもロシアの社会民主主義者の一部には、この自然発生的高揚に拝跪し、経済闘争の単純な延長線上に政治闘争を位置づける「経済主義」的偏向が発生してきた。この「経済主義」をいかに理論的・実践的に粉砕するのかが、重要な課題としてレーニンには意識されていた。第三に、ロシア全土にわたって散在していた社会民主主義的労働者サークル（レーニンの「ペテルブルク労働者階級解放闘争同盟」も、それらの一つだった）を結合し、単一の革命的前衛党を形成する任務が提起されはじめた。これらの諸点を、戦術＝階級形成論的、党形成論的に解明した書としてレーニンの『なにをなすべきか』がある。『なにをなすべきか』は、次の諸点においてその革命的意義を明らかにされねばならない。

（ｉ）プロレタリアートの自然発生的な意識はブルジョワ・イデオロギーであり、「自然発生的な労働運動は、組合主義であり、労働組合専一主義である。組合主義とは、まさしくブルジョワジーによる労働者の思想的奴隷化を意味する」「労働者階級が、まったくの独力では、組合主義的意識、すなわち組合に団結し、雇主との闘争をおこない、政府からあれこれの法律の発布をかちとることが必要だという確信をつくりあげるだけである」。こうした点から、第一に社会民主主義者は意識的なイデオロギー闘争を推進し、第二にプロレタリアートの内部に社会民主主義的意識をもちこまなければならない。

（ii）経済主義者の戦術は、自然発生的な経済闘争を推進し（＝これに埋没し）、その中で権力の弾圧など政治的問題に直面したら政治闘争を始めるという「過程としての戦術」であるが、レーニンは「専制政治の全面的な政治暴露を組織する仕事をとりあげないかぎり、われわれは、労働者の政治意識を発達させる自分の任務を果しえない」「経済闘争が大衆を政治闘争にひきいれるためのもっとも広範に利用されるべき手段であるという、わが経済主義者たちの説教は、その実践的意義においてははなはだしく有害であり、またはなはだしく反動的である」として、「計画としての戦術」を提起する。なぜなら全面的政治暴露と政治的煽動が経済分野にのみ限定されていると、「大衆の政治意識と革命的積極性を培養することができない」からだ。

（iii）こうした重大な意識をもつ政治的煽動・暴露は、プロレタリアートの前衛党によって社会民主主義の立場からおこなわれなければならない。「現代では、直に全人民的な政治暴露を組織する党だけが、革命勢力の前衛となることができよう」「〔運動の――引用者註〕階級的性格は、これらの全人民的政治暴露を組織するものが、われわれ社会民主主義者であること、煽動によって提起される問題の解明が（略）一貫した社会民主主義精神であたえられるということ、全人民の名による政府に対する襲撃をも、プロレタリアートの革命的教育をも、また労働者階級の指導（略）をも、そのすべてを一つにむすびつけて混然たる全一体とする党が、この全面的な政治的煽動をおこなうであろうということ、このことにあらわれる」。専制ロシアにおいては、こうした政治煽動・暴露そのものが「政府に対する宣戦布告である」。

（iv）「政府に対する宣戦布告である」ような、全人民的政治暴露を組織する党はいかに形成されるうのか。問題はここにある。この党は、「経済主義者の手工業性」を排除した、「政治闘争に精力と確固さと継承性を保障できるような、革命家の組織」であろう。それは、政治警察との闘争に耐えうる、訓練された職業革命家の党でなければならない。次に、「社会民主主義の政治闘争は、雇主と政府にたいする労働者の経済闘争よりもずっと広範で複雑である。それとまったく同様に（またその結果として）、革命的社会民主党の組織は、ぜひともこのような闘争のための労働者の組織とはちがった種類のものでなければならない」。すなわち「党」は、できるだけ広範で秘密のない職業的組織（＝労働組合）から区別されなければならない。こうした点から「党」は「形態上からいえば、専制国の場合には、このような強固な革命的組織は〝陰謀的組織〟とも呼べる」「このような組織には秘密性はまったく不可欠の条件であって、他のいっさいの条件（成員数、成員の選抜、機能、その他）はこれに順応させられなければならない」。最後に「近年のわれわれの運動は、まさに地方の活動家達があまりに地方的活動に没頭しすぎているからこそふるわない。だから重心を全国的活動のほうにうつしかえることが絶対に必要である」として、全国党の重要性を提起した。訓錬された職業革命家からなる、労働者組織から分離した、秘密の、中央集権的な全国組織、これがレーニンの「党」である。

（v）このような「党」は、「（全国的政治新聞）を中心にしてひとりでに形づくられる組織、この新聞の協力者たちの組織こそ、まさに最大の革命的沈滞の時期に党の名誉と威信と継承性をすくうことに始まって、全人民的武装蜂起を準備し、指定し、実行することのできる、あらゆる事態にたいして用意をもった組織」である。「党」は集合的組織者としての全国的政治新聞を中心に組織されるだろう。

②『なにをなすべきか』の革命性

戦術＝階級形成論としての『なにをなすべきか』の革命性は、第一にプロレタリアートの労働組合への組織化や、労働者政党による議会への組織化をプロレタリアートの階級形成と区別した点にある。『哲学の貧困』や『共産党宣言』におけるマルクス、『フランスにおける階級闘争・序文』のエンゲルスは、この点を充分に明確化なしえていない。

完成されたブルジョワ支配は議会を回路として政治社会へ、組合を回路として市民社会へ、プロレタリアートを二重に体制内化する。市民社会における「賃労働―資本」関係を前提とする組合主義的闘争、政治社会における「ブルジョワ独裁」を前提とする議会主義的闘争は、それぞれプロレタリアートの「経済闘争」と「政府に対する経済闘争」（レーニン）＝「政策闘争」として、大衆の自然発生的な「怒り」を解消してブルジョワ支配を維持する、自動安定装置としての機能を果たすのである。「〔先進国における―引用者註〕労働組合と労働者政党は、〝予定調和〟的な運動と規則正しいカンパニアによって労働者階級の不満と闘争力を周期的に、しかし統制された範囲内で分散的に爆発させ、吸いあげる体制内統合の機構に変質してきた」（白川真澄）のは、なにも偶然ではない。ブルジョワ社会の物象化構造によって、階級関係を商品関係の内に透視しえないプロレタリアートは「組合に団結して、雇主との闘争をおこなうことをしか自然発生的には可能とされていない」。「組合主義的団結」とは「〔労働力〕商品所有者」のブルジョワ的利害関係に立脚した、ブルジョワ的団結にしかすぎない。プロレタリアートは、自然発生的にはこの限界を超えることができない。

またレーニンが「政府に対する経済闘争」「政府からあれこれの法律の発布をかちとる」闘争、すなわち「組合主義的政治」闘争と規定した、議会主義的政策闘争の限界性は、ブルジョワ社会における政治的民主主義の問題に根拠がある。国家形態としての民主主義は、「ブルジョワジーの政治支配の主要な型」なのだ。だから、若きマルクスは、「政治的解放」と「人間的解放」とを断固として区別した。ブルジョワ的「公人」として、政治社会＝「天上界」における権利をプロレタリアートは獲得した。物質的生産における共同性を、「商品関係についての意識」を媒介としてイデオロギー化したところの、共同的幻想としての国家＝民主主義の枠内において、プロレタリアは個別に反抗することはある。けれどもそれは、国家（＝ブルジョワ独裁）自体の否定には達しえない。

ブルジョワ的「私人」としての立場からの組合主義的政治闘争も、ブルジョワ的「公人」としての立場からの議会主義的政策闘争も、本来のプロレタリア的闘争ではありえない。したがって、プロレタリアをブルジョワ的「私人」（労働力商品所有者）として組織する組合も、ブルジョワ的「公人」として組織する議会も、プロレタリアートの階級形成とは等置されえない。レーニンは『なにをなすべきか』で、このことを明確にしている。

第二に、けれども後進国ロシアのプロレタリアートは、議会主義的政策闘争や組合主義的経済闘争によって体制内に統合されるわけにはいかなかった。「ロシアでは、一見したところ、専制政府の圧制が社会民主主義的組織と労働組合のあいだのあらゆる相違を消しさっているかのようである。なぜなら、あらゆる労働組合、あらゆる労働者サークルが禁止されており、労働者の経済闘争の主要な現われ、また道具であるストライキは、全体的に刑事上の（そしてときとしては政治上でさえの！）犯罪となっている」。政治社会と市民社会との二重の体制内統合装置によってではなく、あからさまな暴力とプロレタリアの無知に立脚した支配体系が、専制ロシアでは一般的だった。したがって自然発生的なストライキ闘争に、党が全人民的政治暴露をもって対するなら、それはただちに専制政府打倒の革命的政治闘争に転化する。レーニンは、プロレタリアートの階級形成を「党の全人民的政治暴露」に集約した。プロレタリアートは「経済スト―党の全人民的政治暴露（集会・デモ）―専制権力の弾圧―政治スト」という発展系列を辿って政治闘争に入りこむ。党の暴露こそ、大衆が政治闘争（政策闘争ではない！）の主体に自己形成する主要な契機であった。これを明らかにしたのが『なにをなすべきか』の第二の意義である。

けれどもわれわれは、以上のようなレーニンの「戦術＝階級形成論」を、無媒介的には活用しえない。プロレタリアートの経済ストは組合主義的経済闘争の回路から安定的に体制内化し、政治闘争に転化することはなく、これとまったく無関係に展開される政治闘争は議会主義的政策闘争の回路によって体制内化される。このような完成したブルジョワ支配をいかに打倒すべきなのか。戦術＝階級形成論のレーニン的発展の検討から、それを明らかにしよう。

③レーニンのストライキ論

レーニンのストライキ論は次に検討するソヴェト論と同じく、一九〇五年革命とその総括から導かれた戦術＝階級形成論の中心的な部分である。

レーニンによれば「統計は、経済闘争がつよまるときには運動がつよまるという、三年間の一般法則を明らかにすることによって、マルクス主義者の見解をはっきりと確証している。しかも、この一般法則は、あらゆる資本主義社会の基本的特徴と論理的に結びついている。資本主義社会では、運動が異常に激しくならなければ目をさまさせることのできないほど遅れた層が、いつでもいることであろう。そして、この遅れた層は、経済的要求によらないかぎり、闘争にひきいれることはできない」（「ロシアにおけるストライキ統計について」）、「運動の初期には、経済的ストライキは、しばしば遅れたものを目ざまし、ゆりおこし、運動を全般的にし、それより高い段階にたかめていくという性質をもっている」「勤労者階級は、経済的要求なしには、自分たちの状態を直接即座に改善することなしには、国の全般的な進歩をけっして考えようとはしないであろう。大衆が運動にひきいれられ、それに精力的に参加し、それを高く評価して、英雄的精神、自己犠牲、不屈さ、偉大な事業への献身を発揮するのは、働くものの経済状態が改善される場合にかぎる。（略）生活条件一般の改善をもとめてたたかううちに、労働者階級は同時に、精神的にも、知的にも、政治的にもたかめられ、その偉大な解放目的を実現する能力をたかめていく」（「経済的ストライキと政治的ストライキ」）。

レーニンによる経済ストの位置づけは以上のようだ。政治ストについては「労働者階級は、政治的ストライキのさいには、全国民の先進的階級として行動する。プロレタリアートは、こういうばあいには、ブルジョワ社会の諸階級のうちの一つとしての役割を演じるばかりでなく、主導者（ヘゲモーン）、すなわち指導者、先進者、首領の役割を演じるのである」。

政治ストと経済ストの関係については、「運動の最高揚期には、闘争の経済的基礎がもっとも広いのが特徴である。この年〔一九〇五年―引用者注〕の政治ストライキは、経済的ストライキという強固な、確実な土台の上にたっている」「両者〔政治ストと経済スト―引用者註〕の密接な結びつきなしには、真に広範な、真に大衆的な運動は不可能である。この結びつきの具体的な形態は、一方では、運動の初期や新しい層が運動にひきこまれるときには、純経済ストライキが優勢な役割を演じるが、他方、政治的ストライキが、おくれたものの目をさまさせ、ゆりおこし、運動を一般化し、拡大し、それより高い段階にひきあげる、ということである」（「ロシアにおけるストライキ統計について」）。

両者は革命的大衆ストライキにおいて統一される。「大衆的ストライキをも政治ストライキをもその中に結合させる」（「革命的大衆ストライキに反対する解党派」）ところの「政治と経済とを固く結びつけた革命的ストライキ、労働者の生活の即時改善をめざす闘争の成功によって、もっともおくれた層をひきつけ、同時にツァーリの君主制に反対して人民をたちあがらせるようなストライキ」(「革命的高揚」)。

革命的大衆ストライキは「わが国では武装蜂起と不可分に結びついている」「一九〇五年には、蜂起どのように成長したか？　まず第一に、大衆的ストライキ、デモンストレーションおよび集会は、大衆と警察および軍隊との衝突をますます頻繁にしていった。第二に、大衆的ストライキは農民を多くの部分的、分散的、なかば自然発生的な蜂起に立ちあがらせた。第三に、大衆的ストライキは、きわめて急速に陸海軍に燃えひろがり、まず経済的な理由による衝突、ついで反乱をひきおこした。第四には、反革命勢力それ自身が、ポグロムや民主主義者に対する迫害などによって、内乱をはじめた」。

レーニンのストライキ論を以上のように要約できる。ここからは「経済スト―政治スト―革命的大衆スト―農民・軍隊反乱―武装蜂起」というシェーマが浮かびあがる。(ⅰ)経済ストは、プロレタリアートの階級形成に大きな役割りを果たす、(ⅱ)政治ストは、諸階級を全人民的政治闘争にひきいれ、プロレタリアートをその指導者とする、(ⅲ)経済ストは政治ストの土台であり、両者の間には不可分の関係がある、(ⅳ)経済ストと政治ストは革命的大衆ストライキにおいて統一される、(ⅴ)革命的大衆ストライキは農民・軍隊反乱を結集しつつ武装蜂起に成長する、という五点をレーニンは語っている。

われわれにとって、さしあたり重要なのは(ⅰ)の視点である。プロレタリアはどんなわけで、経済ストによって遅れた層から進んだ層へと「知的にも精神的にも高められ」、自身を階級として形成しうるのか。レーニンの理解では経済闘争＝経済ストであり、ストライキ闘争の内包する革命性が充分には明らかでない。また、経済ストといっても、毎年春になると基幹プロレタリアートの殆どの部分が多かれ少なかれストライキ闘争をもって経済闘争を闘うのに(＝春闘)、日本プロレタリアートの階級形成が、それによって前進しているといえないのはなぜなのか。これも当時のロシアの特殊性と関連した問題といえる。一つにはロシア的特殊性から、経済闘争＝経済ストが組合主義的経済闘争の回路によって体制に回収されえなかったこと。

したがって二つには、その目標がいかに設定されていようと、ストライキ闘争が本来持っている革命性が充分に階級形成へと集約されえたことである。

ストライキ闘争は工場の、生産点の主人公が誰であるのかを労働者に体験的なものとして教育する。労働者たちか、それとも経営者なのか。「すべての坐りこみストライキは、実際的なやり方で、工場のボスはだれか、資本家かそれとも労働者なのかの問いを提起する」（トロツキー「資本主義の死の苦悶と第四インターナショナルの任務」）のだ。ストライキ闘争がプロレタリアにおよぼす衝撃は、プロレタリアートの階級形成の萌芽である。事実としても生産点におけるストライキ闘争は、生産の自己管理、プロレタリアへゲモニーの実体的形成の力を内包している。このようなものとしてのストライキ闘争は、組合主義的経済闘争の回路によって体制側に回収されない限りにおいて、プロレタリアートの階級形成の出発点となる。

（ii）に関しては、それが現在的に遂行されるならば、プロレタリアートの階級形成の中間的到達水準を明らかにするだろう。「政治ストはたんなる〝市民〟（＝ブルジョワ的公人）としての政治意識ではなく、〝政治生活の基本的な、もっとも根ぶかい諸条件〟を認識し、〝全人民の先進的階級として〟の政治的自覚の具体的あらわれである」（白川真澄『日本帝国主義と反戦闘争の課題』）。けれども白川のように、一般的にプロレタリアートの「政治スト」の重要性を確認するだけでは不充分だ。問題は、今や社民でさえ政治ストを打てなくなりつつある（まもなく到来する一九六九年秋期決戦を境に、この傾向はますます強まるだろう）現状に、われわれがいかに対峙していくのかという点にこそある。

（iii）に関しては、ルクセンブルクも同じ内容を語っている。「経済闘争はいわばそこから政治闘争が、つねに新しい力を吸収する、労働者階級の力の恒久的な貯水池を形づくるのだ」（「大衆ストライキ、党および労働組合」）。

（iv）（v）は、プロレタリアートの階級形成の最高形態が、革命的大衆ストライキと武装蜂起であることを示している。経済ストはストライキ闘争から工場占拠、生産管理闘争にまで発展しようとも、依然として個別資本に対する部分的闘争にすぎない。政治ストは議会主義的政策闘争の道具として歪曲されない場合でも、たんなる政治闘争の水準にとどまっている。両者は「生産の主人公」としての自覚と「社会の主人公」としての自覚とに、プロレタリアートの意識の発展水準において対応するだろう。けれども、これではまだ充分ではない。プロレタリアートは「国家の主人公」とならねばならない。この意識水準に対応する闘争形態こそ、革命的大衆ストライキと武装蜂起だ。プロレタリアートの階級形成における三つの発展段階には、それぞれに対応する組織形態がある。次に、この問題に関するレーニンの主張を検証したい。

④レーニンのソヴェト論

一九〇五年革命の渦中で、あるいはその総括の過程でレーニンが提起したソヴェト論は、次の諸点にその特質がある。

(ⅰ)「労働者代表ソヴェトか、党かという問題を出しているのは私には正しくないようにおもわれる。問題をこういうふうに提出してはならないし、解答は無条件に労働者代表ソヴェトも、党も、というのでなければならないと、私にはおもわれる」(「われわれの任務と労働者代表ソヴェト」)、「私は、ソヴェトが、どれか一つの政党に完全に同調してしまうのは、合目的ではないと考える」「労働者代表ソヴェトに社会民主党の綱領を採用したり、ロシア社会民主労働党に加盟したりすることを要求するのは、このばあいにも合目的でない」。

(ⅱ)「大衆ストライキと武装蜂起は、おのずから革命的権力と独裁の問題を日程にのぼらせた。(略)この時期の大衆的な革命闘争は、労働者代表ソヴェト、それにつづいて兵士代表ソヴェト、農民委員会などのような、それまで世界史上に見られなかった組織を生みだした」(「独裁の問題の歴史によせて」)、「労働者代表ソヴェトは大衆的な直接的闘争の機関である。それはストライキ闘争の機構として生まれた。それは必要にせまられて、非常に急速に、政府に対する全般的な革命的闘争の機関になった。それはもろもろの事件が進展し、ストライキから蜂起へうつっていったために、おさえようのない勢いで蜂起の機関に転化した」（「国会の解散とプロレタリアートの任務」）。

（iii）「職業的組織としての労働者代表ソヴェトは、そのなかに、あらゆる労働者、勤務員、召使い、雇農の代表、全勤労人民のためにいっしょにたたかうことをのぞみ、またたたかうことができさえすれば、基本的な政治的良心をもってさえいれば、そうしたすべての人、黒百人組以外のすべての人の代表を入れるように努力しなければならないと考える」（「われわれの任務と労働者代表ソヴェト」）、「労働者代表ソヴェトは、政治大衆ストライキを基盤として、広範な労働者大衆の超党派的な組織として自然発生的に生まれている」（「ロシア社会民主労働党統一大会に提出すべき戦術綱領」）。

（iv）「欠けているのは、大衆の無条件の信頼を得、わき立つような革命的エネルギーを持ち、組織された革命的社会主義諸政党と密接に結びついた、はつらつとした、新鮮な、人民のなかに深い根をおろしているので強力な、全国的な政治的中心である。（略）労働者代表ソヴェトがこのような中心の萌芽となってはなぜいけないのか」（「われわれの任務と労働者代表ソヴェト」）、「政治上指導的立場にある革命的中心としては、労働者代表ソヴェトは、広すぎるどころか、狭すぎる組織である。ソヴェトは（略）、労働者の新しい代表ばかりでなく、第一には、いたるところで自由をめざしている水兵と兵士の、第二には、革命的農民の、第三には、革命的ブルジョワ・インテリゲンツィアの、新しい代表をもひきいれなければならない」。

（v）「労働者代表ソヴェト等々は、実際には臨時革命政府の萌芽ではなかったか。蜂起が勝利した場合には、権力は不可避的に、それらににぎられたことであろう」（「国会の解散とプロレタリアートの任務」）、「新しい革命権力機関——労働者、兵士、鉄道従業員、農民の代表ソヴェト、農村と都市の新しい官庁、等々——

―を創設することである。これらの機関は、もっぱら住民の革命的諸階層によってつくりだされた。それは、あらゆる法律や規範を抜きにして、完全に革命的な方法で、自主的な人民の創造力の産物として、古い警察的足かせから自分を解放したか、また解放しつつある人民の自主的活動の現れとしてつくり出された。最後に、それは、構成や機能の点でまったく萌芽状態にあり、自然発性的で、はっきりした形をもたず、漠然としたものであるにもかかわらず、ほかならぬ権力機関であった。（略）それは、疑いもなく、新しい人民政府――おのぞみならば革命政府――の萌芽であった」（「独裁の問題」）。

レーニンがソヴェトに関して提起した諸点を、次のように整理することができる。（i）ソヴェトは前衛党と区別されなければならない、（ii）ソヴェトはストライキの機関として発生し武装蜂起の機関に成長する、（iii）ソヴェトは政党によって分断された、またいかなる政党からもいまだ組織されていない全てのプロレタリアートの統一戦線機関である、（iv）ソヴェトは全人民的政治闘争の中心軸であり、革命的諸階級・諸階層をヘゲモーンとしてのプロレタリアートが政治的に集約していく機関である、（v）ソヴェトは権力機関（プロレタリア独裁の機関）の萌芽であり臨時革命政府の実体である。

（iii）と（iv）は後にレーニン的統一戦線論に集約され、「唯一の道」「次は何か」におけるトロツキーによって、ディミトロフらの歪曲からその革命的意義を防衛されるだろう。けれども、統一戦線論がここでの主題ではないので、この問題の検討は次の機会としたい。ここで重要なのは（i）（ii）（v）である。

ストライキ闘争という個別資本に対する最大限の闘争形態は、いかに全人民的政治闘争にプロレタリアートをひきこみ（＝政治スト）、さらに権力奪取を展望しての武装蜂起にまで成長しえたのか。「ストライキの機関―蜂起の機関―自己権力機関」、あるいは「生産の主人公―社会の主人公（全人民のヘゲモーン）―国家の主人公」という、プロレタリアートの階級形成における段階的発展は、ロシアにおいてはいかに可能であったのか。またこのロシア型階級形成はなにを教訓化しているのか。

われわれが教訓化すべき第一は、「ストライキ闘争＝〝生産の主人公〟の自覚」は、組合主義的議会闘争の回路に回収されない限り、自然発生的に全人民的政治闘争を形成し、プロレタリアートをそのヘゲモーンとして育成することだ。自然発生的というのは、事実問題を客観主義的に対象化した表現であって、党的立場からは全人民的政治暴露を媒介にしてこの発展はある、といわなければならない。

第二に一九〇五年のロシア革命が、プロレタリアートの政治ストを中軸とした全人民的政治闘争は、軍隊・農民反乱を結合した革命的大衆ストライキから武装蜂起へと成長した。けれども「ストライキ─武装蜂起」という回路は、そのスローガンが「ツァーリ専制打倒」である限りにおいて可能だった。いいかえれば、この場合の「蜂起の意識」は、「プロレタリア独裁の意識」ではない。資本主義先進諸国の革命の場合、こうした事態は生じえない。そもそもの始めから、武装蜂起の意識はプロレタリア独裁の樹立を目標とする。

第三にソヴェトといっても、その意識性は三つの段階に区分される。すなわち「生産の主人公」「社会の主人公」「国家の主人公」である。ロシアのソヴェトは直線的にこの三段階を通過し、高度な水準に発展していった。実は第二のそれと第三のそれとの間には、決定的な断絶があるのだが、この断絶をいかに跳び越えるのかは、プロレタリア革命が現実問題として提起された一九一七年二月以降になってはじめて問われたのである。けれどもレーニンは、漠然とながらではあれこれの問題について、一九〇六年の段階から語り始めている。

市民社会内部での自己権力を、政治社会における自己権力にいかに高めるのか。レーニンの主張は第一に、「ソヴェトを擁護するために、どんなソヴェトも、大衆のどんな選出代表もそれなしには無力であるところの蜂起を実行するために、ソヴェトの組織とならんで、軍事組織が必要であることを説明しなければならない」（「国会の解散とプロレタリアートの任務」）、第二にはソヴェトと区別された前衛党の存在である。生産点における自己権力、プロレタリアートの「経済権力」、その全社会的結合としてのプロレタリアートの「社会権力」、これらと区別された「軍事組織」の必要性をレーニンは主張した。この点に、われわれの現在的な関心は集中されねばならない。

「軍事組織」とは何か。「〔軍事組織―引用者註〕は、選出代表〔ソヴェトのこと―引用者註〕を通じないで大衆をつかみ、市街戦と内乱に直接参加する大衆をつかむことを目ざさなければならない」「これらの組織は、非常に少人数の自由な班、すなわち十人組や五人組、ひょっとすると三人組すらをも、自分の細胞としてもたなければならない」「〔軍事組織は―引用者註〕すべての誠実な市民がそのさいに自分を犠牲にし、人民の抑圧者とかならずたたかわなければならないような戦闘が近づきつつあることを、もっとも力をこめて宣伝しなければならない」「これらの班組織は、政府に対する蜂起という一つの直接の革命的任務に結びつけられた、党的なものもなければならないし、無党派的なものもなければならない」「これらの班組織は、かならず武器を手にいれるまえに、武器の問題とはかかわりなしに、もっとも広範囲につくられなければならない」。

軍事組織をめぐるレーニンの提起は、現代プロレタリア革命における独自のカテゴリーである「政治ソヴェト」の措定へとわれわれを導く。

(D) 現代プロレタリア革命とレーニン的戦術＝階級形成論

①現代革命におけるストライキ・ソヴェト論

レーニンのストライキ・ソヴェト論をまとめておこう。(i) プロレタリアートはストライキ闘争〔経済スト）によって、階級形成の萌芽を生産点においてかちとる。（ⅱ）この自然発生的高揚に党が「全人民的政治暴露」をもって対するなら、経済ストは政治ストに転化し、プロレタリアートは全人民の指導階級へと成長していく。（ⅲ）こうして展開されるストライキ闘争を中軸とした「全人民的政治闘争」は、たちまちのうちに革命的大衆ストから武装蜂起に成長する、（ⅳ）プロレタリアートは武装蜂起によって体制権力を打倒し、プロレタリア独裁の権力主体へと自己形成し、階級形成は最終段階に達する。

組織形態からみれば、（ⅰ）工場におけるストライキ委員会／生産の主人公的自覚、（ⅱ）労働者代表ソヴェト／社会の主人公的自覚＝全人民の指導者としての自覚、（ⅲ）ソヴェトと軍事組織、（ⅳ）ソヴェトによるプロレタリア独裁（国家の主人公としての自覚）ということになる。レーニンは以上のような四契機をソヴェトに読み取った。すなわち（ⅰ）ストライキ機関としてのソヴェト、（ⅱ）全人民的政治闘争の中心としてのソヴェト、（ⅲ）蜂起の機関としてのソヴェト、（ⅳ）権力機関としてのソヴェトである。ロシアの特殊性は、（ⅰ）から（ⅳ）までが単線的に発展するところにあった。しかし一九〇六年の時点でレーニンが感じたように、ロシアにおいてさえ（ⅰ）（ⅱ）から（ⅲ）（ⅳ）に達するには、巨大な飛躍が必要だった。

なぜなら、市民社会内部の「賃労働―資本」関係に対するプロレタリアートの対象的認識、この関係を媒介するものとしての国家という対象的認識と、「賃労働―資本」関係を廃絶するためにはブルジョワジーの政治権力を打倒し、既成の国家機関を粉砕し、自らを国家権力に組織しなければならないという対象的認識の間には断絶があるからだ。一九〇五年革命における蜂起は、それがブルジョワ革命として闘われたがために、こうした自覚はかならずしも必要ではなかった。「ツァーリ専制が打倒されたら、権力はブルジョワジーが握るだろう、プロレタリアートはそれを〝監視〟すればよい」。そして一九一七年二月革命に際しては、擬制的に政治権力を握ったブルジョワジーの臨時政府と、あらゆる経済的・社会的権力を握ってはいても臨時政府を監視するにとどまる労兵ソヴェトとの共存が、文字通り現出したのだった。これが二重権力である。

一九一七年ロシア革命の勝利とそれに続いたドイツ、イタリアにおける革命の挫折は、まさに「経済権力に対する目的意識性」と「政治権力に対する目的意識性」をプロレタリアートの階級形成において結合しえたか否かによって決定されたのである。もちろん、後進国ロシアと西欧とでは、諸条件の相違に規定されて問題提起の現象的なあり方は異っていた。けれども、その本質に変わりはない。プロレタリアートの意識におけるこの最後の飛躍について、レーニンはどのように戦術＝階級形成論的な解明をなし遂げたのか。いうまでもないことだが、レーニンの解答は一七年四月から十月にいたる激動の日々の政治方針に込められ、具体的な形で提示されている。

②レーニン的戦術＝階級形成論の完成

二月革命によってツァーリ専制は打倒され、ロシアにおけるブルジョワ民主主義革命は完了した。とはいえもろもろの経済権力と社会権力は基本的に労兵ソヴェトが掌握していた。ほとんどの工場、鉄道網、通信網を管理しているのも、軍隊を支配しているのもソヴェトであって、ブルジョワジーのドゥーマや国会臨時委員会はソヴェトの同意なしには政権を運営しえない立場に置かれていた。

しかし労兵ソビエトは政治権力の前で尻ごみし、ブルジョワジーにそれを明けわたした。なぜこうしたことが起きたのか。それは、「全権力をソヴェトへ」のスローガンを掲げ、「いつでも権力を掌握する用意がある」（レーニン）ただ一つの社会主義的党派ボリシェヴィキが、ソヴェト内部で少数派だったからだ。ソヴェトの多数派であったメンシェヴィキと社会革命党（エスエル）は、「二月革命はブルジョワ革命であり、プロレタリア革命は遠い先のこと」と思いこんで、カデットとブルジョワジーの権力からの逃亡を怖れていた。

ボリシェヴィキは一九一七年三月から五月まで、ペテログラード・ソヴェトでは執行委員会一六・七パーセント、ソヴェト代議員中では二・四パーセントしか占めていない。ペテルブルク（通称ピーテル）が例外的だったとはいえない。全国的にはボリシェヴィキはさらに少数派だった。「プロレタリアと貧農による権力の掌握」「全権力をソヴェトに」を掲げた「四月テーゼ」以降のボリシェヴィキが、ソヴェト内で少数派だったことは、次のような事実を明瞭に示している。生産点におけるヘゲモニー（経済権力）の確立はもちろんのこと、社会の諸権力を掌握していたプロレタリアートであるのに、ブルジョワ権力を打ちたおすために武装蜂起し、プロレタリアートの独裁を打ちたてる意識水準には達していなかったことだ。この難問をレーニンは、いかなる戦術をもって解答し、プロレタリアートの階級形成を権力主体という最高水準にまで導いたのか。

政治権力の前で尻ごみをし、それをカデット＝ブルジョワジーに明けわたした労兵ソヴェトは、ドゥーマ＝国会臨時委員会＝臨時政府と「協力」し、それを「監視」するにとどまった。しかしブルジョワジーの政治権力は、実体のない擬制の権力にすぎない。「臨時政府は、真の権力をなんらもっていない。その命令は、労兵ソヴェトの許す枠内においてだけ実現できるのだ。労兵ソヴェトは、真の権力のもっとも重要な要素、たとえば軍隊、鉄道、郵便、電信を、その手に握っている」（陸相グチコーフの三月九日付極秘書簡）。臨時政府はエスエルやメンシェヴィキの、そしてかれらを選出したプロレタリア大衆の譲歩を利用して、ソヴェト権力の弱体化とブルジョワ権力の強化を企んだ。

民主的諸権利、人民の武装、ソヴェト組織とその諸権力などプロレタリア大衆による二月革命の獲得物を奪い取ろうとする策動は、ピーテル守備隊をはじめとする革命的連隊の解体、労働者の武装解除要求、労働者民警の廃止、軍隊の指令系統の単一化、電信局、給水塔、発電所、市電、工場など公共機関を「革命以前の状態にもどす」ことなど、一貫して強化されていく。それはミリューコフ事件と四月デモなどプロレタリア大衆による自然発生的な反撃にもかかわらず、七月反革命でついに完成をみる。

レーニンの戦術の第一は、こうした臨時政府の反革命的策動から、二月革命の成果を革命的に防衛するための宣伝暴露の展開だった。プロレタリアートは自己の利害と、臨時政府の利害とが敵対していることをここから学ぶだろう。

二月革命のスローガンは、「平和」「土地」「パン」「自由」だった。「自由」はすでに獲得された（「ロシアは、いまは、世界のすべての交戦国のうちでもっとも自由な国である」レーニン）。けれどもブルジョワジーは、プロレタリア大衆の自由を奪いとるために狂奔している。それればかりか、ブルジョワジーと臨時政府は、その他のスローガンを実現する意志もそのための能力もない。とりわけ最大の問題は「平和」、すなわちドイツとの即時停戦の要求だった。

レーニンの第二の戦術は、二月革命の要求を臨時政府は実現しえないこと、臨時政府に対する幻想を断ちきらねばならないことの系統的な宣伝暴露となる。「臨時政府をいっさい支持しないこと。政府のいっさいの約束、とくに領土併合を放棄するというその約束は、まったくのうそであることを説明すること。この政府、資本家の政府にむかって、帝国主義的であることをやめよという、幻想をうえつけるような、ゆるしえない〝要求〟をだすのではなくて、この政府を暴露すること」（「四月テーゼ」）である。

こうして二つの宣伝暴露を経て、レーニンは「全権力をソヴェトへ」のスローガンを前面化する。「臨時政府が、二月革命の成果をとりあげようとし、二月革命の要求を実現しないのだから、それは自分たちでやってみるいがいにないではないか」「自分が〔ソヴェト内で――引用者註〕少数派であるあいだは、われわれは、誤りを批判し解明する活動をおこなうと同時に、大衆が経験にもとづいて自分の誤りから抜け出すことができるように、全国家権力を労働者代表ソヴェトにうつす必要を宣伝する」（「四月テーゼ」）。

第一、第二、第三の要求はいずれも「四月テーゼ」に含まれていた。しかし「四月テーゼ」は、ボリシェヴィキの集会などで公表され、党の名称変更などの提案が含まれた事実に示されるように、党員および活動家を主たる対象として提起されている。この情勢において、いかなる要求を、広範な大衆に向けた宣伝暴露の中心に据えるのか。この点を正確に判断しうる党の意識性にこそ、階級形成を媒介するものとしての戦術というレーニンの戦術思想の核心がある。いいかえれば党の意識性は社会主義的な最大限綱領にではなく、そのつどプロレタリアートの階級形成を促進する戦術の正確性と有効性にこそある。

「全権力をソヴェトへ」のスローガンは、急速にソヴェト大衆に浸透していった。しかしながらソヴェトの諸機関は、権力獲得を望まないエスエルとメンシェヴィキが多数派だった。七月事件はこうして起きた。「全権力をソヴェトへ」のスローガンを掲げて、ピーテルの革命的プロレタリアートと兵士は、ソヴェトによる権力獲得に希望をたくし、銃火に身をさらしながら武装デモを強行した。けれどもソヴェトは権力をとる気など少しもないことが暴露される。ソヴェトが臨時政府を指導しているのではなく、ソヴェトは政府と一体となり、政府の手先となってソヴェト支持の労兵大衆を弾圧したのだ。

七月事件によってプロレタリアートが得た大衆的政治経験と、七月反革命勝利の新たな政治情勢の中で、レーニンは「四月テーゼ」の水準を脱した第四と第五の戦術を同時に提起する。

第四の戦術は「ソヴェトのボリシェヴィキ化」だった。全権力をソヴェトに集中することを要求しても、メンシェヴィキとエスエルが全ロシア労兵ソヴェト執行委員会の多数派である限りは実現されえない。左翼諸党派において唯一「全権力をソヴェトへ」のスローガンをかかげるボリシェヴィキを支持し、エスエルとメンシェヴィキからソヴェトの主導権を奪わなければならない。このように労兵大衆は考えるだろう。七月事件の大衆的経験は決定的で、ソヴェトのボリシェヴィキ化は九月に入って加速的に拡大していく（図表参照）。

レーニンの第五の戦術は一九〇五年革命においても提起されていた、それなしに権力奪取は成功しえない「軍事組織」赤衛隊の拡大と武装強化、そこでのボリシェヴィキによるヘゲモニー貫徹だった。重要なのは

1917年9~10月の労兵代表ソヴェトの政党構成

ソヴェト名	代表総数	そのうち					ボルシェヴィキの%	1917・3~5月のボルシェヴィキの%
		ボルシェヴィキ	メンシェヴィキ	エス・エル	その他	無党派		
サラトフ労兵ソヴェト	533	320	76	103	—	34	60.0	11.3
サマラ労兵ソヴェト	390	155	59	32	144	—	39.7	25.9
キーエフ労兵ソヴェト	398	101	111	54	41	91	22.7	14.0
ハリコフ労兵ソヴェト	400	120	60	150	50	20	30.0	12.8
クロンシュタット労兵ソヴェト	419	136	128	124	31	—	32.4	31.2
ミンスク労兵ソヴェト	333	184	25	62	21	41	55.3	—
シーヴェリ労兵ソヴェト	256	102	15	97	19	23	39.8	—

A・M・アンドレーニフ「10月前夜のソヴェト」モスクワ1967

ピーテル赤衛隊がピーテル・ソヴェトとは区別されて組織された点、赤衛隊の指導機関が完全にボリシェヴィキの指導下にあった点などだ。

銃などの武器は七月反革命の非合法下において兵営や工場などから奪取され、赤衛隊の武装は完了していた。赤衛隊にエスエル、メンシェヴィキなどは少数しか存在していなかったが、赤衛隊員の多いペトログラード、ペチェルゴーフ、ヴァシリニフスキー島、ネヴァの各区でも無党派六、ボリシェヴィキ四の割合だった。赤衛隊は約一万五〇〇〇名ほどの規模であったが、これが中軸となって七月反革命の完成でありその崩壊でもあったコルニーロフ・クーデタは、ピーテルの革命的労兵大衆によって粉砕される。

レーニンの最後の戦術は、第四と第五の結合（ボリシェヴィキ化したピーテル・ソヴェトと赤衛隊の結合）としての「ピーテル・ソヴェト軍事革命委員会」の組織化と、それによる武装蜂起の決行だった。レーニンによる一連の正確な戦術行使によって、プロレタリア大衆は経済的・社会的権力の主体から、国家権力の主体へと自己形成を遂げ、プロレタリアートの独裁権力が誕生した。こうしてプロレタリアートの階級形成は完了し、レーニン的戦術＝階級形成論も完成したのである。

四月から十月にいたるレーニンの戦術は、（i）二月革命の成果を侵食する臨時政府の反革命性の暴露、(ii) 二月革命の要求を実現しない臨時政府の欺瞞性の暴露、(iii)「全権力をソヴェトへ」の宣伝、(iv) ソヴェトのボリシェヴィキ化の推進、(v) 赤衛隊の形成、(vi) 軍事革命委員会の形成と武装蜂起、として順次提起された。

『なにをなすべきか』から「ボリシェヴィキは権力を掌握しなければならない」「マルクス主義と蜂起」などにいたるレーニンの戦術＝階級形成論は、次章において現在的にとらえ返され、実践の指針として提起されるだろう。

〔II〕 戦術＝階級形成論の実践的展開

今日、日本のプロレタリア革命には次のような条件が課せられている。現代革命は基幹プロレタリアートの革命過程への登場なしには勝利しえない。けれども基幹プロレタリアートは左右社民の支配下にあり、革命的左派は街頭においてしか大衆との接点を持ちえず、学生を中心とした小ブルジョアと生産点を離れたプロレタリアの一部を「市民」や「地区反戦」などの形態で組織しているにすぎない。資本主義世界第四の危機は、「ベトナム＝ドル危機」という世界的な「舞台監督」の下で成熟しつつあり、一九七〇年代は、主体的準備を抜きに革命と反革命の決戦の時代、危機と激動の時代になるだろう。しかしながら革命的左派には、来たるべき決戦以前に社民の労組支配を粉砕し、労組の機関を掌握しきることは極めて困難である。

かかる諸条件から、いかに現代革命の戦術を構想するのか。切迫する秋期決戦は、この文脈の中でいかなる位置を占めているのか。これらの問題を解明することが本章の課題である。そのために第一次大戦後のドイツ・レーテ革命、さらに同時期イタリアの工場評議会運動の現在的な総括を試みる。ロシア革命の勝利と対照的な西欧革命の敗北の根拠を解明することから、秋期決戦の当面する戦術を確定しなければならない。

（A）政治ソヴェトとドイツ革命

①ドイツ革命における現代的諸問題

現在にいたるまでドイツ革命の挫折の根拠は様々に総括されてきたが、主要には次の三点が「公認」の総括点といえる。第一にスパルタクス・ブントが孤立した少数派であって、組織プロレタリアのヘゲモニーを掌握していなかった点。第二にドイツ革命初期の二重権力的段階において、スパルタクス・ブントはレーテ内多数派獲得という組織的任務を過小評価した点。第三に生産点と工場にプロレタリア・ヘゲモニーを確立して、ブルジョワ権力の経済的土台を破壊することができなかった点。

西欧スターリニズム＝ユーロコミュニズムによるドイツ革命のかかる総括は、実践的には次のような結論に帰着する。すなわちドイツ革命の勝利の鍵は、議会内多数派である社民を分解させ、議会の権限をレーテに移行するための議会闘争の長い過程と、国有化と民主的統制とによってブルジョワ支配の経済的基礎を工場と生産点で解体するための、労働組合におけるヘゲモニーの掌握にあった。議会と労組内の多数派獲得、これが西欧スターリニストの戦術のアルファでありオメガである。しかし革命的左派は、かかる総括とその実践的帰結を拒否する。われわれは議会内、労組内においてスパルタクス・ブントよりもさらに劣悪な条件の下で決戦を闘わざるをえないのだ。

問題は次のように問われなければならない。ドイツ革命の公認総括における第一の視点「スパルタクス・ブントは基幹プロレタリアートのヘゲモニーを掌握していなかった」に関しては、前革命的情勢において社民の労組支配を粉砕しきることができなくても、革命的左派は勝利しなければならないが、そのためにいかなる戦術が必要なのか。第二の視点「ソヴェト内で多数派を獲得しえなかった」に関しては、社民・スターリニスト党を政治的意識性において支持したまま自然発生的にソヴェト（＝レーテ）が、現代革命において形成されうるのか。第三の視点「生産点と工場にプロレタリア・ヘゲモニーをうちたてえなかった」に関しては、それを実現したトリーノ工場評議会運動はなぜ敗北を強いられたのか。このように設問を立て替えることによってのみ、ドイツ革命の真の教訓に接近しうるだろう。

ドイツ革命の一九一八年十一月から翌年一月の二カ月ほどの過程で重視すべき事実は、次の諸点にある。

（ⅰ）カイゼル専制権力を打倒したドイツ十一月革命には、第一に大衆の反抗のエネルギーは戦争継続に対する恐怖にまず依拠していたこと、第二に平和と抑圧からの解放を求める大衆の圧倒的なエネルギーに党的指導性が対応しえないまま、革命の無秩序性が広範であったこと、第三に軍隊の崩壊と支配階級の無抵抗性であり、これによって無秩序で自然発生的な叛乱が勝利をうることも可能であったこと、等々の一般的特徴がある。

（ⅱ）革命は要求において「平和と自由」など民主主義的で、生産点に基礎をもたない街頭闘争が主要な形態だった。たとえ要求がブルジョワ的・民主主義的水準であろうと、生産点において資本の権力と非和解的に対立するプロレタリア的闘争形態としてのストライキ闘争は、それ自体階級形成の第一歩となる。しかしドイツ革命においては、この階級形成の萌芽でさえもが稀薄だった。権力によって虐殺される前日、挫折した一月蜂起を総括して、ルクセンブルクは「革命の政治面の不備と深い所で関連していることだが――経済闘争も、すなわち革命的な階級闘争に絶えざる焔を供給するみなもとである経済闘争も、未熟であり、いまようやく第一段階を経過しつつある」（「ベルリンの秩序は維持されている」）と記している。ルクセンブルクがここで「経済闘争」と規定した内容は「ストライキ闘争をもって闘われる経済闘争」に他ならない。

（ⅲ）ドイツの労兵レーテは、ロシア二月革命後の労兵ソヴェトが有していた経済＝社会権力の掌握、「生産の主人公的自覚」さえも持つことなく、必然的に社会民主党多数派のヘゲモニーを許し、全権限をエーベルト＝シャイデマン政府に奪われて形骸化させられていく。ルクセンブルクが一九一八年に直面した状況と、レーニンの一九一七年のそれとはそもそも初めから異っていた。「経済権力＝生産の主人公的自覚」から出発しえたレーニンの戦術だが、ルクセンブルクにとってはそのままの形で活用しうるものではなかった。この点で「レーテ内部における多数派形成を軽視した」という白川真澄のルクセンブルク批判は一面的である。ルクセンブルクによれば「最高の権利すなわち主権は、たしかに労兵評議会の意志のとおり、執行評議会の手中にあった。事実上の力は、しかし、エーベルト商会が握りしめることになったのだ」（「執行評議会をめぐって」）。この点もロシアとは反対だった。形式的にはともかく「事実上の力」は、ついに臨時政府のものとはならなかったのである。

（ⅳ）プロレタリア大衆の全般的な意識水準は、権力主体として自己を位置づける地点に到達していなかったばかりか、政治的には多数派社民党、独立社民党右派の支持が一般的であり、専制権力の支柱を失なって動揺を深めつつあったドイツ・ブルジョワジーの階級支配の強固な基盤を形成していた。社民の労組支配を媒介に体制内に統合された基幹プロレタリアートというシェーマは、革命的激動期においても貫徹されていたが、注目すべきなのは「革命的オプロイテ」の存在である。オプロイテはベルリン「金属工業労働者連合」の左翼反対派であり、一九一六年に組織分裂して独立し、戦時中における三回のゼネストを指導した。全国労兵協議会、自由労働組合が社民に包摂されており、それによって基幹プロレタリアートが体制の支柱としての位置に封じこめられていた状況で、オプロイテの存在はきわめて重要である。

（ⅴ）スパルタクス・ブントは、十二月三十日に「ブレーメン左派」とともにドイツ共産党を結成し、独立した党としての組織整備を一応のところ完了したが、その内実は十一月革命後に流入したところの急進化した小ブル・ルンプロ、デクラセ知識層、失業者、失業兵士などで、これらを大戦前からの活動歴がある少数の革命家が指導していた。急進化した小ブル・ルンプロは綱領的意識性によって強固に組織された結果としてでなく、破滅的心情から武装蜂起とプロレタリア革命を願望していた。ルクセンブルクやリープクネヒトなど経験を積んだ革命指導者も、結成大会で彼らを組織的に掌握することはできなかった。

（vi）アイヒホルン事件から一九一九年の一月蜂起は発生した。ベルリンの全工場は停止し、二〇万人の大衆が武装デモを展開して一部は市中の新聞街を占拠した。オプロイテと共産党と独立社民党の一部は大衆の圧倒的な街頭への登場に刺激されて、「エーベルト政府打倒」のスローガンのもと革命委員会を結成して政府に決戦をいどんだ。しかしその後、指導部は動揺を繰り返して協議に没頭し、武装蜂起の呼びかけを待つ大衆を放置した。社民党政府は党幹部ノスケを中心に反革命軍「義勇軍（フライコール）」を編成していた。フライコールには保守派、ナショナリスト、軍人、右翼団体員などが結集した。こうして革命委員会は決定的時点を鳩首会談で浪費し、決起した革命的大衆は反革命軍によって粉砕される。ベルリンには白色テロルの嵐が吹き荒れ、ルクセンブルクとリープクネヒトは虐殺された。一月蜂起は敗北し、前年十一月からのドイツ革命の初期段階は終息する。

（vii）一月蜂起の後、ドイツ全土をストライキの大波が襲う。ブレーメン、ルール、中部ドイツの工業・鉱山地区、さらにベルリン、ラインラント・ヴェストファーレン、マグデブルク、ブラウンシュヴァイヒ、ドレスデン、ライプチヒ、ミュンヘンなどでストライキ闘争の嵐が巻き起こる。それらは個別的経済要求から、先進的地区においては工場の自主管理を意味する「社会化要求」を掲げていた。加えて政治犯の即時釈放、フライコールの即時解散、ソヴェト政府との外交関係の即時復活などの政治的要求も。けれどもドイツ・プロレタリアートの英雄的決起は、フライコールの銃剣と残虐な白色テロの集中砲火の前に潰滅していく。第一に、労働組合を支配する社民指導部が闘争を組合主義的経済闘争の枠内に封じこめようとしたこと、第二に社民党政府による反革命が急速に組織化され、各地の武装革命勢力は数と装備にまさる反革命軍のため個別的に粉砕されたこと、第三に全国指導部の欠如によってゼネストが地域的分散的であり、政治的にも軍事的にも持てる力量を全国的に集中できなかったことなどが敗北の要因だった。ただしバイエルン地方では、ストライキ闘争の激発を背景として労兵レーテが権力機関に発展し、一九一九年四月十三日にバイエルン・レーテ共和国が樹立される。しかし反革命の対応は迅速で、ミュンヘンを首都とするレーテ共和国は五月二日、十万の反革命軍による猛攻のため血の海に沈んだ。

このようなドイツ革命の一連の過程から、共産主義者はなにを教訓化しなければならないのか。

ドイツ革命を総括すべき第一の視点は、前革命的情勢において基幹プロレタリアートの大部分が、社民の労組支配を媒介として体制内に統合されていた点にある。その自然発生的反抗は、社民に指導された議会主義的政策闘争と組合主義的経済闘争の過程で体制に吸収されてしまう、プロレタリア大衆の意識性は基本的にブルジョワ的で、いかなる意味でも自己権力的な水準には到達しえていない。また革命的左派は組合機関の掌握によって、基幹プロレタリアートを正式に、かつ大量に組織することはできない。ただし革命的オプロイテのような形で社民の左への部分的な分解を実現し、基幹プロレタリアートの隊列の内部に拠点を形成することは不可能ではない。さらに情勢の流動化に促されて急進化した小ブル・ルンプロ層の、街頭への一挙的かつ大量の登場は期待できるし、それを革命的左派の下に結集することは可能だ。

第二の総括視点は、けれどもベルリン一月蜂起の挫折が明らかにしているように、急進化した小ブル・ルンプロの自然発生的武装化を主力として、基幹プロレタリアートの一部をまきこんだ程度の質と量の蜂起では、権力奪取は不可能であることだ。ブルジョワ権力は「眠っている」プロレタリア本隊を最大の援軍として、容赦なく蜂起を粉砕するだろうし、またそれは充分に可能なのである。形態はともあれ、プロレタリア本隊の革命過程への圧倒的登場なしにプロレタリア革命は勝利しえないことを、一月蜂起は改めて教訓化している。

第三の総括視点は、社民に包摂された基幹プロレタリアートは「社会化闘争」を含む徹底的なストライキ闘争を闘い抜く過程で、公認の社民指導部の統制を振り切って自然発生的に革命過程に登場し階級形成の萌芽をかちとるが、集中した権力の暴力的弾圧によってたちまち粉砕されてしまう点にある。その根拠は公認指導部の裏切り、全国的指導性の欠如にも認められるが、なによりもプロレタリアート自身が工場内の問題に意識性を制限されている限界性が無視できない。「生産点におけるブルジョワ権力の破壊は、絶対に政治権力の弾圧を避けることができない」「生産点で確立されたプロレタリア権力は、ブルジョワ政治権力を打倒する以外には生き延びられない」という意識性が階級的に獲得されていないため、工場内の自治組織を地区の自己権力機関に高次化することができない。レーニンのソヴェト論を検討する過程で明らかになった「経済権力主体の質」と「政治権力主体の質」との非連続性と断絶が、西欧革命においては一層拡大している。

この三つの視点が、ドイツ革命の教訓を現代革命の理論に接続する。半世紀前のドイツ革命に課せられていた条件は、今日のプロレタリア革命の条件でもある。

以上三点にわたる、たがいに矛盾しあう命題を整合化しなければならない。われわれの提起は次の点に集約される。権力問題が提起される以前の前革命情勢においても、急進化した小ブル・ルンプロとオプロイテ化したプロレタリア本隊の一部をもって、革命的大衆闘争機関を形成すること。革命的左派に領導される革命的大衆闘争機関は、プロレタリア本隊が社民の統制を振り切ってストライキ闘争・社会化闘争に決起するとき、それを権力弾圧から防衛する。

プロレタリアートは革命過程に登場するが、それはドイツ・プロレタリアートの一月ルールから五月バイエルンにいたる決起のように、政府の弾圧と反革命暴力、白色テロの嵐によって打倒されることはない。革命的大衆闘争機関の拠点防衛闘争が展開されるからである。革命的左派は小ブル・ルンプロを主力とし、若干のオプロイテ部分を含む「直接指揮しうる部隊」だけで階級決戦に突撃して、国家の反革命武装勢力に粉砕されることはない。今やブルジョワジーの最大の援軍であった「眠れる」プロレタリア本隊は、大衆ストライキの大波で、ブルジョワ政治権力の経済的土台を掘り崩しているからだ。こうして三重のディレンマは解決される。解決のための環は革命的大衆闘争機関の存在である。この機関を、現代革命に不可欠なカテゴリーである過渡的な「政治ソヴェト」と規定したい。これは地区的に組織され直接民主主義的に全国規模まで積み上げられる、プロレタリア独裁の実体としての本来の政治ソヴェト、完成された政治ソヴェトではない。いわば、それへの過渡的形態である。以下でたんに「政治ソヴェト」と語られる場合は、過渡的な性格のそれを指している。

②「政治ソヴェト論」の深化

政治ソヴェトの革命理論的な位置づけを展開する前に、ドイツおよびロシアでは、いかなる運動組織実体がレーテあるいはソヴェトの名称で呼ばれていたのかを明らかにしておこう。たとえば篠原一には次のような指摘がある。

ロシアにおけるソヴェトという概念は専ら政治的機能を営む組織についてのみ使用されたのに対し、ドイツにおけるレーテという概念は、元来ロシアにおける工場委員会とソヴェトという二つの組織を包括するところのものであった。ところで、帝国主義戦争の廃墟の中から生れた二〇世紀の革命においてはこれらの組織は、政治的にも、或は職域的にも夫々異る機能を営むものとして、予め、別個に形成されたのではなく、革命乃至抵抗の組織として、革命勃発と同時に、或はむしろ、革命の結果発生し、職域的活動は工場及び兵舎単位の組織によって、政治的活動はこれらを縦に連ねる地域的組織によって行われたというところに特色がある。従って、これらの現象を捉える概念としては、ソヴェトよりもむしろ、より包括的な概念としてのレーテの方がより適当であると考えられる（但し、ロシアにおいてもまた十月革命後経済的ソヴェトという概念が発生した）。（『ドイツ革命史序説』）

ロシアでは職域的活動＝工場委員会（後に経済的ソヴェト）、政治的活動＝工場委員会の地域的連合体としての「労働者代表ソヴェト」であり、ソヴェトの名称は当初は後者にのみ使用されていたが、ドイツのレーテには両方の意味が与えられていた。現代革命における完成されたソヴェト組織は、工場委員会―産別連合―全国ソヴェトの系列をもつ経済ソヴェトの体系と、工場委員会―地区連合―全国ソヴェトの系列の「政治ソヴェト」の体系との複合体として実現されるだろう。ロシア革命の場合も、こうした二重の組織形態は、ロシア的特殊性の中で萌芽的にではあれ実現されていた。

　ロシア工業の都市別の産業的特質（ピーテル＝兵器産業、モスクワ＝繊維産業、バクー＝石油産業など）によって、たとえばピーテルのプチロフ工場、ディナモ工場、リハチョフ工場などの工場委員会は、ピーテル地区ソヴェトに政治ソヴェトとして組織されると同時に、（兵器産業は全ロシア的にみてもほとんどがピーテルに集中していたため）経済ソヴェトとして兵器産業ソヴェトにも組織されていた。ロシア的特殊性は地区的に組織される政治ソヴェトと産別的に組織される経済ソヴェトが、「ピーテル全市ソヴェト」という地区的形態において二重化した点にある。完成されたソヴェト組織がこうしたものであるなら、現代革命においてソヴェト組織はいかなる発展過程をたどることになるのか。これが次の問題となる。そしてこのことは、われわれの政治ソヴェトの位置づけの第一の内容をもなしている。

　革命理論的な政治ソヴェトの位置づけの第一は、完成された政治＝経済ソヴェトの体系を形成するための、過渡的な組織体としての政治ソヴェトという点にある。完成された政治ソヴェトは工場委員会の地区的な集約として措定され、その内実はあくまでも基幹プロレタリアートの自主的組織体であって、革命的な非プロレタリア的諸階級・諸階層は補足的にこれに加わるだろう。けれどもドイツ革命の総括からも明らかなように、完成されたブルジョワ支配の体系を打破するものとしての現代プロレタリア革命においては、工場委員会の自発的形成の運動的基礎であるストライキ闘争は多くの場合、組合主義的経済闘争の回路に吸収されてしまう。

一九一九年一月から五月のドイツ、一九二〇年四月、九月のイタリア・トリーノ、一九六八年五月のフランスなど、資本主義先進諸国でも危機的情勢においては、激しい下部労働者のつき上げ、公認指導部の諸々の統制的指命に対するボイコット、その実行のサボタージュなどとして社民の組合主義的統制を非組織的・自然発生的に突破し、ドイツでは「社会化」、イタリアでは「工場占拠」「生産管理」を含むストライキ闘争が大量発生し広範に展開された。そうしたストライキ闘争は、ドイツでは「社会化」、イタリアでは「工場占拠」「生産管理」など工場の主人公、経済権力の主体という意識にまで達した。

しかしロシアとは異なって、それが激しい反政府的意識性（根底的には市民社会における資本の権力を打倒するだけでなく、政治社会における資本の権力をも打倒しなければならないという意識性）をともなうことは少ない。政治的・軍事的な意識性を規定するところの組織の質、団結の質もその水準に対応したものに限定され、ブルジョワジーの権力弾圧、国家暴力の登場を予想した攻撃的闘争を展開する準備は軽視される。武装蜂起から権力奪取、プロレタリア独裁への先制的闘争は展開されることなく、反革命の態勢を強化した権力の銃剣と火砲の前に粉砕されるのが、先進諸国ではほとんど法則的な事実だった。

フランス五月革命の場合は、社民・スターリニスト党の二重の闘争破壊と議会主義的・組合主義的な官僚的統制によって、権力の軍事弾圧直前に闘争は終息させられた。もしも一九六八年のフランス・プロレタリアートが一九一九年のドイツや一九二〇年のイタリアのプロレタリアートに匹敵する戦闘力を有していたなら、マチウ将軍は現代のノスケとして、フランス国防軍ドイツ派遣部隊は現代のフライコールとして登場し、フランスはパリ・コミューン以来のプロレタリアートの血と屍とによって埋められるまで「秩序は回復」されえなかったろう。

現代革命におけるプロレタリア本隊は、工場委員会を生産管理闘争の主体とすることによって経済ソヴェトの萌芽形態を形成する地点にまで達しただけで、ブルジョワ反革命と背後の敵（社民・スターリニスト）とによって粉砕される。したがって共産主義者は、プロレタリアートが自発的には到達しえない政治ソヴェトの萌芽を、意識的かつ計画的に形成しなければならない。工場委員会連合としての産別的な経済ソヴェトが広範に誕生し、プロレタリアートが社会的・経済的権力を掌握しきるまで、権力の軍事弾圧に耐ええない彼らを、必然的に登場する反革命暴力から防衛すること。これが政治ソヴェトの萌芽であるのは、本来の政治ソヴェトがになう機能を、完成された政治ソヴェトが出現するまで代行し、そうすることで完成された政治＝経済ソヴェトを創造するからである。

その機能とは（ｉ）ブルジョワ権力に対して攻撃的闘争を展開し全人民的政治闘争を領導すること、（ii）全人民的政治闘争を革命的中央権力闘争に発展させ武装蜂起を準備すること、（iii）組織的にも意識的にも社民（現代革命においては、そしてスターリニスト）の支配下にある基幹プロレタリアートに、市民社会内部の自己権力は政治社会における自己権力に媒介されなければ維持できないと宣伝すること。あるいは既に開始された個別資本との非和解的対決は、社民・スターリニストを打倒し、権力との正面戦に勝利しなければ挫折する以外にないことを教育し、開始されたプロレタリアートの階級形成を権力主体にまで高めること、（iv）地区の工場委員会と接触し、彼らが権力主体に自己形成することを援助しつつ、それまでは権力機関としての役割を代行することなどである。

この過渡的な政治ソヴェトは完成された政治ソヴェトではないが、工場委負会が完成された経済ソヴェトの萌芽であるようにその萌芽である。過渡的な政治ソヴェトの位置づけの第一は、現代革命における階級形成そしてソヴェト形成の、現代ブルジョワ国家の完成された支配様式に規定された不可欠の契機という点にある。

その第二として、前革命的情勢において基幹プロレタリアートは社民の安定的な支配下におかれ、スターリニスト党はその「左」翼的反対派としてプロレタリア大衆の社民支配への不満を吸収することで、その補完物になっているという問題がある。そうした過渡的状況において、オプロイテ化した社民の一部と急進的小ブル・ルンプロをしか結集しえない革命的左派は、いかにして革命主体を形成しうるのか。ドイツ革命におけるスパルタクス・ブント以来、革命的左派のかかる条件性は必然的だから、この問題を回避することはできない。

革命的左派の下に結集してくる大衆を政治ソヴェトに組織し、第一点で提起した諸任務を遂行しうる主体に鍛え上げ、現代プロレタリア革命における階級形成の現在的な環をつかみとらなければならない。

その第三は、革命的左派の統一戦線機関としての政治ソヴェトという点だ。統一戦線論をここで展開することはできないが、結論を簡単にまとめるなら次のようになる。（i）政党（ロシア革命ではボリシェヴィキ、メンシェヴィキ、エスエル、その他）によって細分化されたプロレタリアートの階級的統一性を党派間統一戦線によって回復し、こうして獲得される組織プロレタリアの階級的力量をもって未組織の（党派には組織されていない）プロレタリアをもその周囲に結集すること、（ii）プロレタリアートの内部に確立されるこの統一戦線は、革命的な非プロレタリア的諸階級諸階層をその周囲に結集することが期待できること、（iii）この統一戦線の最高の形態が地域的・全国的なソヴェトであり、したがってソヴェト形成の問題は党の統一戦線戦術を措定する際にすでに提起されていること。

ところがこのレーニン的・トロツキー的統一戦線論からは、現在のわれわれの統一戦線戦術を無媒介的には導きえない。プロレタリアートの階級的細分化は存在しているけれども、それは諸政党が分立している結果ではない。社民やスターリニスト党は統一戦線戦術の対象とはならないし、現在的に可能であり必要である統一戦線は「反帝統一戦線」としての新左翼＝革命的左派の統一戦線である。現状ではプロレタリアートの階級的分裂を、政党間協議と党派間統一戦線によって止揚するという古典的な統一戦線論は適用できない。対等の政党として社民から相手にもされていないのに、「反戦青年委員会を媒介とした社民との統一戦線」などというのは片想い的妄想にすぎない。今日のような前革命的情勢において、革命的左派は急進化した小ブル、オプロイテ化した社民の一部しか結集しえない以上、この現実から出発する以外にないことは明白だ。

さらにプロレタリアートの階級的統一性をかちとることによって、他の諸階級諸階層の革命的部分を結集するというのも、現在的にはまったく無内容である。なぜなら日本をはじめ帝国主義本国の基幹プロレタリアートは、その階級的凝縮力という点で一九一七年のロシア・プロレタリアート以下的な水準にあるからだ。農民や学生などの諸階層を周囲に結集するといった任務は、そもそも問題になりえない。革命的左派に指導された急進的小ブル層がプロレタリア本隊と結合することで、その階級形成をどのように援助しうるのか。このようなものとして古典的統一戦線論の命題は、今日的に転倒されなければならない。

ソヴェト形成に関しても、あるべき完成されたソヴェト（それもソヴェト論が粗末な結果、その空虚なアタマに宿っているのは絶対化されたロシア型ソヴェトにすぎない）を思い描き、ひたすらそれがどこかから出てくるのを願望するのはナンセンスだ。現代革命においては、完成されたソヴェトがひとりでに出来あがることなどありえない。ドイツ革命以降のすべての経験が明らかにしているように、現代革命のソヴェトは経済ソヴェトの萌芽としての工場委員会の段階で権力に潰されてしまうのだから。自己欺瞞的な組織主体の誇大評価を一掃し、冷静な主体的自己規定を前提として、現在的に唯一可能な統一戦線と現代革命におけるソヴェト形成との接点を明らかにしなければならない。

過渡的な政治ソヴェトを前革命的情勢における革命的左派の統一戦線機関として位置づけることによって、こうした問題は実践的に解決される。現在、革命的左派が結集しうる急進化した小ブル・ルンプロ、オプロイテ化した社民の一部プロレタリアートを、階級的均質性においてではなく、政治的意識の高度な均質性に依拠して組織化し、それを諸党派間の統一戦線を媒介に全国的に結合することはできるし、しなければならない。こうして結集する革命的大衆は訓練され教育されて、政治ソヴェトの任務に耐えうる主体にまで自己を高めるだろう。

政治ソヴェトは統一戦線機関として位置づけられることによって、非プロレタリア階級特有の無組織性、無規律性、自己目的化された急進主義などを克服するばかりか、党派的に細分化されていることによって一層はなはだしいものとなっている小ブル・ルンプロ層の分散的性格を、政治的意識性の均質化と向上によって止揚する任務を反帝統一戦線にあたえる。こうして形成される過渡的な政治ソヴェトと、社会危機を背景に発生するであろう経済ソヴェトの萌芽の相互連関のうちに、レーニン的「階級間統一戦線」は今日的形態を見出されうる。

反帝統一戦線の位置づけをめぐって、われわれはソヴェト形成に対する視点の確定をせまられている。その第四は、階級間戦争を闘い抜くプロレタリア階級の軍事組織としての政治ソヴェトという位置づけだ。政治ソヴェトが措定されなければならない最大の根拠は、社民の組合主義的統制を自然発生的に排除してストライキ・社会化・生産管理闘争に決起するプロレタリアートが、そしてその組織的表現である経済ソヴェトの萌芽としての工場委員会が、ブルジョワ権力の攻撃的な軍事弾圧に耐えない点にある。社民の支配下におかれた生産点で、自然発生的な大衆ストライキに決起する基幹プロレタリアートを、資本と権力の弾圧から防衛すること。そのためには階級決戦以前の段階から革命的左派によって組織され訓練された、プロレタリア階級の軍隊が存在していなければならない。

この点からして政治ソヴェトに軍事的機能が不可欠であるのは当然だ。プロレタリア本隊が階級形成を完了し、武装蜂起、権力奪取、プロレタリア独裁の意識に到達した時には、過渡的な政治ソヴェトは完成された政治ソヴェトに吸収されるであろうが、それでも武装蜂起の際には戦闘的な突撃部隊としての役割を果たすだろう。

レーニンはロシア的特殊性の下でさえ、軍事組織をソヴェト一般とは区別して組織する必要性を指摘した。この点に関しては既に検討した通りで、ここではくり返さない。ただし一九〇五年革命におけるレーニンの軍事組織構想が、一九一七年革命において実現されたものとして赤衛隊が存在する以上、われわれの政治ソヴェトは赤衛隊の形成をも任務として含むものと考える必要がある。レーニンの構想においても、その実現に際してもソヴェト一般とは区別されていた軍事組織＝赤衛隊を、現代革命の条件に応じて分節化したものとしても政治ソヴェトは位置づけられるからだ。

その第五として、党に対する政治ソヴェトという視点がある。レーニンがソヴェトに党を解消することも、ソヴェトに党の綱領をおしつけることにも反対して、「労働者代表ソヴェトも、党も」どちらも必要だと主張したことは既に指摘した。

組織形態論的視点からは、あらゆる大衆運動の個別的戦線から脱却した職業革命家集団と、政治ソヴェトなど個別的戦線において大衆を組織していく革命的活動家集団の複合体として党は存在するのだから、ようするに「党はプロレタリアの内にあって外にある」。階級意識論的視点からは、プロレタリアが現実の階級闘争において到達した意識水準に規定されたものとして党的意識が措定され、そして党的意識は現実のプロレタリアの意識を否定し、それを対自化したものとしても同時的に捉えかえされねばならない。ここでも「党はプロレタリアの内にあって外にある」。言い換えれば、「党はプロレタリアよりも前を歩くけれども、ただし一歩だけ前を歩く」。

革マル派のごとき脳髄左翼の誤解を指摘しておけば、「党的意識」といい「プロレタリアの意識」といっても、これは組織論における原理論としての階級意識論の水準に抽象化した表現であって、階級意識の到達水準は階級形成論のレヴェルで現実の階級闘争における大衆の運動＝組織実体を対象化する以外には捉えようがない。いうまでもないことだが、黒田寛一の本を何冊読んだかで階級意識の水準を測定するわけにはいかない。

政治ソヴェトと党の関係にしても、党が政治ソヴェトに没入してしまったり、逆に政治ソヴェトを党的主体にまつり上げるのは誤りである。党は政治ソヴェトの内にあって外にあることを忘れてはならない。情勢の流動化に際して輩出する急進化した小ブル・ルンプロは、即自的にはいかなる意味でもプロレタリア的・ソヴェト的団結とは無縁の群衆である。それはしばしば無政府的個人主義、サンディカリズム、自己目的化された急進主義の徒であり、ようするに「小ブル的」である。こうした革命的群衆は、資本主義の発達によって形成された生産点におけるソヴェト的団結の物質的前提すらをも欠いているが故に、団結の基礎は高い水準に達した政治的意識性であるしかない。党は外部からこれをもちこむとともに、内部から知的・精神的ヘゲモニーの確立をもってソヴェト的団結の質を創出しなければならない。

急進化した小ブル層を党が革命理論的に集約しうるなら、その出身階層が非プロレタリア的であっても階級的誠実性、比類ない献身性、組織性と規律性、必要に応じて発揮される断固たる戦闘力といったプロレタリア的な意識と団結の質をもつ強力な軍隊を組織しうるだろう。基本的な条件に相違があるにしろ、農民から編成された抗日戦における八路軍、あるいはヴェトナム民族解放戦線のプロレタリア的組織性と規律性を実例にあげて、階級形成論における基底還元論者にあらかじめ反論しておきたい。スパルタクス・ブントの限界性は、急進化した小ブル・ルンプロを革命理論的に集約するのではなく、その党内への無原則的流入を許した点にある。

最後に第六として、全人民的政治闘争の主軸としての政治ソヴェトという点がある。われわれは個別資本に対する闘争＝経済闘争、総資本に対する闘争＝政治闘争という分類はとらない。これは不正確なだけではなく誤りだからだ。

個別資本に対する闘争には、(i)組合主義的経済闘争、(ii)経済的ストライキ闘争、(iii)工場占拠・生産管理・社会化闘争の三つがある。ストライキ形態をもって闘われる組合主義的経済闘争（春闘！）が存在したり、(ii)と(iii)の間に「坐りこみストライキ闘争」が媒介的に位置づけられたりするが、基本的にはこの三類型に整理できる。トロツキーは「坐りこみストライキは、〝正常な〟資本主義的手続きの限界をのりこえる。罷業者の要求とは別に、工場の一時的占拠は、偶像、即ち、資本主義的財産に打撃を与える」「坐りこみストライキはまだイタリア的なやり方での工場占拠を意味しない。だが、それはそのような占拠への決定的な第一歩である」（「資本主義の死の苦悶と第四インターナショナルの任務」）と述べている。

総資本とその政治的代表部に対する闘争としては、(i)議会主義的政策闘争、(ii)全人民的政治闘争、(iii)革命的権力闘争の三つがある。ロシアでは政治ストは全人民的政治闘争の支柱だった。けれども完成したブルジョワ支配においては、政治ストはほとんど行われないか、稀に実行されても議会主義的政策闘争の圧力手段に歪曲されている。

革命的権力闘争は、形態的には権力奪取の武装蜂起となるだろう。政治闘争、経済闘争という分類に関しては、組合主義的経済闘争と議会主義政策闘争が経済闘争である。後者は政治闘争ではなく、レーニンが「組合主義的政治」と呼んだ「政治闘争における経済闘争」にすぎない。正しい意味での政治闘争は全人民的政治闘争と革命的権力闘争である。

経済的ストライキ闘争は生産点におけるプロレタリア・ヘゲモニー形成の萌芽であり、工場占拠・生産管理・社会化闘争とともに政治闘争、経済闘争とならぶ第三の領域の「社会闘争」として位置づけられる。社会闘争の概念はグラムシの陣地戦論を継承するものとして、フランス五月革命の総括と危機論の展開過程でわれわれが提起し、この間の反合闘争、大学闘争の教訓によって豊富化されてきた。

　レーニンは全人民的政治闘争を、「専制政府打倒」のスローガンに集約されるプロレタリアートの政治スト（広汎な経済闘争の土台をもった）を支柱に、農民蜂起、軍隊内の兵士蜂起を結集した政治闘争の爆発として把握していた。全人民的政治闘争は政府危機から政治危機に発展し、その延長線上に革命的危機をも展望しうる闘争である。現代革命における全人民的政治闘争は、「帝国主義内閣打倒」を公然と掲げた闘争でなければならない。迫り来る秋期決戦は、戦後日本階級闘争が初めて直面する全人民的政治闘争として闘い抜かれなければならない。しかしながらわれわれは、全人民的政治闘争の首領にして支柱であり、闘争に頑強な組織性と持続性を付与するものとレーニンが位置づけたプロレタリアートの政治的ストライキが、今日においては基本的に欠如していることを確認しなければならない。

　たしかに秋期決戦において社民は「ゼネスト」（ゼネストという言葉が泣こうというものだ）を打つと決定している。しかし実現されるであろう「総評反安保ゼネスト」に、反帝全人民的政治闘争の首領、支柱の役割りを期待することなどできない。プロレタリアートの「政治スト」は、社民によって議会主義的政策闘争のダシに使われるのが落ちである。

　プロレタリアートの革命過程への登場は、徹底したストライキ闘争から社会化・生産管理闘争の回路を経てのみ唯一可能である。この歩みをプロレタリア本隊が開始したときは、政治ソヴェトは全人民政治闘争を提起し、攻撃的闘争によってブルジョワ権力を政府危機から政治危機へと追いつめなければならない。プロレタリア本隊に対する国家暴力の発動に際しては、政治ソヴェトの断固たる拠点防衛闘争でそれを粉砕すること。それなしには、闘争は血みどろの反革命白色テロのなかで潰滅する以外にない。

　生産の主人公としての意識性さえも獲得しえていない、社民支配下の基幹プロレタリアートが形だけ政治ストを打っても、ただちに「全人民の指導者」になるわけではない。現代革命における全人民的政治闘争は、過渡的な政治ソヴェトを中軸として闘われなければならない。政治ソヴェトは全人民的政治闘争を提起し、組織し、街頭においてそれを貫徹することをもってプロレタリア本隊に政治的意識性をもちこみ、プロレタリア階級の革命過程への登場を準備する。プロレタリア本隊の圧倒的登場までの前革命的情勢下においては、政治ソヴェトが全人民的政治闘争の支柱として行動しなければならない。

ただしこのことは、一九六九年秋期決戦における山猫ストの役割を軽視するものではない。経済ソヴェトとの関連において、激発する拠点山猫ストの現在的意義は革命理論的に明らかにされるだろう。

政治ソヴェトを主軸に闘われる全人民的政治闘争には、第一に経済ソヴェトの萌芽との結合によってプロレタリア本隊を革命過程に登場させること、第二に社民の統制を自然発生的に突破しつつ階級形成の萌芽をかちとった(ストライキ・社会化・生産管理闘争の爆発)プロレタリア本隊を権力の軍事弾圧から防衛すること、この二重の意義がある。

過渡的な政治ソヴェトの位置づけを整理しておこう。(i)現代プロレタリア革命における階級形成の不可欠の一契機としての政治ソヴェト、(ii)前革命的情勢においては不可避的に、小ブル・ルンプロ・オプロイテ化した社民の一部をしか結集できない革命的左派の組織戦略としての政治ソヴェト、(iii)革命的左派の統一戦線機関としての政治ソヴェト、(iv)プロレタリア階級の軍隊(=赤衛隊の萌芽)としての政治ソヴェト、(v)党によって革命理論的に集約された小ブル・ルンプロ層の革命結集体としての政治ソヴェト、(vi)全人民的政治闘争の主軸としての政治ソヴェト、以上の六点が結論となる。

(B)経済ソヴェトとトリーノ工場評議会運動

①トリーノ工場評議会運動の現在的意義

トリーノ工場評議会運動の現在的意義を明らかにするに際して、次の二点を相互的に総括しなければならない。第一は工場評議会の組織論的意義の確認、第二は一九二〇年の革命的闘争が敗北したことの運動論的総括である。工場評議会の組織的意義は次の諸点に集約される。

（i）社民の労組支配を媒介にして体制内的に抑圧された労働運動が、「ほとんどいたるところで、しばしば非組織的で〝自然発生的な〟新しい形をとって自己を表現せざるをえなくなっている。その形はより発展した資本主義の地域では、職場と工場の代表者の評議会となる」（ソアーヴェ）。社民に包摂されていて革命過程に登場しえないプロレタリア本隊が、自然発生的に階級形成する第一歩としての組織形態が、イタリアでは「工場評議会」だった。一九一九年十二月、トリーノ労働評議会が評議会運動支持を決議した時、評議会はこれを「トリーノの諸工場から自然発生的に生まれたもの」と規定した。

（ii）工場評議会は労働組合と区別されたものとして発生した。これは労組が改良主義的幹部に掌握されていたためという、表面的な理由の他にもっと深い根拠があった。それは、「労働組合は、社会の根本的刷新の道具となることができない」（グラムシ「労働組合と評議会」）。「個人は、商品の所有者であり自分の所有物をあきなう限りにおいて意味をもつのだが、労働者もまた、一般的必然性の鉄則にしたがわぬわけにはゆかず、唯一の所有物、すなわち労働力と専門知識を売るものとなった」のであり、労働組合はこうした「商品所有者」の意識（ブルジョワ的私人）と賃労働をその同質性の基盤とする。その「本質的な性質は、競争主義的であって、共産主義的ではない」し、「資本主義制度の補完物である」。これに対し「プロレタリア独裁が体現される組織の型は、生産者の活動に見あう型であり、賃労働や資本の奴隷に見あう型ではない。工場評議会はこの組織の最初の細胞である」「その存在理由は、労働のなかにある。工場生産のなかにある。すなわち永続的な事実のなかにあり、もはや賃金にはない。階級分裂にはない」。すなわち労組のブルジョワ的・組合主義的団結の質に対してプロレタリア的・ソヴェト(コミューン)的団結の質を対置するものとして工場評議会がある。

(iii)工場評議会に組織されたプロレタリアートは、その意識形態・闘争形態・団結の質の内実において階級形成の萌芽を得ている。それはロシア革命におけるストライキ委員会と組合主義的経済闘争の回路に吸収されない経済ストライキとが、全人民的政治闘争の支柱(全人民の指導者)としての政治ストライキ(諸階級の主人公としてのプロレタリアートの意識性)の出発点であり土台であったように、一層豊富化された形において全人民的政治闘争の中軸へのプロレタリアートの階級形成の出発点であり、また土台でもある。「職場の内部にもうけられた委員会を通じ、もっとも意識の高い分子のたえまない宣伝と説得活動の展開にともなって労働者の心理の根本的な変化がえられ」(グラムシ「労働者民主々義」)る。「〔今まで政治闘争の舞台に登場しなかった民衆諸階層のもっている―引用者註〕この無秩序な混沌としたエネルギーに形をあたえ、永続的な規律をあたえることだ。そのエネルギーを吸収し、構成し、強化し、プロレタリア階級と半プロレタリア階級との組織的な社会をつくることだ。そしてこの社会を教育し、経験を積ませ、国家権力をにぎった階級が負わねばならない義務についての責任意識を獲得させることだ」。けれども、この時点でのグラムシは「工場評議会」が「労農兵評議会」に成長することの、あるいは「生産の主人公の自覚」が「全人民の指導者の自覚」に成長することの、現代革命における特異な困難性について充分に自覚的だったとはいえない。

(iv)工場評議会は、プロレタリア政治権力の萌芽でもあった。「先進国の支配体制は、その中枢=頭部を形づくる政治的=軍事的権力機構が企業内資本秩序を原点にして〝縦深的〟に組みたてられた経済的・社会的支配機構の堅固な土台にささえられている有機的=重層的な構造である」「今日の国家独占資本主義体制は、政治的権力機構と経済的および社会的支配機構を単一の有機的な体系に編成し、体制内総合の巨大な塹壕体系をつくりあげている。そして、そのもっとも根深い土台は企業内資本秩序、とりわけ、職場=生産点における労働者の個別掌握=分断支配システムにおかれている」(白川真澄「七〇年危機と政治・社会闘争」)。現代革命は政治社会同時革命として、すなわちブルジョワジーの政治権力を打倒するのと同時的に、ブルジョワジーの生産点における経済権力を解体するものとして把握される。工場評議会は、生産点において資本の権力に対抗し、それを打破するプロレタリア経済権力の萌芽的形態であり、したがってプロレタリア政治権力の組織的土台でもある。「工場評議会はプロレタリア国家のモデルである。プロレタリア国家組織に固有の問題は、評議会の組織に固有である。前者でも後者でも、市民の概念は衰退し、同志の概念がこれにとって代る。(略)評議会は相互の教育と、プロレタリアートがつくりだすことのできた新しい社会精神の発展にとって、ふさわしい機関である」(グラムシ「労働組合と評議会」)。

けれども一九二〇年闘争敗北後のグラムシは、「工場評議会」が直接的に政治権力の母体となるという自然成長的な展望を放棄する。二〇年闘争の敗北は、工場評議会運動の長期的な安定的発展がプロレタリアートを「生産の主人公」から「全人民の指導者」へ、さらには「国家権力の組織者」へと直線的に高め、育成し強化していくという展望の限界性を明らかにした。生産点におけるヘゲモニーの確立はブルジョワ支配の経済的土台を破壊し、ブルジョワ権力を弱体化してプロレタリアートの政治権力の獲得を可能にするだろうという自然成長的展望にしても同様だ。工場評議会運動の一九二〇年における挫折と敗北の根拠を解明することをもって、この運動を現在的に教訓化しなければならない。

イタリアの一九二〇年闘争の敗北は、おおよそ以下のように総括される。

イタリア社会党=労働総同盟はコミンテルンに加盟していたが、最初から終わりまでプロレタリア革命を達成する意志も能力も持たなかった。第一次大戦後に破局的事態にまで深刻化したイタリアの経済的・社会的危機は、ブルジョワ支配体制を深刻な危機に追いこんでいた。一九二〇年はじめの数カ月はイタリア全土がストライキの大波に洗われていたが、基幹プロレタリアートの自然発生的反抗を社会党＝労働総同盟は、組合主義的経済闘争の回路から体制内に回収する役割を果たした。このような社民による労組支配をはねのけて、イタリア・プロレタリアートは自然発生的に革命過程に登場してきたのだが、その回路がストライキ―工場占拠―生産管理闘争で、その主役は工場評議会だった。

意識的に育成された工場評議会はトリーノのそれのみであったが、評議会運動はたちまちミラノ、ボローニャ、フィレンツェにまで拡大していく。評議会運動の推進派はグラムシなど「オルディネ・ヌオーヴォ」派の一部であり、社会党＝労働総同盟主流の組合主義・改良主義派は評議会運動を無視ないしは軽視していた。

四月のトリーノ・ゼネストは、「日光節約時間」をめぐって開始されている。社民の統制をふりきって自然発生的に決起するプロレタリア本隊は、「雇主による工場内の完全な管理か、労働者による生産管理か」という対立点が明確であれば、「日光節約時間」のような小さな問題でもその契機として活用する。ただし四月闘争の敗北は、ストライキ闘争では闘争が限界に直面することを教訓化した。

革命的危機に際してプロレタリアートの闘争形態は、ストライキから坐りこみストライキ、あるいは白色ストライキ（サボタージュ）、そして工場占拠―生産管理闘争へと急速に発展していく。アルファロメオ工場の闘争が繊維産業など軽工業の労働者に拡大していったように、工場占拠―生産管理闘争は操業を持続するため関連産業の労働者をも闘争に引きこんでいく。けれども闘争はいずれ「労働者が政治権力を握るか、占拠は扮砕されるか」を迫られる。トリーノに地域的に限定されていたゼネストでさえ、一九二〇年四月の時点で五〇万の労働者を組織していた。九月の工場占拠はミラノとトリーノを両輪として、イタリア全土のプロレタリアートが闘争過程に参入してきた。闘争の先端部分は、生産の自主管理闘争の水準にまで達していた。けれども武装蜂起を展望する革命的権力闘争どころか、全人民的政治闘争さえも存在しない条件の下では、九月闘争は敗北すべくして敗北したといわざるをえない。

ブルジョワジーは生産管理闘争―工場評議会運動を萌芽のうちに押し潰すことを目ざしていた。一九二〇年三月七日に急遽結成された工業家総同盟は、工場評議会運動との対決とその解体を確認している。ここに示されるように生産管理闘争―工場評議会運動は、一定の水準に達すればブルジョワジーからの集中砲火を浴びることになる。

これらの総括から次のような結論が導かれる。(i)生産点の一部にソヴェト型組織と工場占拠―生産管理闘争をめざす運動を革命的左派が形成するならば、(ii)社民に包摂された基幹プロレタリアートは、その先進的事例をただちに学びとることをもって社民の統制をはねのけつつ革命過程に登場しうる、(iii)けれども自然発生的な工場評議会運動は、ブルジョワ権力の集中攻撃をはねのけて全人民的政治闘争から革命的権力闘争に発展することができない、等々。

②経済ソヴェトの措定

経済ソヴェトの形成を現代プロレタリア革命の戦術として措定するのは、コミンテルンの西欧革命の戦術における「工場委員会」の評価を問題意識として継承するものではある。しかし工場委員会＝経済ソヴェトの現在的萌芽は、過渡的な政治ソヴェトの組織化と相互的なるものとして把握しなければならない。工場委員会＝経済ソヴェトの現在的萌芽は政治ソヴェトの機能と組織に媒介されない限り、ブルジョワジーの集中攻撃の中で権力奪取への展望を持ちえぬまま敗北していくだろうことを、イタリア工場評議会運動の経験は示している。こうした限界性を持つにしても、経済ソヴェトの形成は現代革命において不可欠である。今日における経済ソヴェトの提起には、いかなる戦術＝階級形成論的な意義が込められているのか。

社民による労組支配が強固である前革命的情勢において、革命的左派はオプロイテ化した基幹プロレタリアの一部を結集しうるにすぎない。けれども労働者本隊が革命過程に登場しない限り革命は勝利しえない。したがって問題は革命的左派の下に結集した少数のプロレタリアートという「労働戦線の点」が、いかにして基幹プロレタリアの革命過程への登場を媒介しうるのかにある。「労働戦線の点」が量的に拡大していき、労組の機関を順次掌握していけば展望は開かれるという左翼反対派の願望は無力でしかない。

必要であり可能であるのは、前革命的情勢において革命的な翼の拠点職場を設定し、そこでソヴェト型組織とソヴェト型運動を形成していくことだ。すなわち経済ソヴェトの萌芽形態を形成すること。革命的左派によるこのような運動＝拠点形成は党と政治ソヴェトによってプロレタリア本隊に波及していき、情勢の革命的展開によってプロレタリア本隊の全面的決起をもたらすだろう。しかしプロレタリア本隊の決起といっても、社民の労組支配が全面的に崩壊することは期待できない。プロレタリアートはストライキ―工場占拠―生産管理闘争の自然発生的な展開によって、社民の統制から逸脱し溢れ出してくるにすぎない。

たとえ社民の支配下にあろうとも、基幹プロレタリアートは革命過程に登場しうる。その媒介をなすものは組合主義的経済闘争に回収されえない、生産管理闘争を頂点とする職場闘争の激発である。革命的左派は全力をあげてこれを準備しなければならない。昨年のフランス五月革命は、不動のものにも見えたスターリニストのCGT支配を突破して、基幹プロレタリアートがストライキ―工場占拠、一部の先進的突出部分では生産管理闘争という回路から革命過程に登場しうることを実証した。

政治ソヴェトと経済ソヴェトの複線的発展をかちとり、登場するであろう基幹プロレタリアートをただちに経済ソヴェト内に組みこむことをもって組織化し、政治ソヴェトが形成する全人民的政治闘争と革命的に結合しつつ、いっさいの権力弾圧を粉砕して革命的権力闘争に前進すること。これが現代プロレタリア革命の戦略であり、それは「過渡的な政治ソヴェトと萌芽的な経済ソヴェトの結合による、陣地戦を重要な構成要素とする機動戦」として定式化されるだろう。

次に現代革命における反合理化闘争の意義を解明する。そこから六九年秋期決戦における反合理化拠点スト・山猫ストと経済ソヴェトの萌芽的形成を展望し、同時に小ブル・ルンプロの実力部隊によるスト拠点防衛闘争から、政治ソヴェト形成の第一歩を勝ちとること。一九六九年秋期決戦に向けて、われわれは以上のような闘争を全力で準備しなければならない。

権力側の政治スケジュールに規定された「中央決戦」政治とは、裏返しの議会主義ではないか。日米安保の自動延長を阻止することから政治危機、体制危機を展望し、さらに武装蜂起による政府機関の奪取として革命をイメージするのは、先進国の現代革命には通用しないレーニン主義的教条にすぎない。ルクセンブルクの革命的自然発生による大衆ストライキ論、グラムシの陣地戦論を発展させるところにしか、20世紀後半のプロレタリア革命の展望は得られない。ちなみに社民党主流派の整然たるゼネストの構想にルクセンブルクが対置した大衆ストライキとは、工場にまで雪崩れこんだ街頭蜂起、大衆蜂起に他ならない。

このように考えていた以上、佐藤首相の訪米や安保自動延長というブルジョワ政治過程の節目に合わせた決戦政治、とりわけ国会や首相官邸を焦点とする中央決戦政治には納得できないところが残る。としても六〇年安保闘争の敗北以来、新左翼が次の大衆的高揚の決定的なチャンスと見なしてきた七〇年安保を、無視して通り過ぎるわけにもいかない。

そうした状況で構想したのが、六七年一〇・八羽田闘争以来の大衆的高揚を一点に凝縮し、叛乱型政治闘争で政治社会同時革命の決定的な一歩を刻むという七〇年安保の展望だった。逮捕や負傷、長期拘留などの可能性を引き受けるために、こうした展望に理論的基礎を与えようとして「戦術＝階級形成論の一視点」を書き上げたのだが、しかし情勢の緊迫は結党後三年にすぎない寄せ集め的な組織に、深刻な内部分裂を生じさせる。

プロ学同指導部の六九年秋期決戦方針は攻撃型政治闘争論による政府中枢制圧で、旧〈反戦学同〉グループには不満が渦巻いた。しかし全国の大学バリケードは機動隊の導入で次々に強制解除され、春から夏にかけて万単位の群衆を集めた新宿駅西口の反戦フォーク集会も、機動隊に制圧されていく。叛乱型政治闘争が前提とした都市叛乱のリアリティは、六九年の夏から秋にかけて急速に失われようとしていた。

九・五全国全共闘結成大会にも見られたように、共労党を含む新左翼八派は佐藤訪米阻止に向けたスケジュール決戦の方向に舵を切りはじめた。九・五集会には日比谷野外音楽堂に赤軍派が「蜂起貫徹、戦争勝利」のスローガンとともに初登場し、数に優るブント主流派を蹴散らす光景が見られた。

党派と無党派を問わず集会参加者の少なからぬ者が、日比谷野音に響きわたる「戦争勝利」の叫び声に心を動かされたはずだ。そのときの衝撃の意味を内的に了解しえたのは、〈68年〉の大衆ラディカリズムの季節が過ぎてからのことだが。

ロシア革命の武装蜂起と内戦、あるいは内戦としての中国革命やヴェトナム革命を下敷きにしていたとしても、赤軍派の意図を超えて「戦争」という言葉は〈68年〉の青年たちの無意識に絶妙に作用した。その世代が高度成長を謳歌する戦後社会の潰滅を熱望したのは、成育の過程で社会の倫理的根底の不在に傷ついてきたからだ。どうして戦後社会は荒涼とした意味の廃墟でしかないのか。

坂口安吾の『堕落論』によれば、支配層と民衆が共犯で自己保身と延命のため本土決戦を放棄したからだ。「堕落せよ」という安吾の警告に耳を塞ぎ、戦後市民は経済再建にいそしんで「豊かな社会」を実現する。しかし「いつわりの自由といつわりの平和でみたされた戦後」(桐山襲『パルチザン伝説』)には、生の意味と倫理的根底が欠落している。その空虚が若者たちの暴力を呼んだとすれば、叛乱の精神史的な意味は未遂の本土決戦を再開するところにある。このことを告げ知らせたからこそ、赤軍派の「戦争勝利」のシュプレヒコールは、日比谷公園を埋めた全共闘学生に圧倒的な衝撃を与えたのではないか。

長期にわたる解放戦争の業火によってのみ、一木一草に宿る天皇制の自己欺瞞システムを破壊しうる。これが〈本土決戦〉の意味するところだ。しかし赤軍派は、一九六九年秋期に計画された武装蜂起を前に大菩薩峠で壊滅し、革命戦争は開始されないまま終わった。

いずれにしても赤軍派の前段階蜂起論には、致命的な矛盾が無視できない。長期にわたる持久的な革命戦争と、権力側の政治過程に規定された中央決戦主義、その極端化としての武装蜂起と首相官邸占拠の方針は対立するからだ。

赤軍派も含んだ中央決戦政治とは違う方向性を対置しえないまま、一〇月二一日が到来した。新左翼諸派とべ平連など市民団体はそれぞれに大規模デモを組織し、あるいは首都中心部を戦場として火焔瓶と角材、鉄パイプなどによる街頭実力闘争を闘った。政府中枢制圧を掲げたプロ学同が決戦の場としたのは築地一帯で、機動隊の阻止線に激突して多数の逮捕者を出した。凶器準備集合罪や暴行罪で起訴され長期拘留が確定的な逮捕者には、旧〈反戦学同〉メンバーも含まれていた。

まったく支持できない、見当違いな方針で犠牲者を出すことなど、二度と繰り返してはならない。われわれは独自の闘争を準備しなければならない。旧マル戦派の活動家が東京駅前の中央郵便局で山猫ストを計画しているという情報を樋口労対部長から得て、その当事者と接触した。決行予定日は佐藤訪米直前の一一月初旬。

計画されていたのは山猫ストというよりもテロの部類で、全逓の青年労働者が局長をナイフで脅してトイレに立て籠もり、業務の中止を命じさせるのだという。計画が実行されたら、脅迫と監禁の共犯として捜査対象になるだろうが、乾坤一擲の闘争だ、それならそれでかまわない。決行時刻に郵便局に突入し、ビラを撒いて全逓労働者の決起に連帯するという行動方針も決まった。

旧〈反戦学同〉メンバー一〇人ほどは確認した時刻に、中央郵便局の正面玄関から突入してビラを撒き散らした。しかし山猫ストのほうは機会を逸したのか、実行者が直前になって臆したのか、決行にはいたらなかった。「政治ソヴェトと経済ソヴェトの結合」の端緒を実現するという試みは、こうして不発に終わった。

一一・一三中郵闘争の失敗で旧〈反戦学同〉グループの結束は乱れて、一一月一六日と一七日の羽田現地闘争には独自方針は出せないまま、各自の判断で行動することになる。メンバーはちりぢりになり、プロ学同内フラクションは機能不全に陥った。

佐藤訪米を阻止できないまま秋期決戦が敗北に終わった直後に、黒木はプロ学同指導部から無期限権利停止の処分を受ける。理由は秋期闘争での分裂行動と規律違反。それから三カ月ほどは活動家用語でいうところの「消耗」状態で、起き出す元気もないまま自室に閉じ籠もっていた。

一〇・二一闘争と一一・一三闘争の総括ができないまま、今後の身の振り方を決めかねていた。総括も方針も提起しえないまま、来たるべきルカーチ党の細胞形態として意味づけられていた旧〈反戦学同〉グループは解散し、他党派に引き抜かれる者も無党派で活動を続ける者も出はじめた。自身の指導力の限界を思い知らされ、打ちのめされて息も絶えだえというような日々が続いた。自責とストレスで鬱状態になっていたのかもしれない。

処分の対象とされた分裂行動の原因には、叛乱型政治闘争と攻撃型政治闘争の対立があった。いいだももなど東京の知識人党員グループと、白川真澄を象徴人格とした関西の民学同OBグループによる相互不信と暗闘に巻きこまれ、翻弄された気もする。発想も問題意識も組織としての背景も異質な、関西中心の民学同左派に合流してプロ学同を結成したのが間違っていたのか。ルカーチ党を創る目的で共労党に加入するという発想が、はじめから実現ゼロの夢想にすぎなかったのか。

秋期決戦当時は二〇歳、直後に二一歳になったばかりの若者のことだ。コミュニストとしての組織的訓練や教育を受けたこともなく、見よう見まねで一〇・八羽田闘争から二年のあいだ夢中で活動してきた。しかし心身の疲労に押し潰されたのか、人と会う気にはなれない、身動きすることさえ辛いという状態が続いた。

引き廻して放り出したも同然の旧〈反戦学同〉活動家たちへの有責の思いもある。一〇・二一で逮捕され東京拘置所で拘留中のメンバーにはなおさら。

日常生活の冒険の果てにコミュニストに志願したのだが、この二年で可能なことはやり終えたと判断し、まったく別のことをはじめる選択はあるだろう。活動家は続けるとしても、悪縁だった共労党は離党して他党派に移るか、あるいは無党派で活動を続けてもいい。心身の回復を待ちながら身の振り方を思案しているときのことだ、党常任委員会の席に呼び出されたのは。

その場には一九七〇年二月の党第四回大会で新常任委員になった学対部長の江坂淳もいた。愛知県党の江坂に続いて大阪府党の戸田も、まもなく上京してくるらしい。そうなれば書記長に選出された白川真澄に加えて、江坂淳、戸田徹と民学同OB幹部が常任委員会に顔を揃えることになる。白川とは最後までろくに話もしない冷淡な関係だったが、じきに江坂や戸田とは親しくなって、先方の家に泊まりこんで朝まで話しこむようになる。左派共労党の解党後、中断の期間はあったにしても、二人との友人関係はそれぞれが死去するまで続いた。

学生同盟員としては除名の次に重い無期限権利停止処分中だが、学生細胞所属の党員としては処分されていない。たしかに学生同盟の組織規律には違反したが、学生同盟の秋期決戦方針そのものが党方針に違反していたわけで、事態は単純ではない。学対部は四回大会から学生組織委員会に改称されたが、責任者の江坂も、学生同盟レヴェルの規律違反を問題にする気はなさそうだ。

結党後三年に満たない諸派寄せ集めの組織に、六九年政治決戦は重すぎる試練だった。そこに向かう過程で内藤知周など平和共存・構造改革の党内右派が脱落し、さらに党中央とプロ学同のあいだに叛乱型政治闘争と攻撃型政治闘争の路線対立が生じた。秋期決戦後には東京の知識人幹部と関西民学同OBの確執のため、一時は組織が空中分解することさえ危ぶまれたらしい。いいだ議長・白川書記長の新体制は、両グループによるぎりぎりの妥協の産物だった。

党機関誌の創刊が決まった、常任委員会直属の機関誌編集担当として活動に復帰すべし。これが常任委員会の席に呼ばれた理由だった。背景の事情はよくわからないが、消耗して引きこもり状態の黒木を活動に復帰させる道筋をつけるため、武藤氏が白川や江坂を説得したのかもしれない。

いったん持ち帰って熟慮し、最終的には常任委員会の指示に従うことにした。失敗を引きずったまま逃げるべきではないし、心に期するところもある。また、党四回大会で決定された秋期決戦総括と七〇年代の新路線は納得できる内容だった。この路線であれば活動を再開できる。

「具体性の方へ」が四回大会の新路線で、東アジア革命戦略と反帝拠点闘争が主な内容だった。一九七二年沖縄返還を見据えて、三回大会のトロツキズム的な抽象的世界革命主義から訣別し、沖縄をハブとする韓国、台湾、香港の国際革命戦略が提起された。これを第一とすれば、第二は前年秋期の中央決戦主義の総括から、入管闘争、叛軍闘争、反基地闘争、反公害闘争、寄せ場闘争、三里塚闘争など具体的諸課題を地域拠点の形成として闘う反帝拠点闘争だ。

ウーマンリブの活性化は一九七〇年からで、反帝拠点闘争論に女性解放の視点は含まれていない。その空白を別とすれば反帝拠点闘争は、ポスト〈68年〉の運動として国際的に定着していく「新しい社会運動」の先駆けだったといえる。しかし、これもあとから明らかになるように、「新しい社会運動」が求める党は無党派的でネットワーク的な「緑の党」などで、ボリシェヴィキ的な革命党ではない。「新しい社会運動」の展開は、革命党を否応なく解体していくだろう。反帝拠点闘争とルカーチ主義の党建設はどう関係していくのか、この時点で予測することは不可能だった。

機関誌の名称はトロツキー『革命はいかに武装されたか』から、「革命の武装」とした。赤軍派の前段階蜂起は大菩薩峠での大量逮捕のために頓挫したが、七〇年三月にはよど号のハイジャック作戦に成功する。

また七〇年一二月には京浜安保共闘が拳銃奪取を目的とした交番襲撃で死者を出す。六九年秋期決戦の敗北によって従来の実力闘争の限界性は暴露された、いまや銃や爆弾による本格的な武装闘争に進まなければならない。こうした発想は、赤軍派の残存部隊に加えて京大パルチザンなど無党派活動家にも浸透していた。

四回大会路線は評価できるとしても、武装と軍事をめぐる空隙は無視できない。武装闘争の契機を消去した拠点形成論は、権力を前にしての武装解除に帰着しかねない。実際のところ党内には前年秋期の「決死の飛躍」に疲れ果てた、召還主義的な雰囲気が漂っていた。理論誌の名称を「革命の武装」にしたのは、こうした雰囲気に異を唱えようとしたからだ。

集会やデモをめぐる表現の自由を、国家権力は公共性を掲げて制約し封殺しようとする。その装置が警察という実力集団だ。機動隊の実力行使のために表現の自由が侵害されるなら、民衆には同じ実力行使でそれを突破する権利がある。投石、角材、火焔瓶などは実力闘争を有利に進めるための道具だ。

一〇・八以来の実力闘争は、デモなど表現の自由を守るため憲法体制の内側で闘われた。しかし戦争は、パルチザン戦争（武装闘争）を含めて憲法体制の外で戦われる。こうした点の厳密な理論化は、その当時なされないままだった。火焔瓶で効果がないなら次は銃火器だ、という程度の幼稚な発想で武装闘争が語られることも多かった。第三世界で闘われているような武装闘争を先進国で試みることは、一九七〇年代以降にドイツとイタリアで徹底的になされたが、最終的には敗北に終わる。

それでも実力闘争は、今日も欧米諸国を含む全世界で日常的に闘われている。東アジアで実力闘争を含む大規模蜂起が起きていない例外的な国が北朝鮮と日本だが、二一世紀の日本人も「火事と喧嘩は江戸の華」を踏んで「投石放火はデモの華」くらいに構えていたほうがいい。実力闘争は戦争（武装闘争）ではない。六七年から六八年にかけての実力闘争が大衆的な支持を得たのは、それが集会やデモなどの表現の自由を守る闘争だったからだ。

雑誌の編集作業を進めながら、二五〇枚の六九年秋期決戦総括と反帝拠点闘争論の政治文書「七〇年代反帝闘争の立脚点」を書いた。そこでは攻撃型政治闘争を「党組織論なき大衆運動主義の極左的純化形態」としながらも、六九年夏の警察権力による「抑圧強化と大衆闘争の『叛乱型』展開の閉塞」から半ば必然的に生じたものとして位置づけている。江坂学生組織委員長の検閲もパスして、この文書は「革命の武装」に掲載された。

六〇年代後半の大衆ラディカリズムが拓いた地平を七〇年代に引き継ごうとするなら、中央決戦政治の頽落としての中央カンパニア政治（日比谷公園や明治公園で開催される、四・二八や一〇・二一など記念日闘争への大衆動員）を、惰性的に続けているわけにはいかない。資本主義／帝国主義の支配と抑圧の諸分節に対応しながら多様化した解放闘争と、それにかかわる拠点形成が求められている。

「革命の武装」掲載文書では「戦術＝階級形成論の一視点」のソヴェト論をさらに進めて、全共闘運動として現実化した平時からの政治ソヴェト型組織＝運動の、社会諸分節と諸階層への拡大としての反帝拠点闘争、という視点を提起した。四回大会の反帝拠点闘争は、三回大会で提起された政治社会同時革命との接点が不明確だったからだ。

「経済闘争／政治闘争」「改良闘争／革命闘争」などのレーニン主義的二分法は、一九世紀末から第一次大戦直前まで続いたドイツ社会民主党の党内論争（修正主義論争、大衆ストライキ論争など）が前提としていた「平時／革命時」の対項を前提としている。この点はのちに『例外社会』で二〇世紀の例外国家として論じることになるが、ロシア革命以降の時代には、平時と革命時の区別などすでに存在しないのではないか。グラムシの陣地戦／機動戦を、平時は陣地戦、権力奪取に向かう革命時は機動戦として機械的に振り分けてはならない。平時から学校や工場や自治体やその他もろもろの、市民社会を構成する諸分節のヘゲモニーを奪取し、それぞれの社会権力体を民衆的な自治の力で自律的にコントロールする社会革命として陣地戦を捉え直し、その端緒として反帝拠点闘争を位置づけること。

機関誌「革命の武装」の編集作業のため、七〇年五月には、常任委員として活動するために大阪から上京してきた戸田徹のアパートを毎日のように訪れることになる。なかなか完成しない原稿を、どうにか書かせるためだ。専従費を支給されている戸田は、貧乏なルンプロ学生活動家に同情して下北沢の居酒屋に連れて行ってくれた。それから二人で酒を酌み交わしたことは数知れない。

戸田徹と初めて顔を合わせたのは、前年の九月、法政大学の自治会室で開かれた学生細胞会議の席上だった。秋期決戦の意志統一のため大阪から上京していた戸田は、オブザーバーとして出席していたのだろう。優しい顔立ちなのに、なにか思いつめたように眉のあいだに縦皺を刻んでいる表情が印象的だった。

大阪府党責任者の戸田は、六七年の一〇・八羽田闘争を起点とした〈68年〉革命のリアリティに一挙に追いつこうと、指導的な場所で奮闘したという。その成果として、六九年秋期決戦のひとつの頂点をなした一一月一三日の大阪扇町戦闘は実現されえた。この闘争で逮捕され拘置所生活を送ったあと上京してきた戸田は、獄中で練り上げた第三世界革命論の構想を携えていた。

その後はプロ学同指導部と学生組織委員会の責任者という組織関係もあって、下北沢の戸田のアパートにはしばしば泊まりこむことになる。夜を徹して話しこむことが多かったのは、党内ではじめて出遭った話の通じる年長者だったからだ。ヘーゲル、マルクス、ルカーチはもちろん、山田風太郎から小松左京や筒井康隆まで六歳年長の戸田とは、いくら話しても飽きないほど話題が共通していた。一九八四年に若くして病死するまで数年の中断はあったけれども、はじめは左派共労党を率いる盟友として、党の解体後は「マルクスか革命か」を問う思想闘争の同志として兄弟同然の親しい関係は長く続いた。連れだってピレネー地方を旅し、カトリック教会とアルビジョワ十字軍に殲滅された大異端カタリ派の故地、モンセギュールを訪れたことが思い出される。

戸田が執筆し「革命の武装」に掲載された論稿「第三世界革命と『現代世界革命』」は、党三回大会の「現代世界革命」論を徹底的に批判していた。世界恐慌あるいは世界戦争として到来する危機から世界革命を展望するトロツキー的革命戦略は、先進国革命主義と労働者本隊主義に帰結する。「第三世界」論文で戸田徹が撃ったのは、疑似トロツキズム的ないいだ・白川「現代世界革命論」であったばかりか、その背後に影を落としている岩田宏「世界資本主義論」や一向健「過渡期世界論」など、新左翼に根強い「世界危機—世界革命」論の構図そのものだった。戸田論文は、「今日『先進国』プロレタリアートが普遍的階級に自己形成するのは第三世界解放革命闘争への合流をかちとり、そのことを通じて帝国主義的国民としての自己の定在を解体することによって帝国主義打倒の共同の戦列を構成しうること、今日のマルクス主義者は第三世界解放革命の意義をその世界史的根拠にまでさかのぼってとらえかえすという困難な理論課題を自らに課すこと抜きにその歴史的任務の完遂はありえないことを、かさねて強調しておかねばならない」という結語で終わっている。

白川書記長を中心とする党内の右翼的・召還主義的潮流は、先進国革命主義・労働者本隊主義の立場で、これに厳しい批判を浴びせたのが戸田の「第三世界革命」論稿だった。白川真澄の「第四の危機」論と、いいだもも の岩田弘的な世界危機論の折衷である党第三回大会「現代世界革命」論への全面批判は、党内に新たな左派潮流を準備する最初の画期となる。また戸田の第三世界革命論で意思統一していたプロ学同は、それに狼狽した中核派など先進国革命主義派とは違って、七・七の華青闘告発を綱領的・戦略的レヴェルで正面から受けとめることもできた。

戸田徹は組織者としても理論家としても卓越していた。対立党派の関西ブントで少し年長の榎原均や旭凡太郎らと比較してもマルクス学の知識は膨大で、日本の〈68年〉が生んだ有数の学生理論家だったことは間違いない。知識量だけでなく独創的な発想力にも優れていたから、夭逝しなければ理論家として大成したろう。

「革命の武装」の編集作業が終わる頃、学生組織委員会の江坂に声を掛けられた。江坂が持ちこんできたのは、委員長のポストを用意する、それでプロ学同に復帰しないかという提案だった。攻撃型政治闘争として秋期決戦を指導した岩木委員長は、労働戦線への転出を希望しているとか。常任委員会の総意なの学生組織委員会の判断なのか、事情はよくわからない。思いがけない提案だから、どうするべきか熟慮する必要がある。

「革命の武装」の編集作業と並行して、七〇年の春には活動の現場に復帰し、新宿地区叛軍行動委員会を立ち上げた。元〈反戦学同〉活動家の多くは四散していたが、また一緒に活動することが確認できた者たちと、赤軍派の発生で崩壊した社学同早大支部の数名が結成時のメンバーだった。

早大社学同の旧メンバーを連れてきたのは山根真一で、もともとは湘南べ平連の活動家として知っていた人物だ。一九六九年には早稲田の社学同で文闘連（文学部の全共闘）の議長として活動していた。その年の四・二八闘争で逮捕され、保釈されたときには社学同支部は崩壊していた。革マル派の襲撃で重症を負い、ようやく退院したあとに再会して、おたがい組織を離れた身だから協力して叛軍闘争をはじめないかと話は進んだ。

地域べ平連、大学の党派活動家、全共闘のリーダーという経歴が示しているように、山根は新しいタイプの群衆的な活動家だった。学外者の中上健次も出入りしていたというし、学生自治会を基盤とする戦後学生運動から離れたところで早大の社学同は活動していたようだ。だから地域べ平連出身の活動家も、ごく自然に紛れこめたのだろう。

一九六九年に「戦術＝階級形成論の一視点」を書いたとき参考にしたのは、早大社学同の機関誌「若きボリシェヴィキ」に掲載されていた日向翔の第一次早大闘争（六五〜六六年）総括文書で、これは「理論戦線」

七号に「運動・組織論」として再録された。そこで日向は「現在『全学連―反戦〔反戦青年委員会―引用者註〕』として組織化されている小ブル、貧プロの部隊を世界革命戦略によって集約し、しかもそれを『組織された暴力部隊』として組織化することにより、ファシズムの温床そのものに切り込んでいく」という階級形成論を提起していた。浮遊する都市群衆を軍隊的に組織化したナチス突撃隊を参照例として、目的（「国際路線」あるいは「世界戦略」）が異なる「組織された暴力」部隊の形成を日向は構想しているようだ。ようするに「赤い突撃隊」だろう。「戦術＝階級形成論の一視点」の政治ソヴェト論には、この「赤い突撃隊」構想が影を落としている。ブントの「組織された暴力」論は、六九年四・二八闘争に向かう過程で共産主義突撃隊として具体化されたが、実体はブント系の学生活動家集団で、ナチス突撃隊の左翼版という新機軸を打ち出すにはいたらなかった。これが赤軍派の中央軍になると、非合法の都市ゲリラ部隊に変質していくのは不可避で、ますます当初の構想からは離れていく。

学生コミュニストになることを決めたあと、アジテーターとしての修練を積みたいと思って、あちこち新左翼各派の集会に紛れこんでみた。いちばん上手かったのは革マル全学連の成岡委員長で、これを手本に練習することにした。アジテーションは洗練されていないが、かっこよさで最高だったのは社学同委員長の荒岱介。そんなわけで荒ファンだったのだが、同じ人物が日向翔として「赤い突撃隊」を構想している。マルクス主義から労働者本隊主義を追放するとしたら、無から革命主体を創造しなければならない。そのためには都市群衆が潜在させている暴力性を組織化することだという、この主張には共感した。

六〇年安保の直後から新左翼共通の闘争目標だった「七〇年安保」闘争は、六九年秋期決戦で終わったわけではない。まだ、一九七二年の沖縄返還をめぐる第二の山が控えている。しかも七二年に向かう闘争は中央政治過程に規定されるものではない。

安保条約をめぐる日米の国家意志の決定過程に介入する中央政治決戦など、裏返しの議会主義にすぎない。

問題は安保条約という法的レヴェルではなく安保体制で、その実体は日米地位協定と在日米軍基地にある。本土での反基地闘争を前提として、軍事植民地支配からの解放を求める沖縄民衆の闘争に連帯して闘うことが、七二年闘争の実質になるだろう。東アジア最大の反帝国主義拠点として沖縄現地の闘争は激発し続けている。七〇年安保の第一の山は不本意な結果に終わったが、再戦の機会があるなら見送るべきではない。

規律違反にかんして自己批判はしないことを条件に、江坂のプロ学同復帰提案を受け入れることにした。規律違反にいたった経緯を今後の教訓として共有するためには、辻褄合わせ的な形の上で自己批判などするわけにはいかない。一緒に中郵闘争を闘った元〈反戦学同〉メンバーのためにも、形式的な自己批判で問題を解消してはならない。

この条件を江坂は呑んだ。プロ学同大会は七月だから、それまでは指導業務の引き継ぎのため岩木と二人で動くことになる。議論になれば決裂するのは確実だから、たがいに前年のことは触れないようにした。一応は和解したわけだが、わだかまりが消えたとはいえない。

岩木と二人三脚で活動した三カ月ほどで最大の事件は、フロントとの党派闘争だった。立命館大学でプロ学同とフロントの対立が表面化し、そこから亀裂が広がって組織統合のプランは破綻した。それから半年ほどして、反帝学戦の名称問題を口実にフロントが大阪でゲバルトをかけてきた。こちらも準備を整えて、明治公園と日比谷公園の中央集会で二度にわたりフロントを粉砕し、それで竹竿ゲバルト戦は終息した。統一会議から反帝学戦に名称変更した大学も二、三はあったが、この機会にプロ学同の大衆組織は赤色戦線を名乗ることにした。

赤色戦線の名称を提案したのは、政治ソヴェト論の原型だった「赤い突撃隊」構想が背景にある。ヴィスコンティの新作『地獄に落ちた勇者ども』を渋谷パンテオンで観たのは、その年の春だった。『山猫』以来この監督には注目していたから、チケット代を捻出してロードショー劇場に出向くことにしたのだ。この映画には突撃隊の乱痴気パーティのシーンがある。そこで合唱されるナチ党歌「旗を高く掲げよ」に気になる箇所があった。「赤色戦線の反動に撃ち殺された戦友たち」というところだ。ナチにとってはナチこそが「革命」であって、共産党は「反動」だったと知って目から鱗が落ちた。

また突撃隊と暴力的に対決する街頭部隊として、共産党が赤色戦線戦士団を組織していたこと、突撃隊は赤色戦線を憎悪していたことも確認できた。褐色の制服のナチ突撃隊に対抗した「赤い突撃隊」とは、赤色戦線のことではないか。のちに統一戦線の交渉で顔を合わせた解放派の浜口全国反戦世話人から、「そんなにいい名称がまだ残っていたんだな」といわれて、少し得意になったことを憶えている。

秋期決戦を闘ったプロ学同活動家のほとんどは、大学を離れることが決まっていた。保釈された者を含む中央委員クラスの主要活動家一〇名ほどは、白川書記長直轄の「労働者オルグ団」として専従活動に従事することになるらしい。党専従として白川「一家」を喰わせることが、いいだももに妥協して書記長になる際の条件だったのだろう。六九年を経過しても変わることのない、白川の先進国革命主義と労働者本隊主義は叩き潰すしかない。あらためてそう思った。

多数の活動家が離脱したあとのプロ学同は、民学同左派時代の組織的遺産が枯渇し、組織的な弱体化が全国的に進行している。しかも東京の学生部隊は、法政大学の社会学部自治会を残して、あとは消滅したも同然という惨状だった。党常任委員会で学生同盟人事について、どのような合意がなされたかは知る由もない。問い質しても武藤氏は口を濁して、党内対立の具体的な事情は教えてくれないのである。戦後的な自治会運動の発想から逃れられない白川は、大学拠点を失ってルンプロ化していく学生運動に興味を失ったのだろう。だから反白川の急先鋒だった黒木に、委員長ポストを提供しようという江坂提案に同意したのかもしれない。ちなみに黒木は福本和夫の党名を拝借したものだが、白川の白に対抗するという意味もあった。

戸田徹が学生組織委員会の新委員長に就任し、江坂は統一戦線担当に廻るという新人事にも背を押された。

すでに江坂とは信頼関係を築いたし、意気投合した戸田が学対なら党内での問題はないだろう。しかし、それだけではない。

七〇年安保をめぐる対権力闘争が終わらないように、惨憺たる敗北に終わった六九年秋期の組織内闘争も終わってはいない。関西ブントには「組織された暴力」から「マッセンストと中央権力闘争」まで、新左翼大衆には人気だった名コピーが多いが、「党の革命」もそのひとつだ。

赤軍派とは中身が違うにしても、言葉は同じ「党の革命」を遂行するため党活動に復帰し、プロ学同の指導を引きうけることにした。白川派の外堀を埋めるには、京大で白川の右腕だった江坂淳と、旧民学同では白川と盟友関係だった戸田徹を味方につけることだ。江坂と戸田を反白川陣営に引きこめば、常任委員会では白川が少数派になる。労働者工作にしか興味がない白川と、第三世界革命派として反帝拠点闘争を推進する党内勢力とは活動領域の棲み分けが進んでいるが、路線対立が爆発しても他の常任委員の支持を取りつけることは可能だろう。

しかし一家主義的・人脈主義的な白川路線とは方向が異なるとはいえ、いいだももに体現される組織実践のスタイルもルカーチ主義的な革命党のものではない。自民党も社会党も、日本社会の反映という点で組織原理は変わらない。共産党も、共産党に由来する新左翼諸党派にしても。それを簡単に定義すれば「近代＝前近代複合構造」ということになる。

自民党の場合、選挙区の共同体的地盤が高級官僚出身の議員を支えるというシステムに、近代＝前近代複合構造は明瞭だろう。官僚政治家と党人政治家の二重性にも同じことがいえる。左翼組織の場合には、有名大学出身の知識人指導部と、地区や経営の下部党員による相互反撥的な相互補完構造。このような構図は共労党にも、否定しがたいものとして存在していた。「党の革命」とは、「近代＝前近代複合構造」である日本的な組織原理を、党内で徹底的に破壊し変革することだ。「教師―生徒」関係と同型的である啓蒙主義的な上下関係も、共同体的な人脈関係も、革命をめざす組織から一掃しなければならない。

共労党の知識人指導部と民学同左派ＯＢの相互不信と相互補完の傾向は、一九七〇年になるといいだ・白川体制として制度化される。そこでは議長のいいだもが近代的・啓蒙的な極を、書記長の白川真澄が日本的・人脈的な極を体現していた。いいだを中心とする知識人指導部が、粗製濫造される空疎な理論を組織の上から下に「外部注入」する。これもまた知的権力の一種には違いない。知の権力支配に抵抗しえない、地区や経営や学生党員のルサンチマンの受け皿になった白川が、組織を実務的に管理運営する。「党の革命」とはルカーチ主義の党を建設するため、いいだ・白川体制を打倒することだ。二年後に「いいだ・白川体制打倒」は、形成された左派共労党の共通了解となる。

このように当初は組織論的な領域で発想された近代＝前近代複合構造論だったが、しだいに近代世界の基礎構造の分析概念に変化していく。先進国革命主義の背景にはマルクスの後追い発展史観がある。後発国社会は先発国社会のあとを追って同型的に近代化、資本主義化していくという歴史観だ。しかし近代性と前近代性の複合こそが近代世界の基礎構造だとすれば、後追い発展史観は成立しえない。「ザスーリッチへの手紙」にも見られるように、老マルクスはそれに気づきはじめていた。

生まれつきの性格や成育史とも無関係でないのかもしれないが、子供の頃から日常的な対人関係になじめないものを二重に感じていた。「教師―生徒」関係の権力性に反撥したことは、すでに述べた。近代的な支配と服従の関係こそ、「生の直接性」を阻害する抑圧そのものだ。「親分―子分」関係に体現される前近代的な関係性には、さらに徹底的な拒否感を抱いていた。ほとんど接触がない一九六八年の頃から関西の白川グループに距離を置いていたのは、排他的な人脈共同体の雰囲気を感じたからだ。先方はいいだもの子分だとでも誤認して、こちらをはじめから拒絶していたようだ。しかし、それは事情を知らない者の思いこみで、政治的には子分も身内も一人として持たない、持てないというのが、良くも悪くも純化された近代主義者いいだの個性だった。

武藤一羊とは親しかったが、学生党員たちのいいだもも嫌悪は理解できた。過剰な自己評価と前に出たがる目立ちたがりの性格、流行遅れのひらがなペンネーム、慇懃無礼な「ですます」文体などもあるが、組織スタイルも党員からの反撥を招いていた。相手の内心を配慮することなく、地位による指導権を行使するからだ。官僚制に適合した組織スタイルの指導者では、現場党員の信頼を得ることができない。革命党の党員は官僚制の典型としての企業の社員のように、給料と引き換えに命令に従うわけではないからだ。

子供のときから「教師―生徒」的な近代性でも、「親分―子分」的な前近代性でも人間関係に挫折してきたから、ルカーチ的な革命党の構想に惹かれた。そこには啓蒙的でも習俗的でもない人間関係の可能性があると予感して。自立した諸個人の言葉による盟約を前提とした、ともに死の可能性に先駆する者たちによる、夾雑物を排した純粋な党組織。「結晶」という特権的なイメージで、こうした理性主義的結社を夢想していた。党は結晶のように硬く美しい共同体でなければならない。

埴谷雄高は『幻視のなかの政治』で、戦前の非合法共産党に入党したときの違和感を語っている。独善的なエリート主義、自己特権化、大衆蔑視、露骨な権力志向などなど。そうした思想的腐敗が、革命党を称する集団には蔓延していたという。

民学同左派／プロ学同は関西を基盤とする党派で、委員長と書記長のポストは京都大学と大阪市立大学の学生に配分されるのが暗黙の了解だった。どこの馬の骨とも知れない高校中退生が委員長になるのには、少なくない抵抗があったろう。同じことが共労党にもいえる。

党の常任委員会は一九七〇年の時点で、東大出身が三人、京大出身が三人、大阪市大が一人、例外は戦争末期に予科練だったという労働者組織委員長の樋口篤三のみ。こうした事例からも窺われるように、コミュニスト組織もまた日本社会のヒエラルキーの陰画にすぎない。高級官僚が国民大衆を操作対象と見なすように、コミュニストも大衆の「自然発生性」に拝跪してはならないという、レーニンの言葉を金科玉条としていた。

ルカーチによれば、党組織とは革命的意識の実体化である。党の革命的意識とは、いつか到来するだろうプロレタリアートの階級意識を、理論という疎外された形で先取りしたものにすぎない。だから党の意識性には、どのような特権性も付与されてはならない。党と大衆の関係は、近代的な「教師―生徒」の権力関係とは無縁だ。

革命をめざす党組織の内部にまで、近代的な知の権力主義は浸透していた。理論において自己特権化する知の権力主義は、同時に日本的で前近代的な人脈的共同体だった。学閥エリートに反発する共労党内の「被抑圧階級」は、他方で経営組織や地区組織をムラ的共同体に変質させていた。ムラ的共同体に必然的な排除の力学が、そこでは隠微に作動する。しかも偏差値エリートにルサンチマンを燃やす地区や経営の下部党員は、ムラ的な排除の構造で団結していて、横からもぐり込んだ高校中退コミュニスト志願者には居場所というものがない。

家族や共同体のためになら人は命を危険にさらすだろう。しかし、ヘーゲルが語ったように理論は灰色だ。理論という抽象性において、なお生命の危険に耐える覚悟がコミュニストを定義する。党組織とは革命理論の実体化であるというルカーチ的な観点からは、そのようになる。

けれども現実の共産主義労働者党は、この理想に唾を吐いていた。冷たい理論的抽象性を、血も肉もある具体的身体において引き受けようとするコミュニストとしての決意など、たんなる建前として足蹴にされていた。六九年秋期決戦で規律違反に問われた行動の背景には、党内の近代＝前近代複合構造にたいする憤懣もあったように思う。

一九七〇年七月、静岡大学で開かれたプロ学同大会で委員長に選出された。反対票は大阪工大支部の代議員だけだったが、満場一致を実現できなかった大阪市大生の府委員長は申し訳なさそうな顔をしていた。しかし、それでいいと思った。反対者が存在しない方がおかしい。公の場で反対意見が口にできないようなら、そちらのほうが問題だ。ルカーチ主義の党では党内闘争も分派闘争も許されている。

関西では中規模党派だが、東京では弱小党派にすぎないプロ学同指導者としての活動がはじまった。書記局が存在しないも同然なので、通達の印刷や発送から街頭戦用の竹竿の手配まで、必要な実務を一人でやらなければならない。明治公園や日比谷野外音楽堂の八派集会で発言したあとはデモの隊列に入る。動員数が少なすぎるので、一人でも頭数を増やさなければならないのだ。日比谷公園での革マルやフロントとのゲバルトでも、旗竿戦闘の先頭に立った。ゲバルトといっても、角材や竹竿での集団戦は石器時代の牧歌的な戦争さながらで、小学生のとき騎馬戦が大好きだった者には純粋に競技としても楽しめた。敵部隊を蹴散らせば勝ちだから、内ゲバといっても鉄パイプを使った個人テロやリンチのような陰惨さはない。

全国全共闘の書記局会議という名目で学生八派の統一戦線会議が、定期的に東大地震研か応微研で開かれる。中核派支配のもとで大小のカンパニア集会の打ち合わせをするだけで、時間の浪費としか思えない。集会名やスローガンやデモコースをめぐって各派がしのぎを削るのだが、どのみち空疎なスケジュール闘争、カンパニア集会のことで、どう決まろうと大勢に影響はないし興味もない。本気になって党派闘争に介入したのは、沖縄返還が政治焦点化する一九七一年に入ってからのことだ。

組織的な業務に忙殺されながらも、戸田徹とは『資本論』の解釈から第三世界革命や農民革命の先行性と必然性についての議論を続けた。「資本主義批判・帝国主義批判・近代世界批判」を前提とする「第三世界解放革命――世界共産主義」論のアイディアは、数年後に翻訳紹介されはじめるアミンやフランクの従属理論に先行していた。

「現代の眼」に続いて一九七〇年には、第二の総会屋新左翼評論誌「構造」が創刊される。総会屋とどのような縁があったのか、編集長になったのはべ平連関係の知人で廣松主義者の実方藤男だった。実方に依頼されて、この年は「構造」に三篇の論考を書いた。文章はいずれも学生組織委員会の承認を得た上、共産主義労働者党員であることを明記して公表された。本書に収録した「革命の意味への問いの究明」は、六九年総括の政治文書「七〇年代反帝闘争の立脚点」を思想論の領域で補完する文章だ。

タイトルが『存在と時間』の「存在の意味への問いの究明」のパロディであることからもわかるように、この時期にはハイデガーを読みこんでいた。ハイデガーの死の哲学に興味を持ったのは、六九年決戦に突撃する決意を固めようとしたためだ。七〇年に入っても、党派と無党派を問わず新左翼の学生活動家のあいだには死をめぐる強迫的な雰囲気が濃密に漂っていた。地下潜行してハイジャック闘争やM作戦を展開している赤軍派の六九年総括は、「敵を殺し自分も殺される」覚悟で武装闘争を闘うことらしい。

ハイデガーが称揚する「ドイツ民族のダーザイン」を「プロレタリアートの立場」に読み替えて死に先駆することを自身に課しながらも、権力に追いつめられた赤軍派の主観的決意主義には同調できないとも感じていた。

戦後社会の劇的な崩壊と歴史の終焉をもたらすだろう決定的な政治行動において、目標を達成する以前に「私」の存在が消滅してしまうとしたら、それになんの意味があるだろう。おなじ黙示録派でも、霊魂の不滅や審判による復活を確信していた異端キリスト教徒なら、それで納得できるかもしれない。だが、死んだら終わりだと考えている唯物論者に、それは深刻な自問をもたらしてしまう。しかも死の主題をめぐる自己倫理は、『歴史と階級意識』のヘーゲル＝マルクス主義から直接には導かれえないのである。

ルカーチと並行して読んでいたハイデガー哲学が、そのときようやく大きな意味を持ちはじめた。『歴史と階級意識』から学んだ黙示録的な革命のヴィジョンに導かれ、暴力的な闘争の世界に身を浸しはじめた青年が、同時に『存在と時間』に惹かれたのは、そこに死をめぐる自己倫理の主題が見出されたからである。

ルカーチとハイデガーのあいだには理論的な照応性がある。最初に気づいたのは、両者による近代批判の同型性だった。その場合、ハイデガーのテキストは『存在と時間』よりも『世界像の時代』や『技術論』や『ヒューマニズムについて』になる。異なるのはルカーチが、マルクスに則して労働実践による主体と客体の統一を主張するところで、ハイデガーは技術による世界の実践的対象化を頽落と見ている点だろう。もともと労働中心主義には批判的だったから、ここではハイデガーの近代批判のほうが納得できた。

物象化と存在忘却についても共通するところがある。ハイデガーの場合にはそれが、ソクラテスまで遡る西洋の存在論史のなかに位置づけられるのだが、ルカーチもまた「最初の物象化の時代」として古代ギリシャに注目している。また戦後市民の日常意識や行動に対する批判として読むとき、まさに『存在と時間』は『歴史と階級意識』に至近距離で共鳴しているように思われた。

ルカーチがプロレタリアートの虚偽意識を論じるところで、ハイデガーは現存在の日常的な頽落の諸相を克明に分析している。近代認識論の批判など個別的な論点でも、ルカーチによる主客の二律背反や観照的態度は、ハイデガーの客体性や理論的態度に照応する。階級意識と本来的自己、そしてアドルノの指摘にもあるように全体性と存在など。両者のキイワードの克明な対応性は明らかだった。

『歴史と階級意識』および『存在と時間』の並行性について論じたリュシアン・ゴルドマンの『ルカーチとハイデガー』が、フランスで刊行されたのは一九七三年のことだ。その本に収められたゴルドマンの講義がなされていた六〇年代後半、日本で両者の関係について主題的に論じていた理論家や研究者は見当たらなかった。

『ルカーチとハイデガー』を読んだのは一九七〇年代の末ことで、一〇年前だったら触発されたのだろうが、ハイデガーが『歴史と階級意識』の影響下に『存在と時間』を構想したに違いないというゴルドマンの解釈も、そのときにはもうどうでもよいものに思われた。両者の類似性や共通性よりも、対立点のほうに関心が移動していたからだ。そこから導かれた政治的な立場は対極的であるにしても、いずれも世界戦争に直面して破壊された精神の産物であるという把握において不足が感じられる点も、ゴルドマンの著作への不満をもたらした。

戸田徹との共同作業の中心は第三世界革命論で、コミンテルン的な左翼用語でいえば「戦略論」の領域に属する。しかし「戦術論」も重要だ。「戦術＝階級形成論の一視点」で論じたように、党による計画的な戦術の行使がプロレタリアートの階級形成を媒介する。ここからはレーニン主義的な前衛党でなく「媒介者の党」、階級形成が達成されプロレタリアートの独裁が実現されると同時に、解放を宣言して自己消滅する党という観点が導かれる。化学反応が終われば触媒の役割は終わる。すでに不必要になった触媒が無限増殖すれば、スターリニズムの抑圧体制が不可避に生じるだろう。

「戦術＝階級形成論の一視点」ではボリシェヴィキ党を「媒介者の党」に読み替えようと試みたが、一九六九年を通過したのちの「革命の意味への問いの究明」では、すでにレーニン主義への距離感が生じている。秋期決戦に向かう過程で闘うことを強いられた俗流レーニン主義の二本柱、「プロレタリアートの百歩先を得意気に歩こうとする」前衛主義と中央決戦政治の根拠が、レーニン主義それ自体にあるのではないかと疑いはじめたからだ。革命のパターンとしてはソヴェト型から人民戦争型へ、理論としてはルカーチ＝レーニン主義からグラムシ＝マオイズムへのシフトを、この時期には模索していくことになる。

ルカーチ主義の問題点は、革命の黙示録的瞬間を議論の前提とする点にある。無意識的な階級意識が一挙に顕現し、プロレタリア革命が遂行される「秋(とき)」とは、悪しき世界の破滅と第二の降臨の「秋(とき)」の変奏にすぎない。ある意味でルカーチ主義は、ヨーロッパに伝統的である黙示録的な終末論、革命的千年王国主義のマルクス主義的形態ともいえる。

『歴史と階級意識』の哲学史的意義は、第二インターナショナルの時代にはマルクス主義哲学の主流だったマルクスのカント的解釈や自然弁証法を拒否し、それにマルクスのヘーゲル化と主客の弁証法を対置した点にある。そして歴史は一巡し、一九八九年の社会主義の崩壊とボリシェヴィズムの失墜後には、またしてもマルクスのカント化が語られはじめた。

ヘーゲルにも終末論はあるが、革命的千年王国主義の黙示録的終末論とは異質、むしろ対立的といえる。ヘーゲルの歴史は、精神の教養主義的遍歴が終局にいたるときに終わる。黙示録的終末論が総破壊と絶滅の禍々しい気配を漂わせるのにたいし、精神の自己完成と調和の達成であるヘーゲルの終末は理性的で秩序にも親和的だ。対極的な二つの終末論が『歴史と階級意識』には曖昧に同居している。この二つを分離した上で、前者を肯定し後者を否定するにいたるのは一九七〇年代も後半のことだった。『テロルの現象学』の集合観念論では前者を、党派観念論では後者を論じている。

七〇年安保闘争として予期された大洪水、黙示録的終末は到来しなかった。革命的プロレタリアートが生誕する黙示録的瞬間は不確定な未来に先送りされた。では、どうすればよいのか。

中国革命を起点として、インドシナ革命にいたる第三世界の人民戦争の歴史的現実は、常識的なマルクス主義戦略論への実践的批判だろう。同時にそれは戦術論的な批判でもある。人民戦争の二〇世紀的な現実を前提とするなら、市民社会の秩序が盤石である時期の改良闘争と、政治危機や経済危機において体制の根幹が揺らぎはじめる時期の革命闘争や権力闘争を、機械的に振り分けるわけにはいかない。

たとえば中国革命は、二〇年間におよぶ武装闘争の結果として最終的に勝利した。アルジェリア革命、キューバ革命、ヴェトナム革命も長期のパルチザン戦争を前提とした点では中国革命を踏襲している。二〇世紀革命において、平時の合法的闘争と革命時の非合法闘争の二分法はリアリティを失っている。革命を黙示録的瞬間に向けて積分するのではなく、未来に想定される黙示録的瞬間をこの日常的時間に微分して先取りすること。

戸田徹と出遇うまで、理論的思想的な議論ができる年長者を党内で見つけることはできなかった。吉川勇一氏は理論問題に関心がないし、武藤一羊氏とは主体性唯物論や宇野経済学など新左翼の理論的前提が共有できない。ルカーチやハイデガーにも興味はなさそうだ。栗原幸夫氏は大戦間のドイツ思想に知識があるようだが、吉川氏や武藤氏と違って気楽に話しこめる間柄ではない。二人の仲間で、同時期に東大で学生運動をしていたという花崎皋平氏は北海道在住で、簡単には会うことができない。

共労党の知識人党員の大半は一九五〇年代前半の火焔瓶闘争世代だから、ハンガリー革命の衝撃によって一九五〇年代後半から形成されはじめた新左翼理論とは無縁で、黒田哲学や宇野経済学や対馬ソ連論、あるいは埴谷雄高や吉本隆明や谷川雁などには関心がなさそうだ。話が通じなかったのには、こうした事情もある。

理論的な話ができる年長者といえば、党外の廣松渉氏と長崎浩氏だった。廣松さんの疎外論批判は納得できたし、なにより雑談していると楽しい。「情況」に一挙掲載された長崎さんの「叛乱論」には決定的な影響を蒙ったが、ルカーチとハイデガーへの関心も共通していた。

二人ともブント系の知識人だが、あるいはブント系だからか、話はよく通じた。ただし廣松さんから大ブント構想に誘われたときは、即座に断った。数合わせ、寄せ集めでは革命党はできないからだ。長崎さんが共産同再建委員会（いわゆる情況派）を立ち上げるときには、「六九年で第二次ブントの寿命は尽きたのだから、沈みかけた船に乗りこむのはやめたほうがいい」と口を出した覚えがある。

その後、情況派は廣松グループと長崎グループに分裂するが、その後も二人とは別々に会って話をしていた。廣松さんは亡くなったが、長崎さんとはいまも月に一度は顔を合わせている。戸田徹に続いて小阪修平が若くして死んで「マルクス葬送派」はもう二人しか残っていない、われわれだけでも議論する場を定期的に持とうと、二〇一〇年に叛乱論研究会を立ち上げたからだ。学生運動時代から半世紀以上も親しい関係を続けてきたのは、いまではもう長崎さん一人ということになる。

とはいえ、一九七〇年から七一年にかけての時期には、長崎「叛乱論」を超えなければならないと思いはじめていた。ルカーチとハイデガーを前提にした「叛乱論」の近代批判には、第三世界革命も人民戦争も入る余地がないからだ。収録した「革命の意味への問いの究明」には以上のような背景がある。

革命の意味への問いの究明

1　革命の意味とはなにか

六〇年安保闘争の中で、吉本隆明はこう語ったことがある。「おそらく、安保過程での市民・庶民の行動性は、市民・民主主義思想家の啓蒙主義とちがっていたばかりか、むしろまったく無縁ですらあった。漠然とした何もかも面白くないというムードから、物質的な生活が膨張し、生活の水準は相対的に向上したけれど絶対的には窮乏化がすすんで、たえず感覚的に増大してくる負担を感じながら、五五年以後の拡大安定化した社会を生きてきた実感のなかでかれらは、安保過程で、はじめて自己の疎外感を流出させる機会をつかんだのである」（吉本隆明『擬制の終焉』）。吉本のこの提起は、安保強行採決に対する戦後型市民の憤激と、「平和と民主主義」の大洪水によって特徴的だった六〇年安保闘争の大衆的高揚の背後にさえ、ある種の没イデオロギー的な「大衆叛乱」の存在を認知する点において卓越していたといえる。羽田闘争以降の六〇年代後半における階級闘争の高揚は、六〇年安保の中で吉本が直観した、没イデオロギー的「大衆叛乱」の全面化に他ならなかった。

六〇年安保までは「平和と民主主義」イデオロギー、羽田闘争からは「反帝（反スタ）」イズムなどと、叛乱する大衆の意識の表層をすくいあげ、その色わけに狂奔したところで、問題の困難性は少しも解決されはしない。

大衆をなにかしら理念的なスローガンによって、動員されたりされなかったりするものと措定する時、それはついに疎外された前衛主義へと転落するであろう。「日本のイデオローグたちの告げるところでは、日本は近頃比類のない大転回をなしとげた。宇野・梯にはじまったスターリン主義体系の腐敗過程は、あらゆる《過去の諸勢力》をとらえこむ、ひとつの世界醗酵にまで発展した。この全般的な混沌のうちで強大諸国が形成されてはたちまち没落し、英雄たちが、つかのま、雄姿をみせたかとおもうと、より大胆でより強力な競争相手によってふたたび暗黒へと投げかえされた。それは革命であった。それとくらべてはヴェトナム革命も児戯にひとしかった。こうしたことがすべて純粋思想のなかで生じたのだそうだ」。『ドイツ・イデオロギー』に倣っていえば、このようになる。

「大衆叛乱の先験化」などという類の、批判にもならぬ批判をあらかじめ封じておくなら、われわれのいう大衆叛乱とは、レーニンの言葉でいう「大衆の自然発生性」に他ならないということである。われわれが試みようとしているのは、自然発生性はレーニンの規定から一歩も動かすことなく、目的意識性の質のみをひたすら問う（二段階革命か一段階革命か、スターリニズムか反スターリニズムか）ような問いの形式ではなく、自然発生性の意味と根拠を問い、その近代的世界との関連を問い、そしてさらに、レーニン主義的な「自然発生性と目的意識性」との連関措定をも、その獲得された立場から捉え返していこうとするものに他ならない。

レーニンにおいて大衆叛乱としての大衆の自然発生性は、自身にとって外的な所与として常に想定されている。レーニン主義の党は、党の関知せぬ地点でそれこそ自然発生的に生起する大衆の叛乱を、情勢分析と政治方針をもって権力へ、政治へと導くことが任務なのである。『なにをなすべきか』によって良くも悪くも基本的な概念設定がなされ、その後コミンテルンを通して国際的に普及し、さらにスターリンによってグロテスクな典型化がなされた、「情勢分析―政治方針」という党の大衆叛乱への構えは幾多の問題をはらんでいる。われわれはこの点を検討することで、マルクス主義の近代主義的形態を解体するための、基本的な突破口を獲得しうるだろう。

レーニン主義のこの問題領域に対する諸視点を列記するならば、①大衆叛乱の根拠は問わない、それは飢餓や貧困、差別や抑圧から説明されたりもするが、重要なのは、大衆の叛乱が党的主体にとって外的な所与として措定されることである、②かかる自然発生的な大衆叛乱にとって、「政治」や「権力」の問題は常に自然成長的には到達不可能な領域であって、それをめぐる革命的意識は党的主体から外部注入されねばならない、③党はその外部注入を「宣伝」による他、「煽動」すなわち政治方針の提起によってなさねばならない、④政治方針は、自然生長的には決して権力に達しえない大衆叛乱を権力にむけて導く指針である、⑤政治方針の有効性はなによりも情勢分析の科学性によって保証される、⑥情勢分析の科学性は経済学、唯物史観などのマルクス的諸学の科学性によって基礎づけられている、等々。

老エンゲルスによる「科学的社会主義」の固定的強調は、レーニンの『なにをなすべきか』を経由しつつ、かかるコミンテルン＝スターリン的定式にまで典型化された。

確認しなければならないのは、コミンテルン＝スターリン的な「情勢分析―政治方針」主義的思考には、革命の意味への問いが根底的に欠如しているのではないかという一点である。大衆叛乱の根拠にあるのは、近代が奪いつくした行為の意味に対する実存的（個的実存ではない共同的実存）飢餓惑に他ならないとするのなら、革命の意味への問いを欠如したマルクス主義思考なるものは、その近代主義的形態として弾劾されなければならない。

マルクス的諸学の科学性に基礎づけられた情勢分析の科学性は、革命の意味を捉えることができない。かかる発想の近代主義的本質を批判的に対象化しようとするなら、次の諸点が明確にされねばならない。

革命の意味が情勢分析的思考によっては把握しえないことの根拠は、それが立脚するマルクス的諸学の、それが「学」である限りにおいて不可避な方法的限界にある。ルカーチが「壮大なる挫折の書」に他ならぬ『歴史と階級意識』において明らかにしたように、近代的世界の根源的特質は、実存と世界の背反であり、さらに労働力商品の創出を起点とする経済過程の合理的組織化、その自立的なる自己運動の円環的定在、それに規定された社会的・自然的事象の法則的自己運動の開始である。

ここで、次のような反論がなされるかもしれない。〝社会的事象が（国家・法にしても、知の諸形態にしても）経済過程の合理的組織化と自立的自己運動の開始によって合理化され、個体に対して自律化するのは理解できるが、自然的事象までが労働力商品の生産によって法則的自己運動を開始したとはいえないのではないか、たとえば、天体の運行は、なにも近代になってから法則的になったわけではない〟等々。しかし、こうした発想そのものが、まさしく近代的意識の産物なのであって、「環境的世界の内にある主観」による意味の了解を目指すわれわれは、労働力商品の形成が天体の運行をも法則化したと記述しなければならない。

認識対象のまったく純粋につくりあげられた形式概念や、数学的連関や、自然法則的必然性が認識の理念になると、認識は主体の関与なしに――客観的な――現実のなかではたらく、純粋な形式的連関や『法則』を、方法的に意識して静観するものに転化してしまうからである。だが非合理的・内容的なものをすべて排除しようというこの試みは、ただたんに客体に向けられるだけではなく、主体に向かってもますます鋭いかたちで行なわれるのである。静観の批判的な解明は、その静観自身の態度からすべての主体的・非合理的契機、またはすべての擬人的なものを消しさる方向にますます精力的に努力し、また認識の主体をますます『人間』から精力的に切り離し、純粋な――純形式的な――主観に転化するよう努めるのである。

（ジェルジ・ルカーチ『歴史と階級意識』）

ここで語られているのは、主として合理主義という形態をとる「知のブルジョア的（近代主義的）形態」の基本的限界である。「主観の関与なく法則的自己運動を展開する対象的世界に、ただ静観的にのみ関わる態度」、この悟性的な近代主義的認識の構えは、ただちに、カントの物自体に見られるような、実在に直面するやいなや、それを自らの説明しえぬ非合理として退ける態度と、さらに自己にとって外的な法則的自己運動体を、自己の利害にあわせて、部分的に利用するという態度をもたらす。この点についてルカーチは述べている。「一方では、合理化がますます現実のなかを貫徹し、現実のすべての現象がますますこの法則体系に組みこまれたものと考えられるようになると、それだけ、右に述べた予見の可能性が大きくなるということ、だが他方では、現実およびそれに『はたらきかける』主体の態度が、このような類型に近づけば近づくほど、それだけ主体は認識される合法則性の機会をたんに把握する機関に転化するのであり、主体の『能動性』もますます限定されて、自分の利害に合わせて、自分の意味のなかで、（自分から参与することとなしに）この機会が作用するような立場をとるようになることも明らかになる」。

近代における技術とは、この後者を意味するものに他ならない。ルカーチはかかる絶対的限界性に直面するブルジョア的知に対してマルクス主義的知を、「プロレタリアートの階級意識」「プロレタリアートの立場」という概念を梃子に正当化しようと試みたが、『歴史と階級意識』はこの課題に充分には応えきれていない。とはいえ、ここでルカーチが用いた概念装置はきわめて卓越したもので、『資本論』の主語をヘーゲル体系のエトヴァスと対比させつつ「賃労働者の実践的直観の立場」として措定する梯明秀も、さらにそれを「場所的立場」といいかえる黒田寛一も、すべてその亜流にすぎない。さらに宇野方法論が同じくルカーチの影響下にあるものとするならば、革マル派のほめあげる反スタ・マルクス主義者なるものは、例外なくルカーチ階級意識論の枠内にあるものと断定できる。
主客の同一性の弁証法によって主をプロレタリアート、客を資本主義的近代の社会経済構成と措定することから、プロレタリアートの階級意識においてブルジョア的な静観的認識は克服されうるというルカーチの論理は、結果としてプロレタリアートの物神化と、その必然的な帰結である党の物神化に陥らざるをえない。『歴史と階級意識』における「壮大な挫折」とは、近代（イデオロギー）批判の妥当性と、マルクス主義を近代主義から区別し、その優位性を了解するための作業の挫折を意味している。

『歴史と階級意識』を最高峰とするルカーチ哲学は、『なにをなすべきか』に代表されるレーニン組織論、すなわち自然発生性と目的意識性の相互規定、相互連関を本質論的に基礎づけようとしたものに他ならない。この作業にルカーチが失敗した時、レーニンからスターリンに至る情勢分析思考は、とめどない近代主義的退廃を深めていくことになる。

スターリンによる次のような発想は、ルカーチがかつて弾劾した、「知のブルジョア的形態」における悟性主義的静観と、いかなる点において相違しているといえるのか。

マルクス主義は、科学の諸法則をば――それが自然科学の法則のことであろうと、あるいはまた経済学の法則のことであろうと、いずれにせよ同じことだが――人間の意志に依存することなくおこなっている客観的な諸過程の反映として、理解している。人間はこれらの諸法則を発見し、それらを認識し、それらを研究し、自分の行動のうえでそれらを考慮にいれ、それらを社会の利益になるように利用することはできるが、しかし、それらを変更したり廃止したりすることはできない。

（スターリン『ソ同盟における社会主義の経済的諸問題』）

かかる近代主義的認識観、近代主義的技術観は「自然的対象に対する法則的認識―その技術的利用」を「社会的対象に対する法則的認識―その技術的利用」に安直にアナロジーする発想にいたる。

〝情勢分析の科学性が政治方針の有効性を基礎づける、したがって党的主体は、叛乱する大衆（大衆の自然発生性）に政治方針を与えることで、大衆を権力に導かなければならない〟という情勢分析的思考の近代主義的本質はすでに明らかだろう。物象化された対象的世界の自立的自己運動を法則的に認識するものとしてのヨーロッパ諸学にとっては、かかる対象的世界、かかる法則性、かかる「近代」への根源的否定性に他ならない大衆叛乱と、その意味するものは決して了解されえない。

もちろん、科学は叛乱の現象を説明することはできる。一九六〇年代後半の帝国主義本国内における大衆叛乱の激発を、「ＩＭＦ体制の危機」に還元し、ヴェトナム革命闘争を「第三世界における経済的危機」に還元することは可能だ。しかし、そうしてなされる叛乱についての〝説明〟は、革命の思考とは無縁のものにすぎない。叛乱の意味を了解する視点のない学的説明は、近代の裡にはらまれた自己否定性に他ならない大衆の自然発生性、大衆叛乱の現実性に対してついに外的でしかないからだ。環境的世界に生活する共同的実存が叛乱主体に転成する契機は、経済的窮乏や政治的抑圧ではなく（そうであったなら学的説明によって、革命の意味を捉えることはまったく可能だろう）、まさに共同的実存の「行為の意味への飢餓」に他ならないのである。

現象学の言語を用いるなら、マルクス的諸学による情勢分析は叛乱がいかに生起するかを説明しえても、叛乱がなぜ生起するかは了解しえない。デュルケムの物理的社会学以下的な情勢分析的思考は近代主義である。叛乱主体にとって問題であるのは、「なぜ」であって「いかに」ではない。説明ではなく了解なのだ。サルトルの『弁証法的理性批判』は、『存在と無』がハイデガーの『存在と時間』からの後退であるように、『存在と無』の存在論的関心からさえ後退している。集合的行為の意味は、階級から家族にいたる諸社会集団の法則的規定性からは了解されえない。いかに説明を緻密化したところで経済決定論から逃れることはできない。この対立は量的ではなく質的なのだ。

革命の意味を問うことの必要性は、かかる点において実践的な課題に他ならない。方法として現象学の、対象として存在論の止揚が求められている。叛乱は常に学的説明の彼方から到来するからだ。

2　マルクス主義の近代主義的形態

大衆叛乱としての革命の意味は、マルクス主義的な学的説明からも革命イデオロギーからも了解しえない。老エンゲルス以来の科学的社会主義によって、ヨーロッパ諸学の近代主義的な枠組みに押し込められてきたマルクス主義だが、しかし最初から革命の意味への問いを欠如していたのだろうか。

その思想形成過程においてマルクスは、はじめは革命の意味を〝人間の自己疎外からの回復〟として、次に〝発達した生産力にとって桎梏に転じた旧来の生産関係の再編成や再組織〟として、それぞれ捉えていたように見える。この二点を一面化することから、疎外論的な、あるいは構造論的なマルクス主義の近代主義的歪曲形態が生じてくる。

前者は『経済学・哲学草稿』の労働疎外論に、後者は『経済学批判』序文で定式化された唯物史観に典型的である。ここでは構造主義者から疎外論への、疎外論派から構造主義への批判を、マルクスの原典を参照して検討することはしない。われわれが確認すべきは、一見対立し合っているかに見える両者が、その近代主義的本質において共通する点だ。

理論とは、科学的性格をもついっさいの理論的実践である。「理論」とは、現実に存在している科学の一定の理論体系（所与の時点において多少とも矛盾している統一体での、その基本的な諸概念）であり、たとえば万有引力の理論、波動力学、など（略）あるいはまた「史的唯物論」の理論をさす。

（ルイ・アルチューセル『甦るマルクス』）

この構造論的マルクス主義の代表的理論家が、ニュートン力学の法則と価値法則とを混同する時、スターリンと同じレヴェルの近代主義的錯誤におちいっていることは明らかだろう。ある構造から別の構造への転化を革命の意味として捉える立場の基底は、生産力主義に他ならない。生産力の際限ない拡大と、その有効な組織化を革命の意味とする立場は、その対極形態として一見対立しているかに見える疎外論的立場と、近代主義的本質において共通する。

生産力の発展に革命の意味を見出す立場は、「類的本質の自己疎外と自己回復」という疎外論的立場と、労働実践をめぐる近代主義的発想において本質的に同一である。労働実践を、「人間の内的諸力の対象化」として把握する発想は、初期マルクス（『経済学・哲学草稿』）から後期マルクス（『資本論』）に至るまで一貫している。こうしたマルクスの労働観を基軸としてマルクス思想を体系化する時、マルクス主義の近代主義的頽廃形態が一方に疎外論として、他方に構造論として産出される。

「労働実践が人間の本質的諸力の対象化である」とする立場からは第一に、対象化された労働生産物が、主体にとって外的な疎外態に転化するが故に（類的本質の自己疎外）、革命の意味はその疎外からの解放にある（自己疎外からの自己回復）という、疎外革命論が導かれる。第二として資本に組織された労働による高度な生産力が、資本主義的構造（生産関係の総体）においては有効に活用されえないため、新たな構造に解体・再編するところに革命の意味がある、という経済主義革命論が形成される。『経済学・哲学草稿』のように人間の本質を労働として規定しようと、『フォイエルバッハ・テーゼ』のようにそれを「社会関係の総体」としようと両者の基底にある労働観は同一であり、近代的世界と労働との連関措定の点で両者に本質的対立はない。人間の内なる諸力にヒュポケイメノンするか、対象化された定在にヒュポケイメノンするかの差異が、疎外論と構造論の分岐点となるにすぎない。

ハイデガー流にいうならば人間の上に存在するすべてのものが、その存在と真理というあり方においてすべて人間に基礎づけられる時代、あるいは人間が初めて独自のズプエクトゥムとなることによって、人間存在の意味が本質的に変化する時代、これが近代である。いいかえるなら近代とは「世界像の時代」に他ならない。

世界像とは、本質的に解すれば、それゆえ、世界についてのひとつの像を意味するのでなくて、世界が像として捉えられていることをいうのです。存在するものはいまや、全体として、そのように受けとられているので、それが、フォアシュテレントーヘルシュテレント、表象的ー生産的人間によって配置されている限り、存在するものはやっとその限り、存在的であるのです。存在するものが世界像となる場合、存在するものについて全体として、本質的な決定がおこなわれるのです。（略）世界が像となり、人間が主観になるという、近世の本質にとって決定的なこの出来事の交差は、近世史の一見ほとんど矛盾するような根本的な出来事に同時に光を当てます。すなわち、世界が征服されたものとして、ヨリ包括的に、ヨリ徹底的に処理され、オブエクトがより客観的に現われれば現われるほど、それだけますます主観的に、言いかえればヨリ前へ前へと、ズプエクトゥムが立ち上り、ますます止めがたく世界ー観と世界ー論とは、人間論へと、人間学へと変貌するのです。

（マルティン・ハイデガー『世界像の時代』）

ハイデガーによれば世界が他ならぬ対象的世界として、存在が他ならぬ表象されてあるものとして、すなわち「像」としてあらわれてくるのは近代に固有の出来事である。知のブルジョア的形態として主観主義と客観主義が対極的に生じるのも、「世界像の時代」である近代に個有の人間と世界のあり方による。

ハイデガーが「世界が像となるや否や、人間の立場は世界観として把握されます」と語るように、近代主義の本質的な規定は「世界観」である。こうした意味ではマルクス主義的な疎外論も構造論も、近代主義的な世界観に他ならない。

ハイデガーの「世界像の時代」をマルクスの言葉で言い換えるなら、「労働実践が形成した世界」になる。「近代のブルジョア的確信は、この世界が近代の労働によって開示された世界であり、労働という対象的活動によって開示しえないような世界は原理的にありえないと自負している」（長崎浩『叛乱論』）。かつて世界は超越者から与えられたものだった。近代において世界は労働実践の産出物に他ならない。「主体が産出したものである以上、客体は原理的に認識可能である」という確信こそ、プロテスタンティズムからサルトルの『弁証法的理性批判』までをも貫ぬく、近代主義的認識観の基底といえる。

労働実践が世界を形成したという確信は、「人間が主観に、世界が像になる」ことに対応する。世界としての世界は、まさしく世界資本主義の形成（マルクスによれば「日本の開港」がその指標となる）によってのみ創出されえた。このことは西欧において生じた近代が世界的に膨張したことを意味する。あるいは西欧において形成された資本主義的関係性が、地球大に拡大したことを。

近代主義イデオロギーの端初的形態であるピューリタニズムの革命性は、なによりも、「神から与えられた世界」という中世的世界観に抗して、「労働実践が開示する世界」という労働実践にヒュポケイメノンする世界観を対置した点にある。プロテスタンティズムと資本主義の関連については、マックス・ウェーバーの『プロテスタンティズムの倫理と資本主義の精神』において詳細に検討されている。ここでは少なくとも、プロテスタンティズムが中世的な「超越者との呪術的コミュニケーションとしての労働実践」を、「人間の行為」とした点は確認しておかなければならない。主体と客体を労働実践において媒介する発想、労働実践の対象化作用が世界を形成するという発想は、その本質において近代的である。

労働が抽象的人間労働となり質的なものが量化され、いっさいが合理的な計算可能性を原理として組織されることで、近代的な労働実践は創造神からその権能を剝奪し、世界の創造をさえも自身の業として誇示するにいたる。近代的労働実践はその生産物を商品化し、その主体をも商品化することで、完璧な形式的合理性を世界におしつける。経済過程の合理的・法則的な自律的自己運動は、ハイデガーが語るように人間を初めてズプエクトゥムとし、「人間が主観に、世界が像になる」時代、すなわち近代を拓く。世界は対象的世界となり、「まえに立てながら・こちらに立てるという・形像（フォアシュテレント・ヘルシュテレント・ゲビルト）」となる。世界からいっさいの闇が追放され、世界の諸事象はすべて認識可能なものと見なされるにいたる。

労働実践による世界形成によって「人間が主観に、世界が像になる」。結果として主観には像を認識する無限の可能性が与えられ、ヨーロッパ諸学の技術化が不可逆的に進行する。世界の技術的対象化は労働実践による世界形成を無際限的に拡大していく。

これまでもスターリンによる、あるいはエンゲルスによるマルクス主義の科学主義的歪曲や俗流化を弾劾する反スターリン主義哲学者は存在した。しかし彼らは労働実践による世界形成と、類的な対象化作用としての労働実践を疑ったことはない。言うまでもないだろうが、事実として労働が大気と大地からなる世界を形成したわけではなく、主観が世界を「像」として「まえに立てながら・こちらに立てる」にすぎない。『経済学・哲学草稿』から『ドイツ・イデオロギー』を経て『資本論』にいたる、マルクスの思想的発展過程を基軸的に貫くものとして、こうした労働観を見いだしてはならない。この労働観を護持する点で、人間主義的マルクス主義と科学主義的マルクス主義はマルクス思想の近代主義的退廃形態として双生児的な関係にある。

われわれに要請されているのは、革命の意味を了解しえない情勢分析的思考と、その背後にある近代主義的労働観を破砕することである。人間の本質的諸力の対象化作用たる労働実践が形成した世界は法則的だから、あらゆる事象は科学的に説明可能であるという近代主義的思考を破壊しなければならない。

こうした観点は俗流化されたマルクス主義、とりわけ唯物史観と正面から対立する。われわれの立場は、「ギリシャの学問は決して精密（エクサクト）ではなかったし、つまりそれは、その本質からいって、精密ではありえず、また精密であることを要しなかったのです。それだから近代の学問が、古代の学問より、もっと精密であると考えるのは、およそ意味がないのです。それだからまたガリレイの落体の法則が真であり、軽い物体は上に向かおうと努めると説くアリストテレスの教えが偽である。ということはできません」「存在するものの近代的な捉え方が、ギリシャ的な捉え方よりもっと正しいということは、なおさらできません」というハイデガーの発言を正統的に踏まえるものでなければならない。

能動的に自然と関わることで、人間は個と類の再生産を維持しうる。こうした事実を否定することはできないし、その必要もない。しかしこの事実的関係を誇大に評価して、世界認識の基底にすえるという発想は近代主義である。近代人の前に、世界が対象的世界としてたちあらわれることは否定しえない。そのような世界には、法則的認識や科学的説明が可能であることも。しかし科学的説明をいかに精密化しようと、われわれがルカーチ風にいえば「全体認識」、ハイデガー流にいえば「存在了解」に達しうるわけではない。そのためには世界を「まえに立てながら・こちらに立てる」ものとして、すなわち「像」として、あるいは合理的な法則的自己運動をくりかえす客体として捉えるのではなく、世界を意味の連鎖にまで還元しなければならない。事実的な世界を意味的な世界に方法的に還元すること。

環境的世界に生きる共同的実存の受苦的定在がもしも解放されるならば、それは「知は力なり」という近代主義的確信に屈することによってではない。環境的世界の科学的な「像」化の産物であるレーニン的な「意識性」を外部注入され、「意識を高める」ことによってでもない。科学的社会主義に立脚する情勢分析的思考の反動性はまさにこの点にある。近代の宿命が世界から意味を奪いつくし、世界をひたすら「像」化するところにあるとしたら、失なわれた意味への飢餓による大衆叛乱は不可避だろう。前衛党が大衆を啓蒙して階級意識やプロレタリア的「世界観」を獲得させることなど、近代への絶対的否定性である大衆の自然発生性に敵対する作為に他ならない。党として大衆叛乱に応えるとは、革命の意味を了解し、その深甚な実存的飢餓に共鳴することでなければならない。そうした共振作用だけが大衆叛乱を近代の解体にまで永続化しうる。

近代の深まりゆく荒廃によって、科学的社会主義と情勢分析的思考の解体は否応なく進行している。その例示として次に、日本マルクス主義の近代主義的形態の極北ともいえる宇野弘蔵の経済学方法論を検討したい。このスタティックな科学主義者の内部にさえ、革命の意味への問いは逆説的な形ではあれ浸透している。

3　宇野経済学方法論と革命論論争

マルクス主義の近代主義的形態というよりも、近代主義のマルクス主義的形態と規定したほうが正確であるスターリン主義経済学に対して、宇野弘蔵はマルクス的諸学の中枢であるマルクス経済学をブルジョア的な諸学から、その優位性の確認とともに原理的に区別することを試みた。マルクス主義を学的形態にとどめたまま近代主義との相違を明らかにしようと努めた宇野の試みは、挫折に終わったとはいえ検討に価する成果を残している。

前節において明確化したように、スターリンの法則論や科学論は近代主義のそれと本質を共有している。

『歴史と階級意識』でルカーチは、第二インターナショナルを影響下に置いた「正統的マルクス主義」の科学主義を批判的に踏まえつつ、「物象化は近代に特有の問題だ」とすることから、自然的諸事象の法則性と社会的諸事象の法則性の相違を原理的に明らかにした。社会的諸事象とりわけ経済的諸事象の法則性を商品形態の構造化にもとめる視点から、近代科学成立の歴史的特質とその根拠を解明する『歴史と階級意識』のルカーチ理論を、経済学領域に限定しながらも宇野弘蔵の経済学方法論は引き継いでいる。

宇野は「経済原則自身は決して経済法則をなすものではない。ただ商品経済のみがこの経済原則を経済法則として実現するのである」（『経済学方法論』）とする。

経済学は、その研究対象を商品経済という特殊の形態規定のうちに展開される経済過程に与えられるのであるが、しかしそれが資本家的商品経済という特定の歴史的過程としてあらわれるまでは、独立の学問となることはなかった。商品経済は、自然に対する人間の活動を、その特殊の形態を通して、人間自身に社会的に反射してくる客観的な法則にしたがう過程として実現するということが、その科学的研究を必要ならしめたのである。（略）かくて経済学は、自然科学と異なって外的な自然を対象とするわけではないが、しかし人間の目的活動自身によって形成せられる過程が、外的過程として、特殊の法則性をもってあらわれ、その研究対象をなすことになる。

ここからも宇野が、ルカーチの法則論や科学論を踏襲していることは明らかだろう。この場合に重要であるのは経済法則の歴史性、あるいは法則的世界（これは「世界が像となる」際の不可避的な帰結なのだが）の歴史性を、あくまでも労働力商品の問題を焦点として解明しようと努めた点である。労働力の商品化によって、商品形態はたんに流通過程のみならず生産過程をも包摂する。それまで多かれ少なかれ非合理な、あるいは恣意的な要素を含んで運動していた経済過程が、全体として合理的・法則的な自立的なる自己運動を展開することになる。

　科学と法則を「資本家的商品経済社会」である近代社会との有機的連関のもとに把握する宇野は、そこから「原理論の完結性」と「三段階論」、そして「資本主義の基本矛盾としての労働力の商品化論」、「人口論に立脚した独自の恐慌論」などを導くにいたる。

　宇野は原理論の完結性を強調する。労働力の商品化の矛盾によって自己運動し、周期的に到来する恐慌によって矛盾の現実的解決を果たしながら永遠に存続するかのような「純粋の資本主義」像は、宇野の法則観と科学観の方法的展開でありその帰結でもある。法則性と科学性を正しく把握しえたことから、宇野は、革命の科学的根拠を論証することはできない、という反マルクス主義的な画期的結論に達する。「革命の科学的根拠の放棄」がラディカルな科学主義の極限的な結論だった。

　宇野経済学方法論のこの結論をスターリンのレヴェル、あるいは第二インター時代の新カント派マルクス主義のレヴェルにまで引き下げることを目的としてなされる、いっさいの批判は無効である。そうした凡百の批判に対しては、宇野経済学方法論は擁護されなければならない。

「革命の科学的根拠の放棄」が科学主義の極北から成長してきた経緯は、おおよそ次のように理解できる。

　労働実践によってひらかれる「像」としての世界は、主観の意志とは無縁な自律的自己運動を法則的に展開するのだが、これは近代特有の物象化の現象に基礎づけられている。世界は物象化されている限りで法則的自己運動を展開する、したがって世界は物象化されている限りで法則的に認識可能なものとなる。反覆する現象に法則性を見出すのが学的認識に他ならない。いいかえれば「現象相互の間に恒常的な諸関係を確立する」のが学的認識であるなら、それは世界が「像」として立てられ、世界が物象化されている限りにおいて可能である。しかしながら革命とそれを目指す大衆の叛乱は、物象性としての世界に対する、すなわち近代に対する叛乱であり革命である。したがって革命の、あるいは叛乱の意味と根拠は、学的認識の外に見出されなければならない。

要約しよう。世界が物象化されている限りにおいて有効であり可能である科学は、物象性としての世界、「像」としての世界それ自体に対する叛乱、その解体をめざすものとしての革命を原理的に把握しえない。大衆叛乱の現実は科学にとって外的であり不可解である。叛乱は科学の存立基盤たる「像」としての世界を打ち倒すのだから。

宇野経済学方法論は、マルクス主義を科学として極限にまで純化することによって、叛乱と革命の根拠を科学が明らかになしえないことを明確にした。革命の科学的根拠を体系の外部におし出すことによって、宇野経済学方法論は科学主義的思考の絶対的限界性を明るみに出すのである。

宇野経済学が身をもって明らかにした方法的限界を、革命の意味への問いに他ならぬ革命論に無自覚的に密輸入する傾向性が一部に存在している。この問題に論点を移すことにしよう。

ブントの内部論争を発端として、革命論をめぐる論争が展開されている。綱領論争と称されるブント内論争は、その到達水準から見るならばあまりにも貧弱な内実しか持っていないのだが、六〇年代型党派中最「大」の理論主義派として情況の一面をあらわしてはいる。

六〇年代後半の世界史的な大衆叛乱の激発は、先にも指摘したように没イデオロギー性にきわだった特質がある。その没イデオロギー性は、行為の意味に対する大衆的飢餓を反映したものに他ならず、疎外論＝人間主義や構造論＝科学主義による近代主義の枠内での革命の意味づけを、根源的に拒否するものとして生じていた。六〇年代の新左翼運動は、かかる没イデオロギー的大衆叛乱に即自的に依拠することによって、社会的・政治的なヘゲモニーを組織しえた。「理由なき反抗」とも呼びうる没イデオロギー的大衆叛乱は、われわれに革命の意味への問いを要求している。この問いに答えることなしには、六〇年代ラディカリズムの永続的展開を可能とすることはできない。ラディカリズムでもファシズムでもありうる大衆叛乱の、その根拠を了解しきることが、六九年秋期政治決戦の敗北を転機として新左翼主体に課せられるにいたった。綱領論争や革命論論争は、こうした情況の即自的反映として展開されている。

たとえば「革命の科学的根拠」は原理的に説きえないことを明確にする、まさにその一点で決定的重要性を獲得した宇野三段階論を、こともあろうに革命の意味への問いに他ならない革命論に横流しする発想がある。

「革命論そのものの継承と連関に関しては、本質論としてマルクス革命論、特殊段階的本質論としてのレーニン革命論、特殊段階的本質論（レーニン革命論）の現実形態論的適用としての我々のそれ（＝世界一国同時革命論）という基礎視座がすえられた。そして戦略論の場合には、本質論としての資本論、特殊段階論としてのレーニン帝国主義論、特殊段階論の現実形態論的適用としての過渡期世界論に媒介された我々のそれ、という連関が与えられた。これ等はいずれも我々が革命論ないしは戦略論を構築してゆく場合の思惟の上向過程を提起したものに他ならない」（日向翔『革命論構築に向けて』）という発想に典型的なネオ・ネオ・ヘーゲル主義的革命論は、宇野三段階論の有効性と限界性をまったく理解しえない近代主義的本質を自己暴露している。

日向の科学観は、「その場合我々がそこで言う科学とは、全宇宙的必然性としての対象的事物が作り出す法則性を、人間主体が対象物に認識し、法則としてつかみとったもののうち、客観的真理という規定性を論証・実験など、すなわち実践により付与されたものの体系と考えたい」などという、まさに法則が近代的世界認識の構えによって「創造」されたものであり、したがって科学は近代主義的知の一類型にすぎないのだということを理解しえないスターリン以下的な水準にある。基礎的存在論も踏まえることのない「論理」＝本質論、「歴史」＝段階論、「空間」＝現実論などの類推が、そもそもの初めから検討に価する内実を持たないことは明らかだろう。

さらに、「社会の法則性が人間意識から独立して客観的に存在するという事実と、他方社会のこうした法則性の認識によって把握された経済法則の実体が人間であることを区別して考えるならば、（略）そのような経済原則の経済法則としての貫徹の形態を対象的に認識する作業を媒介として、はじめてそれとの関連において、もろもろの関係域が明らかにされてくるということだ」などと弁解めいた注釈を加えたところで問題点は少しも改善されない。

「全宇宙史的必然性がつくりだす法則性」などと梯哲学を無批判に流用している限り、第二の自然が法則的なる自律的自己運動を開始するにおよんで、第一の自然もまた同様に静観するための方法的立場が成熟してくるという、ルカーチ＝ハイデガー的観点は獲得されえないのである。「経済法則の実体は人間だ」というのは、そもそも黒田寛一の主張するところに他ならないが、学的説明（知解）に「場所的立場」を接木すれば革命の意味（黒田の場合、それは疎外論的にあらかじめ措定されているのだが）に達しうるという発想こそ、大衆の叛乱と革命の意味に敵対する立場に他ならない。革マル派が大衆の自然発生性を、自派のスタティックな同心円的拡大に有効活用すべき資源と見なすように。

しかしながら問題は、日向流のネオ・ネオ・ヘーゲル主義を批判する神津陽の方法が、これまた近代主義の枠内から出ようとしない点にある。神津は、方針の根拠は科学性にあるのではないとしながらも、その根拠を形相的直観に措定するのではなく、これまた市民社会を礼讃する近代主義者の平田清明などに依拠しようとする。

『資本論』の方法は、世のネオ・ネオ・ヘーゲル主義者が語るような「現象―実体―本質」の「下向的認識」などではない。主語（エトヴァス）に「賃労働者の実践的直観の立場」を措定し、単純商品から問題を説きおこせば、あとは「帰納と統計的処理」だけで「諸階級」にまで自動的に論理展開がなされる、などということはありえない。多数の事例から一つの法則を帰納することはできないからだ。法則の真理性は法則が拠っている事実の量に由来するのではなく、法則が事実にもたらす明瞭さに関わる。『ヨーロッパ諸科学の危機と超越論的現象学』においてエドムント・フッサールは、ガリレイは落体の法則を、多様な経験から出発して普遍的なものを帰納することによって得たのではなく、形相的直観によってあらかじめ了解していたのだと指摘している。本質はまず想像的変容によって得られ、次に現実的変容（実験など）によって確認される。

フッサール現象学の提起を踏まえるなら、『資本論』もまた形相的直観によって本質が得られた後、諸々の論理展開という現実的変容がなされたとしなければならない。ネオ・ネオ・ヘーゲル主義者に対して、こうした批判を『資本論』解釈においても展開するのでなければ無力である。

神津によれば、「『資本論』そのものは、一方では経済過程分析（原理論的純化の対象）としてのみ捉えられるのではなくて、経済過程―社会過程を包括する市民社会総体の批判として捉えられねばならず、初期における唯物史観の確立、宗教―国家批判と共に巨視的な人類史の内での『資本主義社会』の内実を明らかにし、新たな社会主義社会（個的＝共同体的所有、意識、主体の形成）の歴史的条件を解明する人類史の豊富化＝綱領的内容把握の最も優れた武器として位置づけられる」（神津陽『蒼氓の叛旗』）。このように神津は、宇野が科学主義的『資本論』読解を極限的に展開する中で逆説的に鮮明化しえた法則と科学に関する諸問題、とりわけ「革命の科学的根拠は説きえない」という結論を、「人類史」の大海に流して消去してしまう。『学問』そのものは、人類史の総過程における文化史の一端を担うにすぎない」などと、学的知解の近代的規定性に完全に無自覚な発言をする根拠もここにある。

「現状分析の科学性は、原理論と段階論の適用によって示されるものではない。なぜなら、世界観や資本主義観と異なり、現状分析そのものが、具体的政策決定の欲求から成立しており、科学性は後から『説明』の内容として登場するのである」「現状分析そのものは、空間的な現時点における場所の広がりにおける全世界の把握であり、それのもっている意味は、過去からの蓄積と、経験と、統計と、推論とで測られる」という具合に、現状分析の根拠を「科学性」から引き離すのはいいが、神津は結局のところ、それを分析の蓄積や経験などの恣意性の裡に放置するのである。

対象的世界も大衆叛乱も、神津の共同体論によっては解明しえない。このように一見して明らかな革命論論争の低水準は、宇野経済学が明確化した「革命の科学的根拠の放棄」の意味を理解しえていないことに根拠がある。この低水準をのりこえて、われわれは革命の意味を問う立脚点を獲得しなければならないのだが、その際、われわれの問いを根底において捉え返す契機は、形成されつつあるものとしての「第三世界」の発見に他ならない。いっさいの近代主義の特質は、第三世界という現実を方法的に内化しえない点にこそある。

4　近代の絶対的限界性――第三世界

戦後思想史上画期的な意味を有した著作『叛乱論』で、長崎浩は「こうしていま、近代における無数の叛乱が何であったかがみえてくる。たとえどんなに地域的でとるにたりないものであっても、叛乱は近代そのものへの叛乱なのだ」と語っている。

近代世界がその根拠を失わない限り、近代の根拠にかかわるものとして叛乱はつねにある。叛乱が権力を獲得するかいなかは叛乱にとってなお本質的なものではない。叛乱の歴史は、権力の展望なき永遠の叛乱の連鎖であったし、これからもまたそうであろう。レーニン主義からアナキズムまで、叛乱のヘゲモニーが叛乱をとらえあるいはとらえそこなったとしても、近代への叛乱はなお存在しつづけるのだ。

この提起の鮮烈な印象の根拠は、「叛乱は近代そのものに対する叛乱なのだ」「叛乱が権力を獲得するかいなかは叛乱にとってなお本質的なものではない」という〝無謀なる断定〟にある。新左翼の情勢分析的思考が六〇年代後半の羽田から日大・東大へ、日大・東大から一九六九年秋期政治決戦にいたる大衆叛乱の根拠を摑みそこない、ひたすら「行動の積極性」にのみ依拠して叛乱のリアリティに追従する以外なかった時、この長崎の提起は圧倒的な鮮烈さでわれわれに迫ってきた。ルカーチからハイデガーにいたる「近代批判」の方法を継承し、叛乱を学的説明の対象としてでなく、主観にとって了解されるべき体験として捉えるその構えは、今も深い正当性をもっている。しかし『叛乱論』では解明が放棄された問題点が存在する。

第一に党と権力の問題、より広いパースペクティヴのもとにおき直すならば、近代における叛乱と政治の問題である。「近代の合理性の囲繞の中で叛乱は生きつづけなければならないということである。心情の叛逆でも個人的な憤死でもなく、まさに政治として叛乱は革命でなければなるまい。かくして叛乱＝革命は権力に対抗しうる物質力であり、また知的、道徳的能力であることが必要となる。革命は『戦略』や『戦術』を生みだし、叛乱を未来にむかってみちびいていかねばならない。こうして、叛乱にヘゲモニーの問題が生じてくる」。長崎は叛乱とヘゲモニーの関係をこのように述べる。

しかし叛乱にとってヘゲモニーはやはり外的なものであり、現実態としてヘゲモニーが「党」という定在において叛乱に対する時、ほとんど必然的に叛乱は頽落する。長崎によれば「アジテーターはまた叛乱のテクニシャンとなる。これは叛乱のヘゲモニーが近代の権力にはむかうために飲み下さなければならない近代の毒である。党は近代の合理性の地盤でこれと闘わなければならない。人間関係の規定性を止揚するに叛乱の内部に規定性をもちこむことをもってしなければならない。この背理こそ、叛乱が叛乱のヘゲモニーである時に示す宿命的な頽落の姿である」。

第二に叛乱を没イデオロギー的に措定することから生じる、ファシズムとラディカリズムとの原理的区別の放棄である。長崎が依拠する「近代への告発者」ハイデガーが、ファシズムの大衆運動に自身の哲学の実現を見出だそうとした根拠を、われわれは明らかにしなければならない。ファシズムに指導された群集の蜂起は近代への叛乱に類似した性格を持つが、しかし、この二つはまるで正反対のものであると語る。「ファシズム大衆の情緒的高揚は、いわば詩精神にまで高まることはたえてなかった。それというのは、ファシズムの叛乱にはもともと叛乱の内的構造などは存在しないからなのだ。いってみればファシズムの叛乱は指導そのものである。しかも、指導はテクノクラートの指導とは違って、非合理主義的な強制を意味していた。ファシスト大衆の非合理的な自己破滅の情緒が直線的指導をうみだし、かつこの強制を受けいれたのだ」とし、結論的に「前衛党の所与としての叛乱は、決して非合理主義の自己運動なのではなく、そして党もまた近代の合理的過程の非合理的強制とは反対のものなのだ」と語る。

この長崎の論理は弁解めいている。他の部分では退けているマルクス主義的テーゼの先験化を、ここでは密輸入しているからだ。〝金融資本主義の最も反動的な政治的上部構造〟としてのファシズムは〝共産主義をめざす〟大衆運動に対立するという区別を暗黙の裡に先験化することでしか、〝ファシズムは近代の枠内にある〟という結輪は導かれえない。この結論はそれ自体としては誤りでない。とはいえ、大衆の自然発生性をイデオロギー的に染色した上で、ファシズム運動は反動的でありコミュニズム運動は進歩的だから両者の性格は正反対であるというような、近代派マルクス主義者の駄弁は粉砕されねばならない。歴史的に見ても、こうした近代主義者こそまっ先にファシズムに屈服している。人民戦線派の近代主義者とは違った意味であれ、長崎もまたファシズムとラディカリズムの原理的対立の非和解性を明らかになしえてはいない。

第三は、叛乱の意味を情勢分析的思考から解放はしたけれども、それに替わる方法を提起しえていない点である。『叛乱論』から核心的な箇所を引用しよう。

近代が存在するものすべてに対象化の形態をおしつけているのも、労働という行為によって人間がもたらしたものであり、一度この行為が形式化を拒否するならば近代の世界像が存在にかけた魔法は消えうせる。近代の魔術は近代の世界像を切り裂き、その背後の闇を血のように噴出させることによってしか解けてこないのだ。かつて現象学は意識の決意性によるこのような切解の方途を教えてくれた。このとき、世界の意識対象の親しさはにわかに瓦解しすべりさっていき、世界の根拠としての無が明るみに出されたのだった。たしかに、個人的主観性の極みで、かえって近代の世界像の崩壊が経験されるという発見はおどろくべきことだ。けれども、かかる決意性の瞬間を「世人」大衆が経験しておらず、非本来的な日常世界に頽落してしまっていると考えるのは愚かしい。むしろ、本来性への志向はまさに「本質への飢餓」として大衆の次元で生きている。

長崎は結論的に語る。「実際、何か鮮烈なものへの希求が、日常世界のそこここでくすぶりつづけている。政治が、こうした大衆の飢餓意識を行為のうちにとらえたとき、それはまさしく近代への叛乱となる」。こうした発想は新鮮だが、「本質への飢餓」の内実が解明されているとはいえない。

そして今、われわれは『叛乱論』の限界性を超えるための立脚点を獲得したように思う。「第三世界解放革命の現実」こそ、獲得された立脚点に他ならない。

大衆の革命的自然発生とは、近代の裡にあって近代の限界性を日々証し続ける、近代の自己否定性に他ならない。かかるものとしての近代の自己否定性を、長崎が大衆叛乱として捉え返し大衆叛乱の意味を了解しようとした時、暗黙のうちに想定されていたのはパリ・コミューンやロシア革命やスペイン革命だった。同時代的にはフランス「五月」、あるいは六〇年安保闘争と六〇年代後半の戦闘的大衆闘争というわれわれ自身の経験でありえても、中国革命やヴェトナム革命、アルジェリア革命やキューバ革命ではない。むろんのこと、インド大反乱や太平天国の乱ではありえない。ここにわれわれは『叛乱論』の限界性を見る。

近代は対象的世界を創造した。世界市場の成立によって、環境的世界と「世界」は初めて擬制的にもせよ一致するにいたる。主観がそこに投げ込まれている環境世界としての諸々のレヴェルでの共同体は解体・再編され、世界市場に編入される。対象的世界としての近代は、まずイギリス一国で国民的基盤を獲得した。「ブルジョアジーは、すべての生産用具の急速な改善により、きわめて容易になった交通によって、あらゆる国民、もっとも未開の国民さえも文明に引きいれる。彼らの安価な商品は、中国の城壁をも粉砕し、未開人のもっとも頑固な排外心をも降伏させた重砲である。ブルジョアジーは、すべての国民に、滅亡したくないならば、ブルジョアの生産様式を採用するように強制する。一言でいえば、ブルジョアジーは自身の姿ににせて世界をつくる」（マルクス＝エンゲルス『共産党宣言』）。しかし問題はここにある。「資本の自己運動」をいっさいの基軸として編成される資本主義社会は、イギリス一国から世界大に拡大されたのだろうか。一八四八年革命に敗北するまでのマルクスは、「今日のイギリスは明日のドイツ」という類の発言を数多く残している。「今日のイギリスが明日のドイツ」であるならば、「今日のドイツは明日のアジア」でもあるだろう。

しかし、資本主義近代は、ついに世界を対象化しきることができなかった。イギリスを起点とした資本の自己運動による社会の全体的編成は、二〇世紀の初頭の時点でヨーロッパ、アメリカ、そして日本の十数カ国を獲得したにすぎないし、今日にいたるまでそのメンバーは増加していない。

資本主義国にとって資本の自己運動は構造的である。そこで資本は、流通過程のみならず生産過程の支配者でもある。しかし広大なアジア、アフリカ、ラテン・アメリカの非資本主義国にとって資本の支配は外的である。それらは、世界市場という国際的流通過程に編入されている限りで、資本の支配下に置かれるにすぎない。そこでは資本は生産過程の支配者ではない。マルクスが上昇期の資本主義の動向から外挿して判断した事態は、ついに現実のものとはならなかった。ブルジョアジーは自分の姿に似せて世界を創造することに失敗した。日本の資本主義的離陸を最後に、近代はその絶対的限界性に直面したのである。

このようにして「第三世界」が世界史的に形成された。第三世界は「ある」のでなく「なる」。それは今日も試行をくりかえしながら、自己を形成しつつある。その端初は、世界市場が円環として閉じられようとした時だった。東洋的ユートピアの観念による太平天国の乱をはじめとして、植民地化の暴力と世界市場の圧力に抗して溢れ出た各地の民衆叛乱は一世紀の間成長を続け、ついに「民族解放・社会主義」にまで自己形成を遂げた。近代知には不可解きわまりないこの異様な世界こそ、大衆叛乱の世界史的母胎に他ならない。

第三世界の叛乱は近代派マルクス主義の退廃を現実的に超克している。そこで技術は技術であることを、科学は科学であることをやめる。近代が対象化し終えることのできなかった、近代という光の及ばない第三世界の闇の領域では、近代が「技術」と呼び「科学」と呼ぶものもまた絶対的に変容する。われわれの結論は、「革命の科学的根拠」を放棄し、「方法としての第三世界」（津村喬）に向かうこと以外にない。

長崎浩の三点にわたる問題点は、ここに解決の方向性が見出だされるだろう。ロシア革命をモデルとした叛乱とヘゲモニーの関連措定は、今や決定的に不充分である。毛沢東への「個人崇拝」に眉をひそめるマルクス主義者は近代主義者である。今の中国から「個人崇拝」なるものを抜き去るなら、なにが残るだろう。毛沢東主義は、近代派マルクス主義者が忘却した「革命の意味」を、中国風の様式で大衆に提起している。毛沢東主義は政治として大衆の飢餓意識を行為の裡に把捉し、それを近代への叛乱として組織する方法に他ならない。われわれ帝国主義本国民は、本来の意味で毛沢東主義者になることはできないが、こうした自覚は毛沢東主義への評価をいささかも低めるものではない。

第三世界では大衆叛乱がファシズム運動に転化する可能性がないし、「本質への飢餓」の方法的反省は、第三世界に対する方法的反省と等価である。第三世界解放革命の炎を煉獄としてくぐり抜けることなしに、われわれは近代への批判を完遂することができない。

第四回大会路線に従って、共労党／プロ学同は日本原や北富士をはじめ全国各地で叛軍・反基地拠点闘争を推進した。学生同盟という階層別組織は反帝拠点闘争に不適合だという事実が、その過程でしだいに明確になってくる。岡山県党と岡山大学や島根大学のプロ学同が、あるいは静岡県党と静岡大学のプロ学同がブロックを形成して、日本原闘争や北富士闘争に取り組んでいた。同じような事態が全国で進行し、学生自治会を基礎とする戦後学生運動はすでに終焉していた。

全共闘運動の敗北後、大学キャンパスでは戒厳令状態が続き、大衆的な学生運動は封じこめられた。新しい活動家は大学からではなく地区的に組織された叛軍闘争委員会や入管闘争委員会から登場してくる例が目立った。もともと大学拠点が弱体だった東京プロ学同の場合、その傾向は関西よりも歴然としていた。そのため中央指導部として各地の大学拠点を廻ることは稀で、委員長としての仕事は全国全共闘書記局での統一戦線活動と、東京での反帝拠点闘争と組織建設が主となる。

こうした事態を背景として七一年春の党中央委員会総会では、プロレタリア学生同盟の地区青年同盟への段階的再編という方向性が決定される。その後、京都や大阪ではプロレタリア青年同盟、東京では赤色戦線として地区青年同盟は組織化されていく。もともと赤色戦線は統一会議に代わるプロ学同の大衆組織の名称だった。東京では、それを地区青年同盟の名称に流用したことになる。

共産主義労働者党はドイツの左翼共産主義者の党だから、その下部組織の名称は赤色戦線がふさわしい。そうした発想から提案したのだが、東京の学生・青年活動家には好評で、北部、南部、中西部、三多摩の四地区に赤色戦線が設立されていく。

新宿叛軍の活動家と法政大、中央大のプロ学同支部が合体して、翌年には中西部地区赤色戦線が結成された。党のレヴェルでは山根真一をオルグして、中西部地区委員会を組織した。

中西部地区は学生や高校生、ルンプロ活動家で構成されていたが、南部地区は青年労働者が中心だった。プロ学同ではなく、南部一般労組の青年行動隊を前身としていたからだ。設楽清継に率いられた南部赤色戦線は、厭戦気分で三里塚闘争に日和見を決めこんだ白川「労働者オルグ団」とは違って、人民武装闘争でも学生やルンプロ活動家と肩を並べて闘った。

赤色戦線は一九七〇年を通して叛軍闘争、入管闘争、反狭山差別裁判闘争などから地区組織を拡大していく。その過程で危機論型の先進国革命主義、実体は労働運動への埋没である白川支持勢力との路線対立が表面化しはじめた。七一年のはじめに実質的な党内左派フラクションである戸田、江坂、黒木のあいだでは、切迫する三里塚強制土地収用阻止に全党を動員する方向性が確認された。七〇年の反帝拠点闘争の過程から、帝国主義本国市民社会で人民戦争に対応する質の闘争を模索しなければならないと考えはじめていたからだ。三里塚闘争こそ反帝拠点闘争を人民武装闘争・人民権力闘争に転化する場となるだろう。

一九七一年の三里塚闘争に向かう過程で、また三里塚闘争を闘う過程で、戸田や江坂との討論では、反帝地域拠点の意味が問い直された。たんなる活動拠点であれば、戦後学生運動の拠点大学や、国労など戦闘的組合の活動現場と変わらない。労働運動でいえば三井三池闘争が頂点で実現しえたような、生産と生活と闘争が一体化した共同空間を人民の社会権力体として持久的に形成していくこと。

一九三〇年代のはじめ、ほとんど同時期にグラムシと毛沢東は基本的に同じことを主張している。体制危機から武装蜂起による中央権力奪取というロシア革命型の限界性を、グラムシは第一次大戦後の西欧革命の敗北から、毛沢東は広州や上海の労働者蜂起の敗北の総括から提起した。そしてグラムシは市民社会の堅固な構造、その塹壕や要塞の持久的な攻略なしに、ロシア革命以降の先進国革命は勝利しえないことを指摘した。毛沢東の「農民に依拠し、農村を革命根拠地とする」人民戦争戦略もまた、武装蜂起による一挙的な中央権力奪取の不可能性という認識から生じている。

だから、グラムシ理論を「東方／機動戦」と「西方／陣地戦」として整理するのは一面的だ。東方ロシアのさらに東に位置する、資本主義が未発達な中国でも社会権力を標的とした持久的な権力闘争が要請されたのだとすれば、先進資本主義国でも第三世界の旧植民地・従属国でもロシア革命以降の二〇世紀革命に共通するのは、人民による社会権力の奪取と占拠の持久的闘争ではないか。

近代的な主権国家体制が未整備な第三世界諸国では、地理的な解放区の獲得による法的・政治的な二重権力状態を持久的に形成するための条件がある。これにたいし先進諸国では、市民社会の諸分節を占拠した人民諸権力が主権権力の支配を脱して、法的・政治的な自立を獲得することは困難にしても、ヘゲモニー的な二重権力を構築していくことは可能だろう。実際に三里塚には自衛武装した反対同盟農家による、警察権力が容易には立ち入ることのできない自律的空間が形成されている。

あとから知ったことだが、資本主義先進国で毛沢東路線を人民武装闘争として闘うことは、同時期にフランスで〈プロレタリア左派〉が試みていた。毛沢東の著作を読み、毛沢東派の言葉で語ることもあった赤色戦線だが、スタイルは共産党系の中国派ともML派とも少なからず相違していた。オリエンタリズムの気配も含めて毛沢東主義ではなくマオイズムという点で、津村喬と同様にフランスのマオイストと時代的な共通性はあったかもしれない。

国独資（国家独占資本主義）型人民戦争や人民権力形成運動など、あれこれとネーミングを検討した末に、反帝拠点闘争の発展形態を人民権力闘争とすることに決めた。この言葉をプロ学同の公式文書で使う前に、六九年の「攻撃型政治闘争」のような独走と見なされないため、党常任委員会への出席を求め承認を得ることにした。これがなにを意味するのか理解していない白川書記長は反対することもなく、人民権力闘争路線は承認される。左派フラクションは党内での主導権を強化し、「党の革命」は着々と前進していた。

一九七一年三月、三里塚の第一次強制土地収用を目前にして、戸田徹は党三里塚前線委員会の責任者として現地に赴任した。学生組織委員長は統一戦線部長の江坂淳が兼任することになる。人員、組織、資金を限界まで投入し、三里塚闘争に党の命運を賭けるという主張は、それまで潜在的だった党内の亀裂を修復不能なまでに拡大した。先進国革命主義と労働者本隊主義の白川真澄は、三里塚の農民闘争など副次的なものにすぎないと決めつけていたからだ。

われわれは本気だった。共労党の前身の時代から一〇年以上執行部を掌握してきた法政社会学部自治会は、黒ヘルの無党派グループに委ねることにした。自治会委員長を先頭にプロ学同同盟員を三里塚に貼りつけるためだ。プロ学同指導部として全国の大学支部に人員派遣の通達を送り、中谷津の現闘本部には各地から続々と活動家が集結してきた。決戦となるだろう九月の第二次強制土地収用の際には、全国動員部隊に加えて一〇〇人規模の常駐部隊で機動隊を迎え撃つことを戸田は計画していた。

京浜安保共闘による一九七〇年一二月の交番襲撃、二月の真岡銃砲店襲撃。七一年六月には明治公園集会では鉄パイプ爆弾が爆発し、八月には赤衛軍が朝霞基地で刺殺。このように六九年秋期以降、武装闘争は散発的な都市ゲリラ活動として持続されていた。そして七一年七月には、京浜安保共闘と赤軍派の残党が連合赤軍を結成する。

しかし赤軍系や京浜安保共闘、その他のグループによる都市ゲリラと、われわれは一線を画した。毛沢東が語ったように、ゲリラは人民の海を泳ぐ魚でなければならない。地下潜行した少数の非合法部隊による孤立したゲリラ活動は、存在を誇示するための宣伝効果しか期待できないだろう。求められているのは、人民権力拠点を国家権力から自衛する人民武装闘争ではないか。連合赤軍の「戦争」は「人民なき人民戦争」にすぎない。

こうした観点から戸田は、三里塚現地で青年行動隊との信頼関係を築き、ともに行動するための組織工作に専念していく。九月の三里塚決戦は党派の代行的闘争であってはならない。空港建設を阻止し三里塚を人民権力の拠点とするため、反対同盟農民の自衛武装を支援し、ともに闘うこと。人民の広範な共感や支持のもとでしか、銃火器を用いるような武装闘争を闘うことはできない。

学生組織委員会とプロ学同指導部は、二月と七月の現地闘争には首都圏中心の部隊を率いて三里塚に入った。それ以外の時期は東京で三里塚現闘を支えるため奮闘した。人員と資金、自動車から化学薬品など現地では調達できない物資にいたるまで、戸田の要求に応えて現地に送らなければならない。それらの手配に忙殺されながらも、もうひとつ重要な工作を江坂とははじめていた。八派解体工作だ。

一九六九年に二次ブントが分裂し、七〇年六月決戦でML派が崩壊したあと、新左翼統一戦線は中核派の外郭団体と化していた。その用途はルーティン化した中央カンパニア集会の看板と、激化する革マルとの襲撃合戦に際して新左翼諸派を味方に付け、革マル対新左翼八派という対立構図を強化することだ。こちらは三里塚闘争で猛烈に忙しいのに、どうして革共同の兄弟喧嘩につきあわなければならないのか。そんな憤懣を、全国反戦青年委員会の事務局会議に出ていた江坂とは共有していた。

一九七〇年一二月に沖縄ではコザ暴動が起きる。アメリカの軍事植民地からの解放を求めて、沖縄民衆の怒りは頂点に達していた。七二年の本土復帰に向かう沖縄の闘争を、どのように位置づけるべきか。東アジア革命の焦点として沖縄人民の自立的闘争に連帯していく共労党の方針は、中核派の左翼ナショナリズム的な沖縄奪還論と根本的に対立する。基地撤去なき本土復帰という帝国主義的沖縄統合を、「沖縄奪還」は左から補完するものでしかないからだ。

それまで八派共闘では「沖縄闘争勝利」という折衷的なスローガンが用いられていたが、そうした妥協を続けることはできない。いまや「沖縄奪還」と帝国主義的「返還粉砕」との非妥協的な路線対立を表面化させるべきではないか。第三世界革命への合流をめざすわれわれは、日帝本国における一国主義的な反帝闘争を優先する先進国革命主義派と一線を画さなければならない。

中核派の党派政治の看板にすぎない八派共闘は、叛軍、反基地、反入管、反民族差別、反部落差別、女性解放、等々の諸運動に携わる無党派活動家から見放されていた。六九年秋期の決戦政治の遺物である全国反戦と全国全共闘は清算しなければならない。結成時は八派共闘に積極的だったいいだももからも、八派解体の組織方針の了承を取りつけた。

江坂は全国反戦事務局で、黒木は全国全共闘書記局で「沖縄解放」をスローガンとしていた解放派や、中核派の専横に不満を持っていた諸派の説得を進めた。その結果、八派会議は中核、第四インターの奪還派と、それ以外の返還粉砕派に分岐していくようになる。分解を加速したのは部落解放運動をめぐる中核派と解放派の対立激化だった。混乱のなかで書記局会議のまとめ役だった東大全共闘の鈴木俊一が辞任し、全国全共闘は機能を停止する。第一党派の中核派と第二党派の解放派の亀裂を拡大し、八派解体の道筋をつけるという組織工作は成功した。

最後に接触したとき解放派の浜口全国反戦世話人は、中核派と決裂する以上ゲバルトで終わらせないと示しがつかないと口にしていた。それを聞いて、浜口たちは三派全学連時代からの遺恨があるのだろうと思った。六月一七日の沖縄返還協定調印阻止に向けた六・一五明治公園集会では、解放派と中核派が激突し、戦闘の末に解放派部隊は会場外に押し出された。数千規模のゲバルト正面戦は、なかなかに壮観だった。

しかし、まだプロ学同として登壇し発言する仕事が残っている。これが八派集会では最後のアジテーションになると思いながら演壇に立つと、四方は中核派の白ヘルで埋めつくされている。五人や一〇人の防衛隊を組織したところで、殺気だった白ヘルの大群には勝てるわけがない。これでは無事に帰れそうにないが、逃げるわけにもいかない。殺されることはないだろうと腹を括って、沖縄奪還論を徹底批判するアジテーションを終えた。演壇から引きずり下ろされ、白ヘルに囲まれて袋叩きにされている状態から救出してくれたのは、たまたま居合わせた早大フロントの森川哲だった。フロント左傾化の中心人物だった森川は、共労党の初代学対部長の実弟で、高校が同じ横浜だったことから一時は親しくしていた人物だ。

新左翼の党派活動には暴力がつきもので、このときの被害は軽いほうだ。六九年には法政大学で民青に拉致され、パイプ椅子に縛りつけられて一晩殴られた。七二年には青山学院大学で叛旗派に襲撃され、顔が西瓜のように腫れあがった。しかし、われわれは個人テロを禁止していた。民青や革マルの部隊と大学や街頭で実力衝突はすることがあったとしても、最後まで対立党派の路上襲撃や拉致監禁などはしていない。

沖縄返還協定調印当日の六月一七日には、明治公園の中核派と第四インターの集会にたいし、宮下公園で沖共闘四派（プロ学同、解放派、フロント、ブント戦旗派）の集会が持たれ、明治通りで実力闘争が闘われた。沖共闘結成の党派交渉は江坂が担当したので、直接にはタッチしていない。ともあれ六九年中央決戦主義の遺物を片づけたという達成感はあった。

七月に入ると党内闘争が先鋭化してくる。プロ学同および首都圏赤色戦線と三里塚現闘が推進する三里塚闘争に、党内の注目と支持が集まるようになり、六九年秋期の後遺症で厭戦気分に染まった右派勢力は動揺しはじめた。危機感を抱いた白川は、七月の放送塔仮処分阻止現地闘争に、姑息にも愛知三菱闘争と北熊本闘争を対置する。書記長の権限を活用して七〇年以降、白川は地方党組織の取り込みを進めてきた。ようするに党内闘争でトロツキーに勝利したスターリンと同じ手口だ。影響下にある地方党の拠点闘争を党内政治で焦点化し、党内右派の総結集をはかろうとする白川の目論見は、しかし第七回中央委員会の三里塚・沖縄闘争方針で難破する。

八月のプロ学同全国活動者会議では「建党建軍・人民権力闘争」路線による「三里塚・沖縄秋期大攻勢」

の方針が確認された。南ヴェトナム民族解放戦線のテト攻勢を意識して「攻勢」としたのは、六九年「決戦」の中央決戦主義との区別を明確にしたいと考えたからだ。このときの基調報告で人民権力闘争論をまとめて提起した記憶はあるが、ガリ版刷りのの文書は散逸していまは参照できない。

右派勢力による隠然公然の妨害を撥ねのけて、九月の三里塚第二次強制収容阻止に向けた準備は進んでいた。プロ学同活動者会議で先行的に提起された路線は、続いて開催された党七中委で確認され、ここに三里塚・沖縄秋期大攻勢は全党の方針となる。左派へゲモニーで進行した党内闘争の結果として、白川が路線転換に追いこまれたのだ。

しかし、秋期闘争の戦術を具体化した第八回中央委員会の決定と、プロ学同活動者会議の路線には齟齬が見られた。いいだももが主導した八中委路線は「沖縄国会爆砕」だった。手製の手榴弾部隊で機動隊の阻止線を「爆砕」し、返還協定批准の一一月沖縄国会を占拠するという構想がぶち上げられていたが、それでは六九年秋期に赤軍派が呼号していた「二百の機関銃隊、三千の抜刀隊による首相官邸占拠」の縮小コピーにすぎない。

三里塚と沖縄を焦点とする七一年秋期の連続闘争を、いいだは六九年に続く「政治決戦」として捉えた。党四回大会路線の東アジア革命と反帝拠点闘争の路線の発展から、人民権力闘争として三里塚闘争を闘い、沖縄民衆の基地撤去なき本土復帰反対闘争を全面支持し、それに合流するというわれわれの立場と、またしても中央決戦主義に傾斜したいいだももの発想は明確に対立する。

このいいだ路線に、どうやら白川は乗ることにしたようだ。三里塚闘争に愛知三菱闘争を対置し、人民権力闘争／人民武装闘争の足を引っぱることに専念していた白川に、どんな心境の変化が生じたのものか。この豹変に、二度と「決戦」などごめんだという厭戦気分にまみれていた、労働者オルグ団の専従党員たちは動転していた。その一人が「この方針の決定は路線選択を意味する、考え直してほしい」と「親分」白川に泣きついたという噂話も伝わってきた。相互不信が露骨だった議長と書記長のあいだで妥協が成立すれば、それが党としての決定になる。

しかし、とりあえず焦点は九月の三里塚だ。この拠点闘争を人民武装闘争として闘い抜くなら、反動的に復活してきた中央政治決戦主義は無効化しうる。一一月沖縄闘争を人民権力闘争のヴィジョンのもとに闘う展望も出てくるだろう。プロ学同や赤色戦線や三里塚現闘という実戦部隊を掌握しているのは左派フラクションであって、いいだや白川ではない。

三里塚で第二次代執行がはじまる数日前、現地に派遣する部隊の編成などで多忙をきわめていた最中に、ふいに常任委員会に呼び出された。党内に三里塚・沖縄闘争指導の特別委員会を設置する、プロ学同や赤色戦線を含め戦闘部隊はその指揮下に入る、黒木は常任委員会付の遊軍とする。その場で、いいだと白川に申し渡されたのは以上の決定だった。ようするに七一年秋期闘争にかかわる権限の完全な剝奪だ。

愕然としながら考えていた、これは上からのクーデタではないかと。二月から半年間、三里塚を人民拠点とするために対権力と、党内の右派潮流との二重の闘争を全力で推進してきた。闘いが頂点を迎えようとする寸前に、必死で築いてきた戦闘体制の指揮権を、それに隠然公然と敵対してきた連中によって奪われようとしている。三里塚常駐の戸田はもちろん江坂も欠席で、武藤氏は黙りこくっていた。納得できないという抗議は、組織決定だという声に押しきられた。武藤氏の沈黙と江坂の不在は、「党の革命」にたいするいいだ・白川体制の逆襲を意味していた。

左派フラクションの上からの圧力による解体を、いいだと白川は合意したのだろう。あるいはいいだに妥協して七中委路線に乗るための条件として、黒木の更迭を要求したのかもしれない。戸田と江坂を繋いでいる黒木を排除して関西民学同三人組が復活すれば、党の主導権を取り戻すこともできる。

いいだももは二二歳上、白川真澄は六歳上で、二一歳の学生活動家とは比較にならないほどの政治経験、組織経験を積んでいる。いいだは宮本顕治に、白川は不破哲三に最終的には敗北しているとはいえ、共産党での党内闘争の経験は馬鹿にできない。労働者オルグ団を裏切ってまで白川が路線転換を強行し、犬猿の仲のいいだと裏で手を組んで左派に反撃してくる可能性は想定外だった。「党の革命」は着々と前進していると思いこんでいた、自身の判断の甘さを否応なく突きつけられて、足元が崩れていくような感覚に襲われた。

七〇年夏から一年ほど党内で行使できた権限は、いわばスタッフ的なものだ。現行の中央委員会、常任委員会が選出された第四回大会のときは活動休止中で、ライン的には末端の一党員にすぎない。もしも中央委員であれば臨時中央委員会の開催を要求し、常任委員会の決定を覆すことも、常任委員を解任することも現実性はともかく権利的には可能だろう。しかし規約的に許されている形で党内闘争を進めることも、そのための多数派工作を行なうことも一学生党員には許されていない。しかも三里塚での決定的闘争は切迫している。であれば首都圏の部隊と三里塚現地に行くまでだ、指揮権を奪われても戦闘に参加することはできる。現地でなら、戸田と今後のことを話し合えるだろう。

しかし、いいだによる通告は続いた。三里塚現地に行くことは禁止、九月の現地闘争期間中はいいだの補佐として、東京の非公然本部に詰めること。こうして党内的には全身を拘束されたような状態で、強制代執行の九月一六日を迎えることになる。関東全域から動員された五〇〇〇の機動隊が三里塚各地に建設された砦や地下壕を攻撃し、これに反対同盟と支援部隊が激しく抵抗した。

共労党現闘団は二月以来、ML系や日中系と持久的な遊撃戦を展開してきた。この三派と反対同盟の青年行動隊が構成するゲリラ部隊に、闘争直前に解放派と叛旗派が加わることになる。この部隊は九月一六日の早朝、東峰十字路を警備していた二五〇名の機動隊中隊を蹴散らし、三〇名の小隊を包囲殲滅した。局地戦とはいえ新左翼史上かつてない勝利だった。

「機動隊員三名死亡」のTVニュースは、西新宿の非公然アジトで眺めることになる。現地はどうなっているのか、事態を摑めないまま焦燥感が募った。その詳細を「本部」が把握したのは、レポ員が現地から戻ったあとのことだ。複雑な気分だった。党内右派と闘って営々と準備してきた人民武装闘争が、目を見張るような戦果を上げたというのに、現地に行くことさえ禁じられてTV画面に見入るしかないのだから。

九月三里塚闘争は完遂され、全国からの動員部隊は撤収した。とはいえ一息つけるような状況ではない、沖縄返還協定批准阻止の一一月闘争が控えている。権限を剝奪され指導部から排除された以上は現場に戻るべきだろう。そう結論して九月後半以降は、一党員として中西部地区赤色戦線で活動することにした。中部は法政と中大の学生、西部は新宿叛軍行動委の活動家を主とし、合わせて中西部地区だ。戻るとすればそこ以外にない。

三里塚闘争は人民武装闘争として画期的な勝利をおさめた。しかし国会審議のスケジュールに規定された中央政治闘争には、三里塚のように闘いうる条件がない。いいだ・白川指導部による「沖縄国会爆砕」方針は六九年秋期の中央決戦政治の反復で、たとえ武器をエスカレートさせたとしても、九・一六人民武装闘争が到達した地平からの後退でしかない。

二年前にはプロ学同中央の攻撃型政治闘争を拒否して処分されたが、しかし同じような選択はいいだ・白川に黒木の追放や左派フラクション解体の名分を与えるだけだ。いったんは屈辱的な敗北を喫した「党の革命」だが、消耗して無気力状態になるわけにはいかない。これで終わりではないと考えようとした。しかしまた、これで「終わり」だとの思いも脳裏には去来していた。

九月三里塚闘争は人民権力闘争の新たな地平を拓いた。とはいえ三里塚の事例は、経済大国日本の日常性において例外的ではないかという疑念はある。スペインのバスク地方や北アイルランドのように、たとえば三里塚農民と沖縄民衆が、もしも日本国家に政治的独立を要求しうるなら。しかし、そのようなことは主観的願望でしかない。

一〇・八羽田闘争を起点とする大衆ラディカリズムの一時代は、九・一六三里塚闘争を歴史的な達成として、一一月沖縄闘争を機に終息するのではないか。とするなら最大規模の花火を打ち上げてやろうというのが、沖縄国会を目前に控えたときの気分だった。深淵に頭からジャンプするときの、焦燥と高揚が目まぐるしく交替する爪先だった気分。

六九年秋期には再起のための時間が残されていた。しかし今回、そのチャンスは与えられない可能性が高い。指導部から追放された一党員には窺い知れないところで、「爆砕」闘争の技術的準備は進行しているようだ。その作業に駆り出されたとおぼしいメンバーの見当はついたが、こちらから事情を知ろうとする気はない。知らなくてもいいことは知ろうとしないのが、非合法活動の鉄則だ。

不本意な方針だが、中西部赤色戦線の仲間たちと沖縄国会「爆砕」の戦闘団に志願することにした。もしも爆弾で機動隊を吹き飛ばせば、五年や一〇年の獄中生活は必至だろう。場合によっては死刑という可能性もゼロではない。それでも先頭に立つべきだ、そうするしかない。たとえ中央決戦政治の極左化にすぎないとしても、その方針を事実として遂行してしまえば、六〇年代的な合法主義の党は解体的な危機に呑みこまれる。そのときこそ「党の革命」を再開するチャンスだ。自分は逮捕され長期の獄中生活を送ることになるとしても、あとのことは戸田と江坂に託せばいい。

一一月には二三歳になる。一〇・八羽田闘争を出発点とした人生の一時期が、そのようにして終わるならそれでもよい。この「決意」はハイデガーの『存在と時間』に思想的に支えられていた。

一〇代後半からヘーゲル、マルクス、ルカーチと並行してフッサール、ハイデガー、サルトルの哲学書に親しんでいた。どちらかといえば現象学や実存主義の系列に共感していた。ただし、この二系列は完全に無関係というわけではなく、メルロ＝ポンティの『弁証法の冒険』を共通の底辺とするU字形をなしていた。

ハイデガーの主著『存在と時間』は、ドイツの出征学徒に愛読されていた。ロシアの雪原や北アフリカの砂漠に倒れたドイツ青年の背嚢から、しばしば『存在と時間』が発見されたともいう。日本の出征学徒の場合は伊東静雄の詩ではないか。ヘーゲル主義を曲解した京都学派の「近代の超克」、種の理論という田辺元の民族主義哲学、保田與重郎のキッチュな日本主義は、結局のところ生者の領域に属している。それらが現実的な死を目前にした青年に、切迫した死の必然を納得させえたとは思われない。

ハイデガーによれば、実存は日常的に頽落している結果、根深い不安に脅かされる。不安の源泉は死の必然性にある。それを隠蔽することなく、あえて死の可能性に先駆することで実存の本来性に目覚め、人は実存的な不安を克服しうる。

人は死に直面することで根本的に試されるという発想は、古今東西ある。その欺瞞性は、まだ死んでいない人間が同じように頽落した生を生きている者に、死への直面を称揚するところにある。

ハイデガーは自殺を推奨しているわけでも、死の危険に身をさらすことに意義があるとも主張してはいない。どんな人間も、いつ死ぬかわからない存在だ。不意の死を前にしても後悔しないように人は生きるべきだと、きわめて平凡なことが『存在と時間』では語られている。

しかしハイデガーの死の哲学は、ほとんど必然的に倒錯していく。死の運命を強制された青年は、この不条理をハイデガー哲学で合理化することができる。死に直面することは、安閑とした日常性を超え、実存の本来性に覚醒するための特権的な通路なのだと。

「国会爆砕」でもなんでも引きうけてやろうとの決意は、ハイデガーの『存在と時間』に支えられていた。頽落した日常にではなく、人としての真実は死の可能性に先駆する実存の側にある。

ハイデガー哲学が二〇年、三〇年という獄中生活を支えうると、いまはもう信じない。死の哲学は戦場の一瞬の死を前提としている。しかし一瞬の死を覚悟させるイデオロギーとしては、なかなか有効な戦争思想だったろう。この主題については、二〇年後に小説『哲学者の密室』であらためて追求することになる。

二月、七月、九月三里塚闘争をめぐる対権力の闘争と党内闘争に忙殺され、さらに一一月沖縄闘争を戦闘団の一員として闘った一九七一年は多忙すぎて、商業誌に掲載するための文章はほとんど執筆していない。通達や基調報告などの組織文書は、かなりの量を書いたはずだが散逸した。読める形で残っているのは「第三世界革命への合流に向けて」(「構造」七一年三月号)、「戦後解体期の時代精神」(「情況」七二年一月号)の二篇にすぎない。本書には後者を収録する。

この年には三里塚闘争を闘いながら人民武装闘争／人民権力闘争を構想し、プロ学同全国活動者会議の基調報告などで提起した。グラムシの陣地戦と毛沢東の持久戦をポスト・レーニン主義革命論として総合する構想は、「第三世界革命への合流に向けて」で素描したが、それを体系化して提示する機会は訪れなかった。その背景には一九七二年の左派共労党の解体と、七〇年代を通じたインドシナ革命の変質、マルクス主義の最後の活路だった第三世界革命の歴史的挫折という苦渋の経験がある。

一九七〇年の末、秋期大攻勢の不発の直後に書いた「戦後解体期の時代精神」では、前年の「革命の意味への問いの究明」を引き継いで、長崎「叛乱論」が検証されている。そこでは六七年以来の大衆ラディカリズムの、ようするに〈68年〉革命の一時代が終息したという時代認識が語られているが、それは長崎浩『叛乱論』の時代でもある。深く影響された長崎理論を検証し直すことで、七〇年代闘争の方向性を思想的に確認するために書いたものだが、まとまった長崎論としては今日まで唯一の文章だと思う。

黒木名で公表された文章では例外的に、本稿は「私」を主語としている。私淑していた長崎浩氏について書きながら、自分のことを語っているエッセイ風の箇所もある。こうした文章ができたのは、七一年一一月の共労党分裂と左派党の未形成という過渡期の数カ月、党員として党の言葉を語る条件が失われていたからだ。翌年には左派共労党の一員として、またしても「私」を消去した文体で書くようになるから、この自分語りめいた箇所を含む一篇は、半世紀後の筆者自身にも興味深いところがある。

一〇代後半に愛読していた吉本隆明の詩に、「僕たちは肉体をなくして意思だけで生きている／ぼくたちは亡霊として一一月の墓地からでてくる」（「絶望から苛酷へ」）という句がある。ボリシェヴィキ党がクーデタを起こしたロシア暦の一〇月二六日は、西暦では一一月にずれるから、この「一一月」は一〇月革命の換喩として読むこともできる。この詩句に惹かれたのは、「肉体をなくして意思だけで生きている」者たちの党、ボリシェヴィキ革命の墓場から這いだしてきた亡霊たちの党を、当時の「私」は渇望していたからだろう。

こうした二〇世紀精神のラディカリズムも、二一世紀には「人類補完計画」（庵野秀明『新世紀エヴァンゲリオン』）に典型的な頽落を蒙ることになる。いずれにしても「階級形成論の方法的諸前提」のようなスタイルの文章では表に出てこない精神の軋みのようなものが、この文章からは窺われる。

また「戦後解体期の時代精神」では、いいだ＝白川体制への批判から発想した「近代＝前近代複合」の概念を、日本社会の基本的な構造をめぐる問題にまで拡張している。高度経済成長期の日本を純粋近代への成熟過程として捉えた長崎に、近代による前近代の最終的な解体吸収も、純粋近代の実現も夢想にすぎないと反論するためだった。さらに「近代＝前近代複合」は、近代世界の総体的構造としても再発見されていくだろう。

戦後解体期の時代精神——長崎浩論

序　うちなる『叛乱論』の解体へ

六〇年代後半における、永遠に続くかにもみえた日本戦後社会の劇的な崩壊は、きわだった時代経験として鮮烈な印象を残している。政治と高揚する叛乱の暴力がめまぐるしく相克しながら絶頂に達し、そして急速な自壊と破滅の道を突進していったあの時代は、今もその意味を深く問いかけるものがある。私たちの世代が生活体験のうちにもつ傷は、戦後社会のうちなる荒廃と解体を自己形成の背景としたことによってもたらされたものだ。六〇年安保闘争の伝説と、白々しくも明るい東京オリンピックの喧噪と、平和で豊かな社会を一瞬切り裂いていった少年ライフル魔の白日の狂気と、これら一切をはらんで進行した黄金の六〇年代こそ、私たちの世代の少年期だった。この少年期の決算こそ、全共闘運動に象徴された大衆暴力と叛乱の戦後民主主義解体闘争だった。この闘いは私たちにとって、戦後期（とりわけ六〇年代）が私の裡に刻みこんだ受苦の経験を解き放つ、世界への報復の行為に他ならなかった。

叛乱の時代の終わりと次の時代（それはたぶん「戦争の時代」と呼ばれるようになるだろう）の始まりの間で、今この市民社会は一見平静をとりもどしたかにみえる。こうした情況こそが、闘いの高揚が青春の復讐であり、高揚の終わりが青春の挫折であった私たちに、その総括を執拗に要求してくるのだ。長崎浩の思想がいま問題となる根拠はここにある。

六〇年代後半のあの時代に長崎の思想がもたらした、あまりに巨大な衝撃の意味を問わなければならない。あの時代、『叛乱論』はほとんど私自身であった。ある抵抗の感覚を呼びおこしながら、『叛乱論』は私を呪縛した。この呪縛を脱するためには、第三世界が発見されねばならなかった。このようにも巨大で圧倒的な影響力は、『叛乱論』を頂点とする長崎の思想が、六〇年代後半＝戦後解体期における「時代精神」であった点に根拠づけられていた。戦後期を代表する時代精神が、長崎の語るように、武谷技術論、梅本主体性論、梯経済哲学、宇野経済学、そして黒田寛一の『ヘーゲルとマルクス』などにあったとするならば、叛乱の意味を問い、生成する叛乱の現場で戦後の終焉を告知した長崎浩の思想こそ、なによりも戦後解体期の時代精神というにふさわしい。

叛乱の思想的地平から革命戦争の水路に前進すること。うちなる『叛乱論』の解体と、戦後解体期の時代精神のあますところない対象化こそが今問われている。内なる六〇年代を解体し、長崎のいうところの「青春のデル・カンプ」を清算するためにこそ、長崎浩論は書かれねばならない。

しかし長崎論の方法は極度に困難である。私たちにも第三世界＝革命戦争への道はなお遠い。七〇年代的という当為をもって長崎を断罪するならば、それは欺瞞であり批判ならざる批判となるだろう。長崎がその思想を一切空白なく充足的に展開するのにたいし、私たちはただ、第三世界解放革命への合流と革命戦争の開始によって将来埋められるべき思想の場所を、空白として抱えもっているだけなのだ。長崎への批判はなお困難な課題としてある。

もちろん『叛乱論』の主体的把握や主体的展開を、長崎論の方法とすることは不可能だろう。しかしそうするには、長崎からあまりに遠く離れすぎてしまった。主題はむしろ、うちなる『叛乱論』の解体にこそある。

十年ほどの年代的差異性に規定された二様の戦後体験の、六〇年代後半における思想的交差の意味を了解すること。その交差が白日に一瞬の暗い火花を散らしたような、微妙な異和をはらんでいたならば、そうした異和感の意味を了解すること。可能な方法はこれ以外にありえないと思われる。この長崎論にもしも幾分かの時代的意味が認められるとすれば、それは一瞬の交差ののちに遠ざかりゆく二様の時代経験を、次の時代への二つの軌跡として了解する点においてだろう。

1　戦後経験における長崎浩

『叛乱論』にいたる長崎の思想的軌跡を、その戦後論の検討として先行的に主題化しなければならない。長崎の戦後期における時代経験は、二つの主題にわかたれて展開されている。第一は戦後政治の批判であり、第二は戦後精神の批判である。一九六〇年から六六年までの長崎の思想的歩みは、戦後主体性唯物論の呪縛下で六〇年安保闘争を政治的渦心で闘った自身を、すなわち精神的にも政治的にも深く戦後のうちにあった自身を六〇年闘争の総括作業として、戦後社会の内なる解体の予感をバネにしながら、徐々に捉えかえし否定的に対象化する過程だったといえる。

『叛乱論』に先行する、長崎の戦後政治批判を検討することから始めよう。

政治にかんする思考は、長崎にとって常に本質的だった。『叛乱論』から『結社と技術』にいたる長崎の思考は、たえず政治の概念を軸に回転している。長崎の「政治的なるもの」にたいする思考の原点は六〇年安保闘争の経験にある。

一九六〇年の私たちの政治闘争にあって、自分を政治家だと自認することが、私たちの顕著なモラルだった。

（略）大衆に対する党のアジテーター、オルガナイザーたることに私たちは固執していたのだといえば、幾分かは正確にひびくだろう。大衆の前に立つアジテーターの経験のうちで、「私にとってはたして何が政治か」という設問を私は意識していたと思う。（「叛乱論」／『叛乱論』所収、以下同様）

六〇年安保闘争の政治総括において、「安保闘争はまさに、われわれが現状把握を欠くことによって、絶えず抽象的な『反スターリニズム』の立場か、『戦術の真剣さ』の立場を強要されたことを示した」「そこ〔黒田イズムの発想―引用者註〕には現実の具体的分析と革命の展望こそ、党にとっての生命であり、それこそが党を要求するのだということとの原理的な否定がある」（「安保闘争における共産主義者同盟」）と長崎は語る。党の生命は「現状把握の正確さ」であり「現実の具体的分析と革命の展望」であると断定する時、長崎は次のように特徴的な「党―大衆」把握を前提にしている。すなわち、「ぼくらにとって政治とは大衆社会状況の流動のはずである」「政治の行動の組織者とは、社会のうちにある潜在的落差を意識にまで高め、一つの目的に向けて激しい流れに変えていく工作者のはずだ」（「戦後政治過程の終焉」）。こうした発想は、一九六〇年から現在にいたる長崎の思考の核としてきわめて重要である。ここで安保ブントにおけるレーニン主義の復権の意味について、多少たちいった考察を加えなければならない。

党（政治）了解をめぐるものとしての「レーニン主義の復権」は、なによりも『なにをなすべきか』の政治理論（組織論ではなく）的読み込みとして試みられた。今世紀初頭のロシアでは、近代工業の定着に対応して労働者の自然発生的な経済ストライキ闘争が激増していた。『なにをなすべきか』の通説的読解に反してレーニンの主張の真意は、たんなる組合主義的経済闘争ではなく工場での自然発生的な労働者蜂起を、党による政治暴露と〝計画としての戦術〟をもって全人民的政治闘争に転化することだった。レーニンが「自然発生的闘争は組合主義の枠内にとどまる」と語ったのは、後にブハーリンが名づけローザ・ルクセンブルクが論じた「大衆ストライキ」が「党の権力闘争」とその水準において異なった概念であるということだった。当時のロシアにあっては、「自然発生的組合主義」の闘争ですら高揚するストライキ闘争をさしていたのであって、これに民同的な賃金闘争をアナロジーするのは誤りなのだ。レーニンはむしろ、凡百の社会叛乱主義者を経済主義者として批判したのだった。党にとって所与である労働者の社会的叛乱（大衆ストライキとしての経済ストライキ闘争）を土台に、これと対決し、これを権力闘争に媒介するものとして「党」が発想された。

『なにをなすべきか』をこのように読みとることは、日本マルクス主義の悪しき伝統であり、コミンテルン経由でのスターリン主義的党了解の輸入によって一層増幅された、啓蒙主義との全面的な対決を意味した。安保ブントが「レーニン主義の復権」を共産党に対置した根拠はここにある。しかし、『なにをなすべきか』のこうした読み込みには、戦後階級闘争に固有の伝統があった。武井昭夫理論から始まる国際派学生運動論である。かつて私は、これを「レーニン主義の反戦学同的理解」と規定した。

> 憲法秩序という他ならぬ政治的体制の基幹で生じた、以上のような支配・被支配双方のしっくりいかない関係――これが、独占の立ち直りの時点以降の政治過程の流動を主として規定していくのである。経済成長の成功という資本主義体制の根本的安定要因が確立されていながらも、政治過程はなお憲法秩序をめぐって流動した理由はここにある。（略）憲法的な平和と民主を自らの手で定着していかなければならない大衆は、支配層によるその空洞化、なかんずく「逆コース」的な手直しに対して、大衆運動という形で立ち上り、この点では支配の企図に咬みあって抵抗していくことができた。
>
> （「戦後政治過程の終焉」）

このように長崎が総括する戦後階級闘争の特殊な構造のもと、国際派学生運動論はレーニンの「経済闘争における自然発生性」を、戦後階級闘争に固有の「平和と民主主義をめぐる自然発生性」へと読みかえたのだった。学生運動の指導をめぐる共産党内の国際派と所感派の対立は、依拠した大衆的自然発生性の質の相違を不問にすれば、たしかにレーニン主義と経済主義との対立だったともいえる。共産党主流派は（とりわけ六〇年安保闘争において典型的であったが）戦後市民の「平和と民主主義をめぐる自然発生性」に〃拝跪〃したのにたいし、国際派—反戦学同—安保ブントの潮流は、この自然発生性にたいする「政治暴露」の組織化と全国政治闘争への不断の転化を主張した。問題はレーニンの「自然発生性」と、安保ブントのそれとの内容的な相違にある。戦後全国政治闘争は依拠した大衆的自然発生性の根本性格のために、そもそも権力闘争への転化の条件を欠いていた。

安保ブントにおける「レーニン主義の復権」は以上のような性格をもっていた。いま重要に思われるのは、二十世紀では既にレーニンのロシアが例外的であったような政治状況、そして先進諸国たる西ヨーロッパでは数十年に一度の革命的危機の瞬間にしか到来しなかった政治状況、すなわち党のアジテーション（政治暴露）が魔法の力を発揮し、昨日までの「砂のような大衆」がそれを契機にたちまち叛乱主体へ続々と転生し、政治への一挙的な主体形成を果たしていく不定型な流動的状況が、戦後日本では本質上異なる底の浅いものであったとはいえ、疑似的にもせよ日常的に長期にわたって存在したという事実である。

長崎は戦後学生運動のこの特殊な構造のもとで、「未知なる大衆の前に立つアジテーター」という経験に没入し、そこに政治了解の原点をすえた。こんな幸運はざらにあるものではない。不幸にして私たちの世代のアジテーターは、「未知なる大衆」とも「言葉の魔力」とも無縁に自己を形成せざるをえなかった。長崎の世代は、いわば一九一七年二月から十月の激動のなかの、たとえばペテルスブルク駅舎前に集った群衆に向けて「四月テーゼ」を読みあげたレーニン、単身クロンシュタットにのりこみアジテーションのみを武器として数千の軍隊を蜂起の側に獲得したトロツキーを、その鮮烈な政治経験において追体験したのである。

この特権的な政治経験の記憶は長崎の精神に深々と刻印された。しかし六〇年代の高度経済成長期に入るや、その土台であった戦後階級闘争は急激に解体されていく。この事態に長崎はいらだった。「政治行動の組織が、信条の上で馴れ合った内輪どうしでなされているにすぎないのだ。政治行動の組織は、未知で体制的な大衆の面前に立ったときのナイーブで不安な表情を失っている。結局、これらの人々の中では、すでに闘いの組織の段階で、政治というものが欠落しているのだ」。六〇年における「政治の経験」を、長崎は次のように総括している。

私は私の「政治の経験」がどこで感受されたかを記述してみた。それはアジテーターの立場よりする「アジテーターと大衆とのたしかな関係」だったのであり、いいかえれば私はそのときレーニン主義を通じて叛乱をかいま見ていたのだと思う。もちろん叛乱というも恥ずかしいささやかな闘争にすぎなかったし、アジテーターとしての経験もレーニン主義の実験のごときものだった。（略）私たちはレーニン主義をプロセスとしてみていたことはたしかである。「大衆の高揚」を一つの生成としてとらえ、これにかかわりつつ自らをも運動させていった。このような生成の過程が私たちにとっては政治だった。

（「叛乱論」）

政治の魔力は、ひとたび「アジテーターと大衆とのたしかな関係」にとらわれると、それ以外の他者との直面の形式を忘れ、消えることのない鮮烈な政治の経験に憑かれて、ふたたびの「大衆の高揚」を待ち望むという固有の心理状態を、人にもたらす点にあるように思われる。この点で、アジテーター（革命の政治者）の心理はドストエフスキーの描く賭博者のそれに似ている。長崎もまた、戦後政治闘争の頂点たる六〇年安保闘争の政治経験にいわば「憑かれた」のである。

長崎は、「戦後政治過程の終焉」の自覚において、かつて自らがレーニンにおける「経済闘争の自然発生性」にアナロジーした「平和と民主主義をめぐる自然発生性」が消滅しつつあり、それ故に「六〇年安保」(あるいは戦後政治闘争)における「アジテーターと大衆とのたしかな関係」は再現されえないことを知った。もちろん、レーニン的自然発生性はさらに不可能であった。ロシア帝国の前近代的専制支配と、熱病のように急速に発展し高度に集中化されたロシア近代工業との巨大な矛盾を背景とする経済ストライキ/大衆ストライキの洪水は、同時代人のルクセンブルクにとってさえあまりにもめざましい現象だった。高度成長下の六〇年代日本にそれを求めるのは非現実的といわざるをえない。長崎はしかし、「政治に憑かれた者」として、レーニン的なそれではなく戦後期におけるそれでもない、新たな大衆的自然発生性を発見しないわけにはいかない。またしても「アジテーターと大衆とのたしかな関係」をわがものとするためには、それが不可避の要請だったからだ。

> 問題は、政治の流動の中に大衆の全人格がどれほど没入しているかにかかっている。政治の流動のうちでは、硬直した陣営間の区別は消えうせ、大衆自身のうちで体制と反体制の境界は転変としてゆれ動く。なぜなら、大衆社会状況とは、ほかならぬ大衆自身のうちで両陣営の区別の意識が失われていることを意味するからである。大衆は反体制者であってかつ体制者である。
> (「戦後政治過程の終焉」)

ここでは特定の政治イデオロギーから自由な、マスとしての大衆が語られ始めている。この大衆が、戦後期における「国民」的大衆と異質であることは明らかだ。

長崎は日本における近代の成熟が戦後社会を風化させ、「平和と民主主義をめぐる大衆的自然発生性」を形骸化させたと考える。であるなら、まったく新しい大衆的自然発生性は、戦後期のそれを解体させた近代の成熟によってこそもたらされるのではないか。「技術文明の深化がニヒリズムの深化をもたらしている」（「悲劇の構造」）、「たとえば、一陣の狂気のうちにある方が一層自由だと感じ、鮮烈なドグマへの希求が大衆のうちで育っていくことに、いま政治の思想ほどのように対処することができるか」（「戦後政治思想の退廃」）。このように長崎は自問した。

「戦後の大衆は、戦後民主主義のなかで政治生活をおくり自らの常識の体系を形成してきたことが事実であるとともに、同時に今では自分たちの加担した民主主義の体制によって傷をうけてもいる」。こうした認識に長崎の自問は裏打ちされている。「アジテーター」が政治の場で直面する「大衆（的自然発生性）」は、かつて戦後期においては、欲求不満の戦後革命を自らの手で憲法秩序として定着しなければならなかった「平和と民主主義」戦後大衆であった。一九六〇年代後期では、惰性態と化した戦後民主主義によって心理的に受傷し、魂の「大衆的飢餓の状況」に陥った者たちがその役割をになうのではないか。

　六〇年安保闘争のあまりに鮮烈であった政治経験によって、長崎は「安定と繁栄」の黄金の六〇年代がその底に隠しひそませていた、魂の大衆的飢餓状況への透視に導かれた。長崎の政治にかかわる思考のもつ秘密の一端はここにある。しかしこの認識の根拠は、戦後政治の批判より戦後精神の批判に一層深くかかわる。戦後精神の批判としては、主に武谷技術論と黒田哲学が検討される。それは戦後政治の批判の場合と同様、かつて自らがその精神的雰囲気のうちにあったものとしての内在的な批判だ。

「技術とは人間実践《生産的実践》における客観法則性の意識的適用である」。この武谷による技術規定が、「技術は自然と社会を媒介するものである。それは人間の実践の根本にふれたものである」との観点に立脚するかぎり、それは「生産点実践」すなわち「労働実践」の独特な抽象を含んでいる。独特な抽象とは、「武谷氏の技術概念では労働はあくまでも対自然の関係として抽象されている。技術の概念が人間社会とその歴史性を捨象した場であたえられていることを、これは意味している」「人間関係を捨象した実践が生産実践だという理解である」(「武谷三男技術論について」)という点にあり、ある意味では一面的な武谷の労働実践把握が戦後日本で巨大な影響力を獲得しえた事実から、長崎は戦後精神として武谷技術論を位置づけようとする。

こうした武谷技術論の把握から、その批判は次のような展開を辿る。すなわち、武谷技術論(あるいは戦後精神)は、なお戦前的遺制、封建的遺制、非合理主義、前近代的惰性態が強固に残存していた戦後期にあっては、有効でありまた必要でさえあった。しかし戦後を終わらせた日本近代の本格的成熟の時期においては、その論理の限界性が否応なく露呈される。武谷理論は近代そのものへの普遍的批判ではなかったからだ。

ここでも長崎が思いいたるのは「深まる近代の成熟」である。それは戦後精神をイデオロギー的反映とした戦後期の終焉でもある。近代の成熟が不可視の領域に蓄積する、魂の「大衆的飢餓の状況」を捉ええない戦後精神は、その啓蒙主義を手きびしく拒絶する近代の闇によって裏切られ、不可避的に難破するだろう。

ここまで長崎の戦後論を駆け足でたぐり返してみた。戦後政治の批判でも戦後精神の批判でも、六〇年安保を起点とする思考が、深まりゆく日本近代の成熟を背景として、内なる戦後の破砕に向けて凝縮されていく。こうして戦後解体期の時代精神は準備された。次は『叛乱論』として確立された戦後解体期の時代精神に、私の時代経験を重ねあわせてみよう。

2 『叛乱論』の構造

『叛乱論』は、戦後史の偶然が一人の学生コミュニストにもたらした、根本において(とりわけ彼が「アジテーター」として直面した「大衆」の質において)異質だったとはいえ、ある種のレーニン的政治経験の鮮烈な印象を体験的な前提としている。しかし、長崎の政治経験を可能ならしめた戦後期は終焉した。この事態は、レーニンの場合とは異なる新しい大衆的自然発生性の登場を予感させる。この予感は戦後精神への批判として理論化され、六七年羽田闘争を画期とする学生叛乱を目撃することで新たな水準に達した。だから以下は、前節で検討した長崎による戦後批判の、新たな時代的地平における捉え直しでもある。

長崎は六〇年安保の政治経験を「アジテーター／大衆」関係として純粋化し、これを基底に叛乱と政治的なるものの発生史的根拠を記述しようと試みる。一九一七年七月蜂起に際しバルコニーから武装デモ隊に呼びかけたアジテーターの経験も、六〇年六月の国会前広場で装甲車の上から「国会突入」を叫んだアジテーターの経験も、ここではそれぞれの言葉の差異、直面する大衆の質的差異は捨象され一般化されていく。こうすることによって、一七年ロシアで「平和、土地、パン、自由」を求めて流動化した大衆も、「岸内閣打倒」をめぐって国会を包囲した六〇年日本の大衆も構造的差異は消えさる。アジテーターにしても、ボリシェヴィキ党や共産主義者同盟という現実の党のアジテーターではなく、ここではまだ「党」にいたる以前の「政治の中の対他存在一般」という水準であつかわれる。

> 政治的な関係においてアジテーターと大衆がそれぞれにめざすものは、相手の死とこれによる自分の死＝自分の実現なのである。両者はこのようにしか関係しえない。両者の関係まさに死闘である。（略）アジテーターの仕事は自分と自分の像とを埋める大衆の流動をつくりだすことにあったのだが、この結果大衆がもはや像であることをやめたとき、アジテーターは大衆という危険な毒を飲み下して燃焼し、政治は成就される。大衆の側からしても、同じようなことがいえる、このような政治の成就は、つまり叛乱である。
>
> （「叛乱論」）

長崎は続ける。「アジテーターと大衆の媒介的で弁証法的な関係は政治の流動に内在する本質的構造であり、叛乱をめざす政治がいずれの場合でも必ず触れてこざるをえない実質なのだというべきだろう」。アジテーターと大衆とのほとんど敵対的とさえいえる相克と死闘の果てに、両者の自己燃焼として政治が成就され叛乱が顕在化する。レーニン主義の用語では「目的意識性」と「自然発生性」と呼ばれる領域の、このように独特のかたちでの抽象化と純粋化は、それ自体として戦後解体期の時代精神の特質をあらわに示している。長崎に消し難い印象を残した政治の経験を、こうしたものとして発生史的に捉え返す理由は、次のような箇所にあきらかだろう。

> 政治の構造はまさしく政治を生きる一個の叛乱者（彼の規定態が何であろうと）のうちでみてとれるのであり、この個体の生こそ政治の思考が出立し、そして帰還する根源をなすのだ。いま多少予断的にいうならば、自己規定とその否定の避けがたい運動は、近代の技術的関係の根拠ともなっているものである。政治の内なる死闘というのも、結局近代人の自己と反自己の葛藤に根ざしている。（略）もしも政治の可能性というものが問われるとすれば、政治の関係で近代の人間が自己の全体化を実現する行為においてしかないであろう。近代の政治の地平で形式化された人間が、叛乱をめざす政治的人間関係のうちで自分がまた他者であることを生きるとき、絶えず自己の疎外態を殺害し乗り越えて人間の全体性に接近していくことが可能性をもってこよう。叛乱は、結局のところ近代への叛乱にゆきつくのだ。

問題はつまるところ「近代人の自己と反自己の葛藤」であり、「アジテーターと大衆の死闘」もまたこの「葛藤」の政治的な表現にすぎない。叛乱をめざす政治がこうしたものである以上、叛乱は根源的には「近代への叛乱」であるとみなされる。すなわち「アジテーターといい大衆というのも、近代を乗り越え人間の全体性を実現する行為全体の二様の呼び名である。両者は近代の根幹をなす行為の規定性とこれが忘却した闇との相克をあらわす関係概念としてとらえられたときには、叛乱者のうちに内在化される。このように長崎は、一切の根拠を近代の歴史的地平にさしもどすことを要求する。労働実践の悪無限的な対象化作用が、世界(自然)をも自己の生産物と錯覚し、労働の素材へとそれをおとしめる時、他ならぬ労働自体もまたその対象化の波にのみこまれ、近代が成立する。しかし、近代を開示した労働実践こそが、逆にその現場から近代への反逆を生産する。「近代の労働主体はおしなべて合理的形式化をこうむり、またそのように世界を対象化しつくすことによって、かえって行為の近代的発現形態にたいする根源的否定性をはぐくむ」のだ。

こうして「アジテーター」であるための歴史的な存在証明があらたに発見される。「大衆の次元は日常的な飢餓の次元である。大衆の飢餓といえば普通は物質的な飢餓が想起されるけれども、ここでいうのはそのようなものではない。大衆の日常的行為は受苦的なものとして近代の構造の矛盾をまさしく生きている」。「本来性への志向はまさに『本質への飢餓』として大衆の次元で生きている。実際、何か鮮烈なものへの希求が、いま日常世界のそこここでくすぶり続けている。政治が、こうした大衆の飢餓意識を行為のうちにとらえたとき、それはまさしく近代への叛乱となる」。

近代の形式的規定性が実存との間にもたらす矛盾、この矛盾を日常的に生きる大衆の「行為の本質への飢餓」、これこそが叛乱と叛乱をめざす政治の基礎であると長崎は考える。自己の政治経験の独特なやり方での抽象的純粋化は、レーニン的なそれでもなく戦後的なそれでもない、戦後期を内側から終焉させた日本近代の深まりこそが準備した別の、まったく新たな自然発生性の発見へと長崎を導いた。それはあらゆる歴史上の叛乱の根底にひそんでいた「本質」である。かつてのように物質的飢餓や改良的な政策のまぎらわしい枠組みを取り去ったものとして、戦後解体期の「いま」こそ「本質」の純粋なる顕現がようやく可能となってきた。このように問題をたてかえすことによって、長崎は六〇年以来の「憑き」から解放されるのだが、問題のこうした処理は二つの重大な結論を長崎にもたらした。

たとえどんなに地域的でとるにたりないものであっても、叛乱は近代そのものへの叛乱なのだ。近代世界がその根拠を失わない限り、近代の根拠にかかわるものとして叛乱はつねにある。叛乱が権力を獲得するかいなかは叛乱にとってなお本質的なことではない。叛乱の歴史は、権力の展望なき永遠の叛乱の連鎖であったし、これからもまたそうであろう。

結論の第一は「近代への叛乱として叛乱はつねにある」こと、そして第二は「叛乱が権力を獲得するかいなかはなお本質的ではない」ことだ。前者は大衆的自然発生性の純粋化と普遍化であり、「レーニン主義の復権」から出発した長崎にとっては、後者とともに視点の根底的な転換を意味するものだ。だから長崎は「宿命的な叛乱の頽落」として、レーニン主義を、そしてその双生児たるアナキズムを検討しなければならない。

六〇年安保闘争の経験に固執したある思考が、いかにして「大衆の行為の本質への飢餓」と、それを土台とする「アジテーター／大衆」の死闘的関係、それを内在的構造とする「叛乱をめざす政治」、そして「つねにあり、あることそれ自体によって（権力獲得とは相対的に無縁なものとして）根底的否定性を体現する近代への叛乱」という展開をみたのかについて、私たちは一応の了解に達したと思う。『叛乱論』から『結社と技術』にいたる思想展開を追うための前提として、次に私自身の一九六〇年代における思考の軌跡を、長崎のそれに重ねてみることにしよう。

六〇年安保闘争の政治経験に固執しつつ、孤独な思考を追う過程であった長崎にとっての六〇年代と、そのうちで少年期の自己形成を強いられた私たちとの差異は、微少でもありまた巨大でもあるように思われる。

長崎は『叛乱論』に収録された幾編かの文章のなかで、「権力体験の抽象化」と「〝私〟と〝われわれ〟」について関心をよせている。たとえば「権力にはすべてが許される——たしかに、こういう個別の経験がいつも私たちを永続する叛乱者に変貌させるのであり、この経験が底ぶかければ底ぶかいほど、私たちは後もどり不可能なまでに遠く歩みだす」(「叛乱と政治の形成」)。あるいは「こうした権力に対する各人の体験が、ただちに〈政治〉の経験だといわれているわけではない。それは、この経験が個別的な生の体験の次元にとどまっているからなのではなく、経験がなお一般的意志(スローガン)と抽象的な名辞(階級)へと構成されてはいないからなのである」(「政治的言語のために」)

しかし人が「叛乱者」となるのは、かならずしもこうした「権力体験」によってのみではないことを、私たちの経験は示している。長崎は六〇年代を、戦後期に固有だった構造が急速に解体され、日本の近代社会が完成形態に接近してゆく過程として捉えている。しかし、高度経済成長下の日本社会が市民社会的成熟を遂げて、純粋近代が露呈されてきたという長崎の時代把握は妥当だったのか。私たちは全共闘運動のなかでなにゆえ「孤独」だったのだろう。私たちは長崎のように「頂点に達した叛乱のスタイルは内部からみればいささか祝祭のスタイルに似てくる」と無批判にルフェーブルを引用したり、さらにはもっと軽薄に、「六八年学生叛乱を、〈コミューン的連合〉の経験としてイメージすることは無益なことではない」(津村喬「具体性のほうへ」)と語ることに対して、ある種の異和感をおさえ難いものとして意識する。たしかに全共闘運動の参加者たちの多くが「高揚する叛乱の内部での熱い融合状態」、「私」と「われわれ」の特権的合一、あるいは神津陽によれば「行為の共同性と関係の革命」などなどの実現を夢想した。夢想だけではなく、それはもう〝萌芽的〟に実現されていると思いこむ者さえもいた。しかし、こうした祝祭ぶりのなかでひそかな後ろめたさが成長したこともまた、たしかな事実だったのではないか。たがいに祝祭用の仮面をつけ、それが仮面であることを一瞬忘れながらも、祭が高揚するほどにある種の白けた意識がその裏で成長したことを、私は想起することができる。それは異様な感覚だった。

私が自己と世界との敵対的関係を自覚するにいたったのは、完全に無機的な「孤独な群衆」の位相においてではかならずしもない。疎外態はむしろ、無機的なマスの内に形成される大小無数の社会的共同体の「内では共有、外には占有」という構造にあった。伝統的共同体ではない、大衆社会状況のうちに自然発生する小共同体からさえも分泌される疎外と受苦の経験。この体験から、純粋な主観性こそ自らの道であるという決意が生じる。なれあいの共同体を敵とし、ひたすら主観的に純化することがそれへの反抗だった。六〇年代後半に街頭叛乱を闘った者たちの内なるモラルは、ここにあったのではないか。全共闘運動はそのあとである。

科学的でもなく説得的でもない観念（綱領と戦略）に純化し、ぬるぬると共同性への密通を欲求する自己の肉体を限界まで酷使した時、轟々たる「民主的世論」の非難と「暴力学生」呼ばわりを受けた時にこそ、他者とのいかなるなれあいをも拒否しえたというさわやかな感動は訪れた。一九六七年の闘いを生きた多くの叛乱者が六八年と六九年の学生叛乱に際して、硬直した政治主義者の貌をまとったのには相応の理由がある。一切の共同性への禁欲と他者との闘争をモラルとした者たちにとって、流行の「祝祭としての叛乱」や「コミューン的共同体」はなんとなくいかがわしいものと感じられたのだ。私たちは全共闘運動の内にあって「醒めた者」であることを強いられ、それによって祝祭のうちなる孤独をこうむったのである。

私にとっての六〇年代は、長崎が想定したような近代への純化過程ではなかった。それはむしろ、深まる近代がその手によって破壊した前近代的諸構造を、それをも自らのたえまない拡大と膨張のために変型し再生産していく過程として体験された。大衆社会の到来が「砂のような大衆」一般の創出とともに、近代の延命のため一層奇怪に変型された日本的共同体をも再生産したのだ。私にとって世界との親和的関係の失調は、この奇怪な変型をとげた日本的共同体によってまずもたらされた。深まりゆく日本近代が、他ならぬ「近代と前近代との奇怪なアマルガム」の高度化として進行した独特な性格のために、六〇年代ラディカリズムは現象学的な純化された主観主義を、あるいは近代主義の極北を希求することになったのではないか。理論（対象的知）による形式合理的関係以外にいかなる〝同志的結合〟もありえないと思いさだめて、あらゆる共同性への欲求を禁欲した私たちは、革命に迫るまでに極限化された近代主義によって、逆説的にも長崎浩の思考と交差することになる。長崎が想定した「純粋近代」における叛乱と政治の世界に幻惑されて、私たちはそれをほとんど愛したとさえいえる。『叛乱論』の世界はあくまでも魅惑的だった。

そのような世界がますます本質的に霞呈されつつあると考えた長崎と、まさに世界はそのようであらねばならぬと「決意」した私たちとの、二つの時代経験の微妙な交錯がそこにはあった。理論に対するニヒリズムと、にもかかわらず理論だけが政治的関係を媒介するのだという頑固な確信は、日本近代がなおも温存した日本的共同性の、個の確立も真の自立もない相互もたれかかり合いの無責任的体系、森崎和江のいう「日本民衆の薄笑い」の構造に対する、私たちなりの対決から生じてきた。近代に組みこまれた日本的共同性は、日本近代の成熟によって自然消滅していくことなく、近代のもたらす受苦的経験をいっそう増幅し、それへの抵抗と解放への希求すら「ふるさと」の幻想に吸収していく特殊な抑圧の構造である。このことを六〇年代の経験は疑いないものとして教えていた。

長崎のいう戦後精神の影から私たちの世代は完全に自由だった、むしろ初めから無関係だった。宇野経済学に惹かれた理由もここにある。宇野原理論の「純粋な資本主義」という想定が魅力的に思われたのだ。革命をすらからめとってしまう「近代と前近代の奇怪なアマルガム」に抵抗する者たちは、純粋な近代における純粋な「革命」を渇望した。宇野原理論とルカーチの物象化論を一対のものとしてとらえた私は、同時に長崎「叛乱論」の世界をも自らのものとしたのである。

多くのマルクス主義理論家にとって、『資本論』の書かれざる終章はつきせぬ関心の的だった。ここから

「プラン問題」論という理論領域さえ生じたのである。この関心は、資本主義の原理論的下部構造分析に直接対応する（それによって基礎づけられる）『資本論』の上部構造としての「革命論」は可能か、という設問に発展した。「革命論の原理論」という幻想は、新左翼の理論戦線にさまざまの珍妙な仮説を登場させた。黒田寛一の「革命論における普遍本質論」などはその典型である。例外は長崎「叛乱論」だった。『叛乱論』こそ、資本主義経済過程の物象的自己運動を純粋な姿でとらえようとする『資本論』（あるいは宇野原理論）に問題領域において対応する。マルクス主義理論家の見果てぬ夢であった「革命論の原理論」は『叛乱論』において実現されたともいえる。

私たちが選びとった立場はいかにもあやういものだった。啓蒙主義としてのスターリン主義と「反」スターリン主義がマルクス主義の近代主義的形態であり、いずれも打倒さるべきは自明の前提だった。日本近代がいまだ戦後期の薄明のうちにあった頃、進歩史観と近代主義をもって「封建的遺制」を解体せんとした第一期の近代派マルクス主義、六〇年代の市民社会的成熟を自らの勝利と錯覚し、大衆社会の情況に無批判的な迎合をとげていった第二期の近代派マルクス主義。そのいずれもが非和解的な敵であることは自明だった。しかし、同時に日本的共同体（あるいは「大衆」、あるいは「民衆」、あるいは「常民」）の理念化による近代主義批判の道をとることは問題外だった。理念化された「大衆の原像」をもって批判の武器とするには、私たちは奇怪にデフォルメされた日本的共同体の「薄笑い」に傷つきすぎていた。近代に対する場合と同じく、前近代的な「大衆」への嫌悪感をも私たちは合わせもっていた。前衛主義と自立主義の間で、近代派マルクス主義と擬制の反近代主義の間で、以上のような六〇年代の体験とその了解に固執しつつ、私たちは純粋近代主義の極限化による革命への突破を夢想したのだった。

六〇年代の経験を長崎「叛乱論」に噛み合わせるために、私たちの「政治的なるもの」について語るべきだろう。戦後政治過程の終焉とともに、長崎的なレーニン主義の追体験は不可能となる。いわば大衆的自然発生性のゼロ地点から、一九六七年以前の私たちは、「政治的なるもの」に接近する以外になかった。集会もデモも、なんの魔力もないアジテーションと色あせたスローガンのもとで、見あきた顔をつきあわせボソボソと寄りそっておこなわれた。ジグザグデモとスクラムによる機動隊との押しあいが、唯一の「流動性」だった。スクラムデモの戦闘性だけが「左翼性」の証明だった。惨めな時代である。長崎による威勢のよい「政治の頽落」批判を前にして、多少の後ろめたさと、政治的高揚の季節に生まれ後れた不遇感を覚えてしまうのは、六〇年安保に生まれ遅れた世代には抑えがたいところがある。政治の行動に緊張感や感動や、およそ長崎のいう「未知なる大衆の前にたつアジテーターのナイーブで孤独な表情」といったものが欠けていたのは、なにも私たちの責任ではないという思いだ。

政治の経験を長崎のように「六〇年安保闘争——一九六七年以降の大衆叛乱」の枠組みにおいて思考し、六七年以前は本質的に政治の思考の対象ではないと見なしうる者と、高揚と高揚の谷間で経験された「政治的なもの」(長崎はこれを「政治」とは考えないだろうが)を原体験とする者たちの間には無視できない相違がある。未知なる大衆の前に立つアジテーターの緊張感と、大衆叛乱の高揚のただなかで微妙な異和と不安定感、居心地の悪さを覚えた者との差異は、二様の戦後経験の「政治」をめぐる端的なあらわれである。

六〇年代中期、安定と繁栄の六〇年代がまだ強固であった頃、大江健三郎の「かつての戦争には生まれ遅れ、次の戦争には早く生まれすぎた世代」という発想をもじって、「六〇年の高揚には遅れ、次の高揚には早すぎる」自分たちを感傷を含む自虐で語っていた者たちにとって、「政治的なるもの」は長崎のそれと体験的に相違していた。

「硬鉄のように硬く美しく、存在するものをして彼らを恥じいらせるようなもの」(J = P・サルトル『嘔吐』)。アントワーヌ・ロカンタンの書かれるべき小説、あるいはアントワーヌがカフェで聞いた黒人女性歌手の歌うジャズ。いわば、それが私たちにとって「政治」のあるべき姿だった。喧噪のうちに肥大化した六〇年代日本市民社会の「存在」のうちにあって、それを喰い荒す「無」こそが私たちの「政治」であらねばならなかった。流動と生成としてよりむしろ、純粋意識の対他関係としてそれは追求された。いかなる犠牲をはらっても、理論―党の言葉の人格化たらねばならなかった。私たちのそれを「革マル主義」と同じだと思うような連中のために補足しておけば、啓蒙主義としての革マル主義は、近代主義の鈍感で不徹底な変種にすぎない。

六〇年代の経験によって露呈された近代性と前近代性の複合的抑圧に抗して、純粋近代主義の極限的展開を革命に向けて突破することが目指された。しかし逆説的にも、六七年以降の「ざらにない幸運」ともいえる大衆的高揚の到来こそが、予期しないデッドロックだった。

近代主義の極北たる純化された政治集団が、そもそも存在の深みを撃ちえない知をもって自らを厳しく律することにより、近代＝前近代の凝固態である大衆と対決すること。ほとんど敵対的ともいえる対決の果てに、純化された近代主義は大衆とともに自己を超え革命にいたるだろう。私は長崎の「アジテーター／大衆」論をこのように読みこんだ。しかし現実の叛乱はさらに深く私たちを裏切った。上げ底されたコミューン幻想（それ自体近代の合理的過程への非合理的補完でしかない）と、アイロニカルな政治主義へと、叛乱はその深みにおいて分離していく。これは「成就」された叛乱の「頽落」といったものではない。発生の現場において、アジテーターはひたすら自己の内にむかい、大衆はただ流動し、両者を媒介するべき言葉は四散した。私たちもまたレーニン主義の徒だった。生気に満ちた叛乱者の内的相克を渇望しなかったわけではない。だから長崎の思考に惹かれたりもしたのだ。しかし叛乱の日々の経験は長崎叛乱論の輪郭から溢れ出て、アジテーターと大衆の絶対的無関係性に私たちは直面した。

私たちが体験した「政治的なるもの」は以上のようである。頽落したレーニン主義の外部注入論と党の自己増殖運動に対しては、存在（生活）を摑みきる知などはなく、宿命的に貧しいものでしかない知にこそ自己を賭けようと決意する純化された政治集団が獲得されねばならないと反論した。そもそも叛乱する大衆の先進的部分でしかないものに対しては、大衆との対決こそが前提だとその無自覚性を糾弾した私たちは、全共闘運動の挫折と秋期政治決戦の敗北に直面する。叛乱のなかでの「私とわれわれ」の黙示録的融合の夢想は、こうして絶たれた。

私たちの政治経験の基盤は、「権力にはすべてが許される」という権力体験であるよりは、「共同性は疎外する」という生活体験にあった。この生活体験は権力体験よりもさらに根源的でさえある。共同性として凝集された個体の力量が疎外される時に権力は発生し、そうした諸権力を政治のうちに疎外するときに国家権力が発生するからだ。ほぼ十年間ほどのズレをもった二様の戦後体験の異なりと、大衆叛乱の渦中における両者の邂逅の意味するところを、私はいまこのように了解している。

こうした了解は、戦後精神（たとえば武谷技術論）にかんする長崎と私の微妙な評価の違いを顕在化する。長崎とは違って、戦後精神の敗北の根拠を戦後期の終焉として、あるいは日本近代の単線的成熟としては、私は把握しない。主要な批判対象を日本における諸々の前近代的な歪みに措定したことによって、その方法が深まる日本近代そのものへの批判性を欠如していたという視点からの、武谷技術論への批判では決定的に不充分である。「前近代的な歪み」を遺制と捉えたことから、批判の方法が合理主義、啓蒙主義に陥った点に加えて、さらに重要なのは「前近代的なるもの」をこの方法が真実に撃ちえなかった点に、戦後精神の敗北の根拠はある。武谷技術論は、日本近代の成熟によって足をすくわれただけではない。主要な敵として措定されていた日本社会の「前近代的なるもの」にも武谷理論は敗れたのである。

戦後精神にたいする長崎との評価の相違もまた、二人の六〇年代了解の相違にかかわっている。戦後の終焉を近代の純化とみるのか、近代と前近代の不可解で奇怪なアマルガムの自己増殖とみるのか、この一点に問題は集約されていく。

二つの戦後経験を重ねあわせる作業から、戦後期の黄昏のうちで一瞬暗い火花を散らした長崎と私との交錯は、その意味を幾分かではあれ露わにしえたのではないか。次には、六九年秋期の政治体験を契機に開始され、刻々と深まりつつある両者の思想的隔たりの意味するものについて語らねばならない。

3 『結社と技術』の組織論

『結社と技術』のあとがきでは、次のように執筆の由来が語られている。

一九六八年の夏、私が『叛乱論』を書いたとき、そこでは叛乱の構造が権力問題から接断されそれ自体として構想されながら、「叛乱の宿命」としての政治はたんに「政治的ヘゲモニー＝党」の介入としてしか描かれてはいない（略）。ことに一九六九年秋の政治ヘゲモニーの経験と七〇年に入ってからの運動の戦線の分散状況は、私自身に自分の「ヘゲモニー論」の結着をつける必要を迫った。

開きはじめた長崎との思想的距離を、その意味するものにおいて了解するため、前章では意図的に留保していた『叛乱論』の客観的位相を簡単に検討し、『叛乱論』から『結社と技術』への思考過程に認められる連続性と不連続性の意味を明らかにすることで、問題の核心に迫ることにしたい。

『叛乱論』の論理では「前近代的なるもの」が方法的に捨象されている。すなわち叛乱の措定における〈第三世界〉と〈日本的特殊性〉の、理念型的近代への平準化である。これをもって『叛乱論』の方法的欠陥をあげつらおうというのではない。ただ、近代は必然的に純化するという思想的確信こそ、六〇年安保闘争の思想的挫折を媒介として形成された「戦後解体期の時代精神」（それは清水幾多郎、姫岡玲治、そして長崎浩などに共通する発想であり、構造改革論と計量経済学の流行という六〇年代における思想風俗の底にあったものでもある）の基調であったことを確認したいのである。『叛乱論』の独特の性格は、深まる近代をニヒリズムとともに革命、あるいは叛乱の側に奪還した点にある。「情報理論」や「離陸」といったニューモードの近代主義に足をすくわれるのではなく、逆にそれをもって（さまざまなヴァリエーションがある疎外論に依拠することなく）叛乱を措定しかえしたところに、六〇年安保の挫折からネオ近代主義へという凡庸な軌跡を超える長崎の思考の固有性があった。

また『叛乱論』では「党」が無構造的なものとして措定されている。「党」はアジテーターの集合態とされて、その内部構造の分析は捨象されている。このことは、政治における共同性の問題に『叛乱論』が迫りきれていないことを意味する。長崎が念頭においたのは、前近代的共同体の完全な分解によって生じた近代的〈個〉だった。「自由で平等な」抽象的〈個〉が、その抽象化の果てに生みだす叛乱の共同性、サルトルの「溶融集団」のみが『叛乱論』における唯一の組織問題であるといえばいえる。しかし、融溶集団（あるいはコミューン的共同体）は本来の意味での組織ではないのだから、『叛乱論』には組織問題が欠如しているとしても誤りではない。

この空白が偶然でないことは、長崎の論理設定において了解可能である。純化された資本制社会にあっては、労働力が形成される場としての家族を唯一の例外として、自然成長的で必然的な前近代的共同体は完全に解体されている。社会集団（共同体）はすべてヘーゲルのいわゆる「恣意的な体系」であり、会社（経営）組織をはじめとして、「自由で平等な〈個〉」の契約関係によって恣意的に形成されている。国家もまた、この幻想のうえに組織される。長崎が理念型的近代において問題を立てようとした以上、叛乱の組織問題はそもそも発生しえない。なぜなら、叛乱はこうした近代的共同体（＝制度）そのものにたいする叛乱だからだ。その限りで「党」はアジテーターの集合態であり、強いて規定すれば経営組織と同様の「恣意的な体系」である以外ない。長崎が「党」の頽落を語るゆえんである。

『叛乱論』では「前衛党」が「叛乱の政治へゲモニー」という具合に独特に変容されている。マルクス主義における伝統的な概念用具の独特のやり方での変容には、それ以外にも「プロレタリア独裁─権力」「共産主義─ユートピア」などがある。『叛乱論』の核心を構成する「叛乱」なるものですら、「革命的自然発生」の変容なのである。『叛乱論』は、ボリシェヴィズムによっては反省されることのなかった領域に光をあてたのだが、『叛乱論』とボリシェヴィズムは正面から嚙みあってはいない。マルクスがアナキストとの対立点として押しだした権力問題について『叛乱論』は、それは叛乱にとって本質的ではないと消極的に応えるのみだ。ここにも理論的空白は残されている。

ファシズムの大衆運動と革命的叛乱との本質的性格について、『叛乱論』の論理展開はきわめて不充分である。『叛乱論』が依拠した近代批判の論理が、主要にルカーチとハイデガーによっている以上、初期ルカーチの鮮烈な問題意識がファシズムに直面することによって、『理性の破壊』に見られるような微温的な理性信仰に退行してしまったことを不問に付すわけにはいかない。ハイデガーが思想的にはファシズムの運動に一時的に引き寄せられ、また第三帝国の学徒兵がハイデガーの近代批判の書を背嚢に押しこんで、灼熱のアフリカや酷寒のロシアに出征していったことも。ファシズムの意味するものに関する長崎の思考の曖昧さは、『叛乱論』の本質的構造にかかわる。この曖昧さは、近代のうちなる前近代、合理性のうちなる非合理性を複合的構造において捉えようとしない『叛乱論』の、理念化された近代把握に由来するものだ。

これらの諸点から、『叛乱論』の客観的位相を導くことができる。『叛乱論』は、戦後社会の解体を純粋近代への接近として把握し、その典型像を思考のうちに再現することによって、戦後解体期における社会的意識の表現たりえた。それは戦後期の解体をもたらした二重の契機のうち、「近代性による前近代性の解体」の契機が、「前近代性の近代性への浸透」という契機に比較して、いっそう全面的に展開した時期が六〇年代であった事実による。戦後解体期のこうした構造的特性が、とりわけ六〇年代後半に爆発した大衆叛乱の集団意識を規定し、『叛乱論』をひとつの時代精神たらしめたのである。

「党」をめぐる方向に『叛乱論』を展開するものとして、『結社と技術』は書かれている。興味深いのは長崎の六七〜六九年闘争総括、とりわけ六九年秋期決戦の総括が、『叛乱論』の理念型的近代措定、権力問題を中心とするボリシェヴィズムとの接点の不在、あるいはファシズム批判を含まないハイデガー的近代批判、これら三点の深化あるいは超克の方向にではなく、党組織論の不在を補完する方向で追求された事実である。

第三世界との直面こそが、私たちにとって六九年以降最大の思想的事件だった。それは「認識の武器としての理念型的近代」と「批判の方法としての純化された近代」を、一挙かつ同時に破壊する出来事だった。「誰も、蜂起する大衆と党の意識性とが、蜂起のうちでラジカルに矛盾するその地点に、組織問題をすえようとはしなかった」(「結社と技術」/『結社と技術』所収)。長崎は「党―大衆」関係としての旧来の組織論に反対する。「大衆暴力という組織問題の現実的地盤こそが、党の存在という組織的前提を破壊する」「組織問題の領域は『おれの死』というごときまったく個的な暴力から、集団的行為としての大衆暴力(蜂起)そして他者との共同性を意識した結合体に到るまでの、それぞれにあい矛盾する行為の形のきしみの中に存するのだ」。長崎は「組織問題」をこのように措定する。

組織論の方法は「〈党〉をその発生の根拠へ、すなわち蜂起を〈創りだし〉かつ蜂起を〈生きる〉無数の組織者へとさしもど」すことにある。すなわち無定型で反政治的な大衆暴力の渦中において、反革命が蜂起に押しつける〈形〉に抗し、実践のスタイルを通じておのれを他者に対象化する〈蜂起を〈表現〉する、あるいは蜂起に〈形〉を刻む〉無数の組織者の集合態(結社)から、組織問題を発想するのである。

「〈蜂起のただ中での―引用者註〉行為の〈表現〉―〈技術〉の等質性を基礎とした、蜂起の工作者の共存在こそが、〈結社〉である」のだから、結社にとってまず本質的なのは、その政治内容、理論、あるいは大衆運動とのかかわり〈ヘゲモニー〉などではなく、「結社を構成する者の行為の〈形〉＝〈技術〉の著しさなのである」。

そして結社の内部構造の特性が分析される。結社における「有徳の士」、教養への狂信ではなく〈敵〉の共同性による盟約的団結、他組織との上下関係・連合関係によって発想されるのではないものとしての結社、結社内部の〈専制的〉構造の意味、叛乱の持続力にたいする結社の不信、等々。鋭い発想と分析を見ることができるが、ここでその詳細については検討できない。重要と思われるのは次の諸点である。

①固定化され制度化された社会的組織（近代的共同体）、その一挙的崩壊のうちに実現される短命で脆いコミューン的共同体（叛乱の共同体）、この両者においてしか組織を捉えることがなかった『叛乱論』に対して、新たにこの両者を媒介する組織として結社を措定する。

②結社の措定にかんして長崎が選択した方法は、『叛乱論』と同様の発生史的記述である。ただしここでは、「大衆蜂起（叛乱）」はすでに論理展開の所与とされており、ただ「無秩序、無定型、アナーキーな大衆暴力」という一般的性格が語られるにすぎない。

③結社は、だから「無定型な大衆暴力の爆発」たる大衆蜂起のただなかで、それを創り、それを生きる無名の組織者の共同体であり、蜂起の無秩序にたいして厳格に意識化され限定された〈定型＝意識された形〉を刻印するものとして把握される。

④「カール・シュミットが政治に固有の概念として『敵に直面する』ことをあげたとき、彼はこの敵を、一方では公敵とし、他方では敵に直面する『政治的単位体』内部の同質性と『全体性』を強調した。私がこれまで使ってきた言葉でいえば、一方では『スローガン』による敵権力の一般的設定であり、他方は、このスローガンのもとで『私を我々に（階級に）組織すること』に相当するであろう」（「アナルコ・ニヒリズムと政治」／『結社と技術』所収）。敵の共同性とそれに規定された結社内部の全人格的団結（盟約的団結）、長崎

はこの構造を強調する。

「階級」を含む近代的諸制度の解体から、「叛乱の共同体」を媒介するものとしての結社。『叛乱論』から『結社と技術』にいたる以上のような展開に対し、その論理の透明さに感嘆しながらも、ある種の異和感を覚えざるをえない。

六九年の闘いの敗北は、私（たち）の思考の土台そのものを揺さぶった。その衝撃の根底性は、〈運動の戦線の分散化／組織論の意識化〉という手直しによって乗り切ることを不可能とした。内なる『叛乱論』を破砕することなしには一歩も進みえないという思想状況が、不可避なものとして生じた。それはまず、長崎に独特である次のような問題設定からの距離として自覚化された。

近代の演ずる未来への狂奔にたいして、ある「物質的限界」を想定して近代への批判の座を獲得することがおこなわれるが、これとて一つの自己欺瞞にすぎない。近代の人間の本質的否定性は外からくるのではない。たとえば「希少性」というような「否定としての物質」が歴史の永続的で偶然的な契機を用意するとしても、近代人の飢餓はそのように外在的なものではない。（「叛乱論」）

私たちが、世界的にも日本的にも存在する「近代と前近代の複合的構造」の自覚から第三世界と人民戦争にいかに迫っていったかについて、ここで述べようとは思わない。それは本論の主題の枠外にある。農民暴動＝大衆叛乱と結合した持久的権力闘争としての人民戦争は、『叛乱論』にとってついに外的な存在でありながら、私たちの時代にとってますます根本的な問題となりつつある点を確認しておけば充分だ。

世界了解においても政治了解においても、長崎と私はかつての交錯ののち、再度交わることのない二様の軌跡を描いて中空を離れ続けている。長崎が、〈アジテーターの遍歴史〉によって『叛乱論』――『結社と技術』の軌跡の深化を目指すのだとすれば、私たちは「大衆叛乱」の地平を超え「人民の革命戦争」へ前進しなければならない。二様の戦後体験の交錯はその意味をあらわにしたであろうか。

1972年

一九七一年の一一月、ハイデガー哲学に励まされ一戦闘団員としての突撃を覚悟したときのことだ、またしても予想外の事態が生じたのは。経営細胞を基盤とする中央委員が、連名で臨時中央委員会の開催を要求したのだ。第八回中央委員会の「沖縄国会爆砕」方針に、それまで常任委員会でも中央委員会でも異議は唱えていなかった労働者組織委員長の樋口篤三が、労働者の有力党員を対象に秘密工作を進めはじめたのは、局地的とはいえ機動隊を殲滅した九・一六東峰戦闘の成果に戦慄したからだろう。

地方党を背景とした白川派と経営細胞を基盤とする樋口派は、七月まで党内で連合右派を形成し、首都圏赤色戦線と三里塚現闘団が推進する人民武装闘争に隠然公然と敵対してきた。しかし党内闘争の劣勢を覚った白川真澄が七中委でいいだもとの妥協を選択し、八中委では一一月沖縄国会を焦点とした中央政治決戦方針が決定される。白川に裏切られた樋口は極秘裏に、臨時中央委員会開催を要求する署名集めに奔走しはじめたようだ。

三多摩の山奥で開かれた臨時の第九回中央委員会にオブザーバー参加したのだが、右派の中央委員たちはレーニン『共産主義の左翼小児病』を念頭に置きながら、「左翼共産主義」の「攻勢理論」だとして「沖縄国会爆砕」方針を非難していた。攻勢理論とはドイツの左翼共産主義派による、革命情勢は党の「攻勢」によって引き出されるという主張で、コミンテルンからは極左的な主観主義革命論として否定された。

二年前の赤軍派の路線に類似した秋期方針には、たしかにドイツ革命の攻勢理論を思わせるところがある。右派中央委員の批判は的を突いていないといえなくもないが、われわれの主張する人民権力闘争はそれとは違う。その年の末に長崎浩論を書いたのは、右派からの批判にたいする応答という意味もあった。左翼共産主義的なルカーチ理論を支持することと、長崎『叛乱論』に共感することは表裏の関係にあったからだ。

逮捕投獄や長期裁判の可能性など想像したくもない樋口派と、それまで白川派と目されていた中央委員までが常任委員会方針の反対に廻って、「極左」的沖縄闘争方針の撤回が決議された。右派による党内クーデタの結果、沖縄闘争は鉄パイプと火焔瓶の常識的な実力闘争の水準で闘われることになる。ただし右派中心の新常任委員会が選出されたのではなく、その日は時間切れのため中央委員会の活動凍結が合意されて終わった。対立グループのあいだで最小限の協議がなされ、新しい党大会の準備がはじまるのか、このまま組織分裂に向かうのか。すべては秋期闘争が終わってからのことだ。

一一・一〇の沖縄全島ゼネストで返還協定阻止闘争が本格的に開幕する。共労党戦闘団の決起集会が開かれ、白川直轄の労働者オルグ団が誰一人として戦闘団に入らないことが明らかになる。戦闘団の集会では殺気だった団員たちの前で赤色戦線の一員として書記長白川を徹底追及し、党分裂の危機をもたらした責任をとって突撃の先頭に立て、いいだ議長と違って足腰が自由にならない年齢ではまだないだろうと挑発した。自分と一緒に白川を逮捕させてしまえば、ボスを失った人脈集団は空中分解するしかない。あとのことは戸田たちに委ねればいい。追いつめられた白川が戦闘団長として身代わりに差し出してきたのは、民学同ＯＢ第四の男で大阪府党の責任者だった。巧妙に逃げられたわけだが、この人物の本性は戦闘団員たちに暴露できた。党内闘争にもしも今後があるなら、布石のひとつにはなったろう。

三里塚東峰戦闘で反「奪還」派に後れを取った中核派は、主導権を取り戻そうと一一・一四には渋谷暴動、一一・一九には日比谷暴動を展開した。沖共闘は中核派と入れ替わるかたちで一一・一四は日比谷、一一・一九は渋谷で実力闘争を闘うことになる。一四日は、製造した大量の爆発性火焔瓶が日比谷公園の戦場まで届かなかった。運び役の活動家たちが、時刻まで待機していた有楽町の喫茶店で全員逮捕されたからだ。多数のケーキ箱の偽装に同じ化粧紙を使ったのが、公安に疑われた原因だった。それでも一九日には東大駒場から出撃して、機動隊と一戦交えることができた。しかし実現できたのは、火焔瓶と鉄パイプの常識的な実力闘争だったにすぎない。「沖縄国会爆砕」で七〇年代階級闘争の突破口を開くという八中委路線は、こうして雲散霧消した。

不発に終わったというしかない一一月沖縄闘争のあと、急に冷えこんできた一二月初旬に、いいだもも執筆のパンフレットが党内に出まわった。樋口篤三の主導による「九中委の右派逆流クーデタ」を猛然と攻撃し、左派の結集を呼びかける内容だった。右派＝樋口派と中間派＝白川派も分派形成を開始している。三里塚現闘から復帰してきた戸田徹、それに江坂と黒木も、いいだの呼びかけによる左派フラクションに顔を出すことにした。

左派の実体は三里塚前線委員会と東京都党、静岡県党で、関西では関西大学細胞が連携していた。右派の労働者革命派は全国の経営組織。愛知、京都、大阪、岡山、九州の地方党が中間派で、翌年にはプロレタリア革命派を名乗るようになる。われわれは分派を名乗ることなく、共労党東京都委員会・静岡県委員会として活動することにした。「赤色戦線派」は他称にすぎない。

左派としての活動は東京都委員としてなされるため、都委員でも地区委員でもない、凍結中の中央委員会議長いいだももに組織的な権限はなにもない。左派党員に信望と支持があれば影響力を保ったろうが、南部地区党の渡辺勉以外に有力な支持者は一人もいない。孤立と無力化は、近代主義的・機能主義的ないいだ組織論の帰結だった。

党内左派結集の主導権を握ろうとしたいいだは、支持者や賛同者がほとんど存在しないため会議でも孤立することが多く、じきに事務所にも顔を出さないようになる。武藤一羊、栗原幸夫、吉川勇一などの常任委員や有力党員は形式的には都党に所属していたが、左派としての活動には消極的だった。三里塚人民権力闘争／人民武装闘争の総括と、旧共労党のいいだ・白川体制の克服を共通了解とする戸田、江坂、黒木の左派フラクションが再建され、これに南部地区党の設楽清嗣が加わる。続いて静岡県党の指導的メンバーも合流してきた。

左派共労党からいいだももの姿が消えたのは、党員や赤色戦線員の総意からする自然な流れで、われわれの意図的な排除によるものではない。前年九月の屈辱的な権限剝奪の際とは立場が逆転したことになるが、存在感を失ったいいだ議長に同情する気はなかった。とはいえ党内闘争に勝利したという充実感もない。いいだ・白川体制の打倒と左派党の形成は勝ちとった。しかしこの「勝利」は、いわば転がりこんできた結果にすぎない。前年九月の指導権剝奪という屈辱的な敗北を乗り越えて、新たに党内闘争を組織し勝利したとはいえない。この弱点が克服されない限り、新たな問題が生じるだろうことは予見できた。

しかも一九六七年一〇・八羽田闘争以来の大衆的高揚は尽きようとしていた。七一年秋期大攻勢に向かう過程で覚悟していたことだが、新左翼は長い冬の時代に耐えなければならないだろう。偶然的ともいえる党内闘争の決着は、ラディカルな大衆叛乱という背景なしの左派党建設という難題を生じさせている。いいだ・白川体制の打倒に満足しているような場合ではない。

都党の総会が開かれ戸田委員長、黒木書記長の新体制が発足し、左派共労党の機関紙的な役割を果たすものとして首都圏赤色戦線機関紙「赤色戦線」の発刊にも漕ぎつけた。そんな頃のことだ、浅間山荘で銃撃戦を闘った連合赤軍による、山岳アジトでの連続「総括」死という凄惨な事件が明るみに出されたのは。浅間山荘銃撃戦には、従来からの「人民なき人民戦争」批判で事足りた。しかし「総括」要求を名目とした死にいたる暴行と、それによる十数名の犠牲者という惨状には絶句するしかない。いずれにしても警察発表しか情報源がない状態では、事態の正確な把握は不可能だった。この件にかんしては判断を留保したまま、左派党の組織整備に専念し続けた。

沖共闘は七月北熊本現地闘争をもって解散する。その直後に新たな共闘機関として、左派共労党、人民委員会（旧ML派）、革命委員会（旧赤軍派）、京学連（京大C戦線を中心とする京都の無党派グループ）の四派による八・二二五共闘の結成にいたる。六九年の全国全共闘・全国反戦の八派共闘や七一年の沖共闘とは違って、この共闘運動は首都と関西の無党派活動家や戦闘的大衆に新たな結集軸を提供しえた。

八・二二五共闘の会議ではべ平連時代に親しかった大越輝男と再会した。京都で社学同から赤軍派になって大菩薩峠で逮捕され、保釈された直後だという。六八年に京都に行ったときは、共労党関係者ではなく対立党派の大越の下宿に泊まったものだ。次に顔を合わせたのは二〇一五年八月三〇日、安保法制反対の群衆で埋まった国会前だった。

「中核派、革マル派に次ぐ第三潮流として『八・二二五共闘』が形成された」と蔵田計成『新左翼運動全史』にもある通り、八月の「ベトナム革命勝利」屋内集会では五〇〇〇名、一〇・二一国際反戦デーの集会とデモには「中核三〇〇〇名、革マル三〇〇〇名に次いで、一六〇〇〇名を結集」する成功を収めた。

こうして左派共労党―赤色戦線―八・二二五共闘という陣形が一応のところ確立され、都委員会理論誌「紅旗」も発刊できた。紆余曲折の末に「党の革命」は順調に進みはじめたようだが、この経緯に満足していたわけではない。心底には、正体が摑めない不全感のようなものが色濃く淀んでいた。

連合赤軍の同志殺しが暴露されたのは、一九七二年三月のことだ。白川派との闘争と左派党建設、自衛隊の沖縄派兵阻止の熊本現地闘争、八・二二五共闘の組織化など大衆闘争と組織建設に忙殺されながらも、連合赤軍事件の衝撃を忘れていたわけではない。浅間山荘銃撃戦はともかく、山岳アジトでの連続総括死という陰惨な出来事は、どうしても納得のできない、喉に小骨が刺さったような落ち着かない気分をもたらしていた。連合赤軍の敗北は「人民なき人民戦争」の帰結であると、機関紙「赤色戦線」などの文書では批判していた。それでも雪の上越山中で屍体の山を築いた、死にいたる総括の反復という無残な出来事の意味が、それで了解しうるわけではないと感じてもいた。

七月北熊本現地闘争と八月の八・二五共闘集会で、左派の陣容がまがりなりにも整うにつれて問われはじめたのは、左派党建設の今後の方向性だった。三里塚闘争は警察の熾烈な弾圧のため防戦に追われている。しかも三里塚の他には人民権力闘争を追求しうる拠点を見出しえない。反帝拠点闘争は地区ごとの大衆運動として進んでいたが、それを八・二五共闘のスケジュール的なカンパニア集会に集約するだけでは、かつての八派共闘と変わるところがない。

〈68年〉革命の終息は、新左翼諸党派の分裂解体を促進していた。第二次ブントは四分五裂、ML派とフロントは解体、原型を保っているのは中核派、第四インター、解放派の三派にすぎない。組織的に脆弱な党派は求心力を失おうとしていた。このままでは拡散しかねない組織を引き締めるため、都委員会で提起したのは党の「ボリシェヴィキ化」だった。俗流レーニン主義批判を原点としたルカーチ主義者が「ボリシェヴィキ化」の旗を振るという倒錯に、無自覚だったわけではない。

新たなステージが見えはじめるまでは、亀のように甲羅に四肢も頭も引っこめて生き延びるしかない。しばらくは単位ごとの討議と学習会、そして日常的に持続されている三里塚でのゲリラ闘争で組織の凝集力を高めること。コミンテルンの二七年日本テーゼで批判された「同志KUROKI」の極左セクト主義を踏襲して「結合の前の分離」を進めようとしたのは、党名からして当然の結果だったかもしれないが。

＊

三里塚・沖縄秋期攻勢に向かう八月までは指導的な立場で、九月から一一月までは一活動家として闘った前年と比較して、一九七二年は左派党建設に忙殺されながらも少なくない量の文章を執筆した。長文の組織文書としては九月の「9・15赤色戦線活動者集会基調報告」(赤色戦線首都圏協議会名義)、一二月の「『紅旗』

発刊の辞」(「紅旗」編集局名義)がある。いずれも内外情勢分析、第三世界革命戦略と人民権力闘争路線の展望、党内闘争/分派闘争と党建設などをめぐる文章で、両篇とも一二月刊行の「紅旗」一号に掲載された。この理論誌には戸田徹の「三里塚人民武装闘争の地平」(機関紙「赤色戦線」一号に掲載、『戸田徹遺稿集　彼方へ』に再収録)も収めた。われわれの人民権力闘争/人民武装闘争の到達点が、この総括文には簡潔にまとめられている。

組織文書とは別に党外向けには、一九六七年以来のサイクルを終えた大衆ラディカリズムの一時代を思想的に総括する「日本革命思想の転生　近代主義革命思想への〈ロマン的反動〉批判」を、七二年五月号から「情況」で連載しはじめた。

一九七〇年には津村喬の『われらの内なる差別』を刊行した三一書房から、三一新書を書き下ろしで出さないかと打診されていた。先に書き下ろしを書けば、新左翼雑誌に書いた原稿を評論集として出版したいとも。この話が実現していれば、半世紀後に本書がこのような形で世に出ることはなかったろう。しかし、二四時間政治生活に自己拘束したボリシェヴィキ的なルンプロ活動家には、たとえ新書であろうと書き下ろしの本を執筆する時間など取れそうにない。三一書房からの話は立ち消えになったが、この連載を完結させれば情況出版から刊行されるだろう。その予定で書きはじめた長篇評論だったが、思わぬ事態のために連載は中断に追い込まれてしまう。

連載第一回の最初の頁には次のような全体構想が置かれている。

序　章　〈ロマン的反動〉の意味
第一章　〈ロマン的反動〉の思想と運動
1　「原始回帰思想」の復活

2　「民族的責任論」の系譜
3　「戦士的共同体」の提起
第二章　〈日本ファシズム〉と〈ロマン的反動〉
1　〈日本ファシズム〉の歴史的根拠
2　〈日本ファシズム〉の思想的構造
第三章　日本革命思想の転生へ
1　近代世界と〈ロマン的反動〉
2　政治的ロマン主義の構造と特質
3　「近代―前近代」複合抑圧構造の批判

連合赤軍が潰滅して以降も爆弾闘争は続いていた。新左翼党派の俗流マルクス主義的な先進国革命主義・労働者革命主義へのロマン的反動として、東アジア反日武装戦線に代表される無党派地下グループの「人民なき人民戦争」が進行中だった。その思想的背景として、「日本革命思想の転生」第一章の1では〈ロマン的反動〉の綱領思想として太田竜の「原始回帰思想」批判が、その戦略思想として2では津村喬の「民族的責任論」批判が、その組織思想として3では滝田修の「戦士的共同体」論への批判がなされている。七・七華青闘告発を近代派マルクス主義の克服ではなく、もっぱら倫理問題として受けとめた中核派の血債主義は、津村喬の民族的責任論を歪曲しつつ極端化したものだ。一九七〇年代はじめの時点で思想闘争の主たる対象は、空洞化した近代主義革命思想への〈ロマン的反動〉にあると思われた。

構想が示しているように、一九七二年当時の思想論的な主題意識はファシズム批判に置かれていた。七〇年安保自動延長と七二年沖縄返還で戦後史は節目を通過し、田中角栄の「日本列島改造論」が脚光を浴びていた時期に、どうしてファシズム批判を中心的に論じようとしたのか。大衆ラディカリズムの一時代の終息、革命闘争をめぐる大衆的閉塞がロマン的反動の思潮と結合するとき、資本主義の危機を背景として新しいファシズム運動が勃興するのではないか。

一九七三年には第一次オイルショックが日本を襲うのだが、しかし昭和初年代とのアナロジーによる情勢判断は高度消費資本主義の潜勢力を過小評価していた。そのことを察知して第二章と第三章の構想は中途で棚上げして、第一章の完成後は「補論　『近代世界』の基礎構造と『第三世界解放革命―世界共産主義』」の執筆に専念することになる。

いま読み返してみると〈ロマン的反動〉批判は、黒木名で公表した従来の論考と比較しても文章に党派主義的な印象が強い。一九七二年に入って山根真一や江坂淳をはじめ、左派系の有力党員の離脱が相次いでいた。「左翼共産主義」的な七二年秋期大攻勢方針をきっかけとして、樋口篤三＝人脈主義的党組織による、いいだもも＝機能主義的指導部に対する長年の不満と不信が爆発として共労党が三分解し、結果として半ば偶然的に左派共労党は誕生した。この脆弱な組織を、なんとかして固めることが書記長としての仕事だろう。共産党六全協以来のコミュニズム運動史に即して左派共労党の位置づけを試みたのも、そうした切迫感に追われてのことだった。

後知恵で皮肉めいていえば、六全協を起源とする貴種流離の物語を創作し共有することで、そのまま放置すれば拡散し消滅してしまいそうな左派共労党の組織を、少しでも凝縮したいと思ったのだろう。左派党として活動した一年のうちに、最大限綱領―最小限綱領ならぬ「世界共産主義綱領―人民綱領」、「第三世界世界革命―世界共産主義」の綱領的立脚点、毛沢東派の反米愛国ならぬ「打日放米（日帝打倒・米帝放逐）の東アジア国際革命戦略」、「建党・建軍・人民権力闘争」の三面紅旗路線、「人民の指導的核心としての党」組織論などなど、戸田と二人で党的なキイワードやスローガンを矢継ぎ早に打ち出した。

もちろん言葉だけではなく、それぞれに固有の語るべき内容はあったが、新左翼的に華やかなキャッチフレーズの乱舞は党的団結が拡散しかねないという危機感の反映だった気がする。

しかし、そうした努力は、難破船の船体の穴を手で塞ごうとするようなものではないか。党の綱領的立脚点の厳密化に焦点を定めて、理論化の作業を急ぐべきではないかと考え直し、「日本革命思想の転生」本論はいったん中断することにした。

こうして連載しはじめた「補論」は、第三世界革命の世界史的意義を確定するというモチーフのもと、「階級形成論の方法的諸前提」以来の論文スタイルで書かれている。一九六八年と七二年には、論文スタイルで文章を書く精神的、時間的な条件が与えられていた。しかし活動に忙殺されていた六九年、七〇年、七一年の三年間は、箇条書きめいた活動家スタイルの文章を書く余裕しかなかった。

グラムシのいわゆる「資本論に反する革命」は二〇世紀革命の否定できない事実であるのに、議会主義的な先進国革命主義に堕した旧左翼はむろんのこと、その批判から生じた新左翼もまた第三世界革命が意味するものを原理的なレヴェルでは捉えようとしない。「レーニンに還れ」の掛け声から一歩も出ることなく、半世紀も昔のコミンテルン第二回大会「民族・植民地問題にかんするテーゼ」の認識を振り回している。

左派共労党の組織化に全力を傾注していた時期にも、戸田のアパートに泊まりこんで二人で議論することは多かった。第三世界革命論をめぐる共同の理論作業が進んだのは、この時期のことだ。「補論」としてまとめた第三世界革命論の理論的部分（『資本論』における世界の二重措定）は、経済学批判体系に精通した戸田の提言による。大塚史学に依拠した歴史的部分は黒木のアイディアだ。戸田との共同作業だった「資本主義批判・帝国主義批判・近代世界批判」の構想にいたって、「階級形成論の方法的諸前提」にはじまるマルクス主義の読み替えというステージは終わる。

この当時、フランクやアミンは第三世界革命の理論的基礎を従属理論として展開しはじめていたが、まだ日本には紹介されていないし、たとえ読んだとしてもわれわれとは発想が違うと判断したろう。資本主義的中枢と周辺という二つの構造が存在するわけではない。それは世界商業を歴史的土台に相互補完的な単一の構造として、論理的には同時に実現されたのだから。しかし従属理論では、資本主義が歴史的にも論理的にも先行する。

エリック・ウィリアムズ『資本主義と奴隷制』が一九六八年に翻訳されていたのを知ることなく、未読のまま「補論」の原稿を書いたのは残念だ。もしも参照していれば、一六世紀の「新大陸―ヨーロッパ―アジア」の大三角貿易に加えて、それ以降に全面化していく大西洋三角貿易、とりわけ「アフリカ―アメリカ」の奴隷貿易が近代世界形成に果たした決定的な役割についても、論理に組み入れることができたろう。党の解体によって「第三世界解放革命―世界共産主義」の綱領的立脚点は意味を失ったとしても、その前提だった「資本主義批判・帝国主義批判・近代世界批判」の構想は、二〇〇九年刊行の『例外社会』で部分的に新展開を試みたように、二一世紀の今日でも有効性は失っていないと思う。もしも時間的に可能であれば、半世紀前とは比較にならないほど充実した経済史研究や、フーコー『狂気の歴史』からフェデリーチ『キャリバンと魔女』などにいたる歴史批判の成果を踏まえて、かつての議論を発展させたいものだと思う。

二〇世紀コミュニズムの最後の活路だった第三世界革命を、レーニン『帝国主義論』を背景とする民族植民地問題という段階論の水準から、『資本論』体系の原理論的水準に移し換えて再把握する作業には、かつてない充実感と達成感を覚えた。階級形成論と党組織論、陣地戦と持久戦を結合した革命論などは、マルクス主義の臨界で試みられた〈68年〉の思考だった。この点、たとえば津村喬や神津陽とはスタンスが異なる。津村や神津にはマルクス主義の理論的遺産を全面的に引き継ぎながら、コミュニストであろうと否定しえない〈68年〉革命のリアリティに即して、それを可能な限り差異化しようという発想は稀薄だ。マルクスから自由といえば自由だし、そちらのほうが〈68年〉の思考としては当を得ていたのだとしても。

フランスの〈68年〉にも同じような対立は見られる。たとえばアナキズム的な〈3月22日運動〉のダニエル・コーン＝バンディと、フランス版マオイスト組織〈プロレタリア左派〉のアンドレ・グリュックスマンとでは、マルクス主義への構えがまったく異なる。その後の軌跡も日本と並行していて、コーン＝バンディ的な潮流は「新しい社会運動」に、グリュックスマンたちはマルクス主義批判に向かった。

ただしフランスの新哲学派と、マルクス主義批判の地平に到達したわれわれには決定的な相違がある。マルクス主義とともに革命を放棄した新哲学派が人権派への道を歩んだのにたいし、われわれの選択は「マルクスか革命か」だった。「革命」を選ぶなら「マルクス」を拒否しなければならないというのが、いわゆる「マルクス葬送派」の共通了解だった。今日のマルクス延命論は柄谷行人も、あるいは斎藤幸平にしても、マルクスから革命を切り離す方向に進んでいる。「革命のないマルクス」とは、ジジェクが批判する「カフェインのないコーヒー」の完成形だろう。

「補論」執筆の時点では、マルクス理論の第三世界論的読み替えという方向性を素描しえたにすぎない。本格的な作業はこれからだと考えていたが、連載は「情況」一九七二年一〇月号の「3　国際再生産圏と『世界市場』」でいったん中絶する。党活動の上で決定的な出来事に直面し、原稿を書いているような余裕が時間的にも精神的にも失われたからだ。「4　『WG—K—WM』と資本主義・帝国主義・近代世界」を含む連載第六回は、一九七三年七月号にようやく掲載された。

一九七二年月から六回にわたって雑誌に掲載した「日本革命思想の転生」は、原稿用紙で三〇〇枚ほどある。全文の収録は難しいため、序章と第一章を「日本革命思想の転生」として整理し、後半部分の「補論」は独立の論考「『近代世界』の基礎構造と『第三世界解放革命—世界共産主義』」として収めることにした。今日でも言及されることの多い津村喬の「民族的責任論」と比較して、太田竜の「原始回帰思想」と滝田修の「戦士的共同体論」への批判は再録の必要度が高くないと判断し削除した。残念ながら頁数の都合である。

日本革命思想の転生――近代主義革命思想への〈ロマン的反動〉批判

われわれの批判対象としての〈ロマン的反動〉とは、現代日本における新たな思想現象である「近代主義革命思想への〈ロマン的反動〉」に他ならない。

「戦後解体期における時代精神」において、戦後政治経験の検討から「近代―前近代」複合構造を近代世界の本質的存在様式として開示せんとしたわれわれは、次の課題として、現代革命思想の裡に部分的に、また自然成長的に反映している「近代―前近代」複合構造への批判に向かわなければならない。

革命思想領域における「近代―前近代」複合構造の即自的反映とは、近代主義革命思想とそれへの〈ロマン的反動〉との止揚なき対立構造を指している。この対立構造は、ここ数年間にわたる階級攻防の渦中において徐々に露呈されてきたものだ。

数年来の日本革命運動における過渡的な危機と混乱は、革命思想領域においてわれわれに対し、一連の思想闘争上の重要任務を課してきている。それは第一に、最終的崩壊過程に突入した諸近代主義革命思想の残骸に、さらなる思想的追撃を組織することであり、第二に、近代主義革命思想の危機に乗じて新たに抬頭しつつある、それへの〈ロマン的反動〉の思想的潮流への大胆な思想闘争を開始することである。ここ数年間の歴史的地平においては、前者は良く認識された旧い任務であるのに対し、後者はごく最近の完全に新しい課題である。

われわれは日本革命思想における修正主義的・近代主義的諸潮流に対して、首尾一貫した全面的かつ体系的な批判を加えてきた。それは第一に近代主義者の革命綱領たる「生産力主義的共産主義論」の批判、第二にその革命戦略における「危機論主義」とそれに規定された運動路線への批判、そして第三に近代主義者の組織思想への批判である。

その上で、われわれと同じ「近代主義批判」を掲げて抬頭しつつある、もうひとつの革命思想潮流、すなわち「近代主義革命思想への〈ロマン的反動〉」に注目する必要がある。この思想はいまだ部分的・萌芽的ではあるが、ある独特の包括性と体系性を獲得しつつあり、一部の先進的大衆を思想的影響下におさめようとしている。われわれはたんに近代主義革命思想と闘争するだけでなく、〈ロマン的反動〉の思想的本質を暴露し全面的な批判を加えて、日本革命運動から一掃する作業に着手しなければならない。

序 〈ロマン的反動〉の意味

戦後民主主義運動にまで疎外された戦後革命運動は、合法主義、平和主義、一国主義の組織と思想によって、当然にも日本帝国主義支配の安定的土台に転化した。「日共六全協」路線は、革命党が自ら戦後革命期の闘いを清算し日本帝国主義の前に武装解除した、戦後民主主義確立期における革命党の政治的・思想的敗北の表現に他ならない。

新左翼は、「日共六全協」路線に実践的に凝縮された近代主義革命思想の戦後的・日本的形態に対し、ある即自的な批判意識をもって自己を形成した。しかし、即自的批判性は現実の組織と運動において、戦後階級闘争の左翼反対派、「日共六全協」路線内部における反対派としての新左翼運動に結果したのであった。

ヴェトナム革命戦争の前進によって開始された、東アジア「冷戦—平和共存」構造（東アジア戦後体制）の解体は、新左翼運動に大衆的基盤を確立させるとともに、戦後民主主義内左翼反対派たる新左翼に解き難いディレンマを課した。「六全協」路線内反対派としての新左翼が、その大衆的基礎の根拠として、「六全協」路線の国際的条件の喪失（＝インドシナ革命戦争の前進）を措定する時、新左翼運動は根底的な矛盾をかかえこまざるをえない。六〇年代中期から六〇年代後期の時代には、この矛盾は発展的に作用した。新左翼運動は成長し拡大したのである。しかし一九六九年秋期政治決戦の敗北は、この矛盾の自己展開力の限界性を明確にした。それ以降、新左翼は、「六全協」路線の枠内「反対派」に留まるのか、それとも「六全協」路線と完全に訣別した新しい党に自己を凝縮せしむるのか、すなわち新左翼であることを本質的に自己止揚するのか、この二つの選択の前で混乱を続けている。六九年から現在にいたる新左翼運動解体の深化は、かかる問題をその背後に潜ませたものとしてある。

「新左翼」とは本質的に過渡的な存在である。そのイデオロギー的混乱は、その本質的性格として了解されなければならない。単一の綱領、単一の戦略、単一の党、これらは新左翼的定在からの自己止揚としてのみ闘いとられるだろう。

六九年秋期政治決戦の敗北によって露呈された新左翼の限界性は、先進国革命主義と言辞の国際主義、内実の一国主義という抽象的戦略主義であり、運動組織路線におけるソヴェト主義だった。そしてこれらの土台としての「学生と上・中層労働者」という新左翼の運動基盤が問われたのである。

六九年の敗北から一年を経過し、われわれは次のような総括視点を獲得してきた。すなわち、「『六〇年代新左翼』の進行しつつある分解は、『第三世界独裁としての世界プロ独』の綱領と、『第三世界革命への合流』の戦略と、『人民戦争の永続的展開』という運動・組織路線に武装された党―階級形成に集約されなければならない」（「第三世界革命への合流に向けて」／「構造」七一年三月号）。先進国革命主義＝一国革命主義から「第三世界解放革命への合流」へ、ソヴェト主義から「帝国主義本国における〝潜在的内戦＝国家独占資本主義のもとでの人民戦争〟としての人民権力闘争」へ、これがわれわれの総括視点であった。だから七〇年代初期における闘いは、〈具体性の方へ〉のスローガンのもとプロレタリア人民拠点を構築する反帝拠点闘争として闘われたし、今日も闘われている。被抑圧下層人民の闘いに直面するなかで提起された党―階級形成の新たな公準への問題意識は、六〇年代新左翼の近代主義的本質に対するラディカルな反措定だった「第三世界独裁としてのプロレタリアート世界独裁」の理念と結合することから、「綱領」域の自覚、意識化へとわれわれを導いたのである。「建党建軍、人民権力闘争、国際人民戦争」の「三面紅旗」路線と、「党―階級闘争の構造転換」の闘いはこうして準備された。

しかし、われわれの七〇―七二年過程における総括の深化と「新左翼」的主体からの自己止揚の歩みは、他方で新左翼運動総体の分解と混迷と一大再編を不可避とした。六九年敗北以降、総体としての新左翼の「運動／組織／理論」は、相互に複雑な絡み合いを見せながらも、基本的に三つの部分的契機に解体された。「人民」性、「軍事」性、「政治」性である。

七〇―七二年過程の総括のため、ここで問題点を簡単に整理しておこう。

六〇年代新左翼を、被抑圧下層人民の生活と闘争の渦中で解体すること――ここに問題解決の鍵を見出した層は〈人民闘争〉派として自己を純化した。七〇―七二年過程における新たな課題と闘い、季節工・社外工による下層労働者闘争、三里塚・北富士・日本原などの反基地農民闘争、在日被抑圧アジア人民の入管闘争、部落解放闘争、障害者の自己主張と自己解放の闘い、さらには女性解放闘争の新たな胎動、沖青同結成による在日沖縄人民の独自的結集と沖縄現地での解放革命闘争の萌芽などは、六〇年代新左翼の抽象性（階級対立一般論）と戦後民主主義内左翼反対派の体質のために不可視化されていた具体的水準における日帝の差別分断、抑圧支配に対決する方向性を示している。しかし、これらの戦線に一面的に没入していく〈人民闘争〉派は解党主義と軍事反対派、「政治」性の欠如とそれへの無自覚に陥らざるをえない。

六九年秋期への過程で発生した〈軍事闘争〉派は、六〇年代新左翼を「軍事闘争」の方向に解体することが唯一の自己止揚の道であると考える。赤軍派、京浜安保共闘による一連の都市ゲリラ闘争は、連合赤軍の結成によって次の水準への移行を試みたものである。しかし「軍事闘争」派の国際革命主体への高次化は、依然として巨大な困難性を課せられている。赤軍派の六九年前段階武装蜂起論は、周知のように関西ブント「政治過程論」の極左的・軍事主義的形態にすぎない。「政治過程論」が戦後民主主義内左翼反対派としての新左翼の典型的な政治理論であった限りにおいて、「国際根拠地―連続蜂起」論も、さらに「ゲリラ戦争―総蜂起」論も、ある絶対的限界性内での部分修正という傾向性を脱しえない。「人民」性の契機、第三に述べる「政治」性の契機、これらと内的に結合しえない〈軍事闘争〉派は、「人民なき人民戦争」の倒錯に陥らない保障はない。〈軍事闘争〉派の一面的自己純化は、人民的闘争（革命の人民的根拠）からの疎外、政治的闘争（全人民の抗議と抵抗の意志を国家権力に対し、全国的中央的に集約する闘い）からの疎外によって、新左翼的主体からの自己止揚の契機を見失わざるをえないだろう。

日帝ブルジョワジーの階級利害が国家政策として貫徹されていく議会内過程（政治過程）に反応し、戦後民主主義的な国民主体から半ば自然発生的に噴出する抗議・抵抗の大衆運動を、社共人民戦線派の合法主義的統制からはみ出した戦闘的な行動形態で表現していくこと。ここに六〇年代新左翼の立脚点が存在し、結果として「中央カンパニア政治」と、その補完としての「武装カンパニア闘争」は新左翼の基本的行動形態となる。「全共闘・反戦」＝新左翼八派連合は、その組織者であった限りで六〇年代新左翼の完成された結集軸だった。七〇―七二年過程の〈人民闘争〉派と〈軍事闘争〉派への新左翼再編のなかで、八派連合は分裂解体した。しかし「八派なき八派政治」は、われわれが軍事と人民とを内的に統合するプロレタリア的政治を、政治過程主義的政治を超えて実現するまでの間、不可避の存在根拠を有して延命するだろう。頽落された〈政治闘争〉派としての「中央カンパニア政治」派は、依然として新左翼主流として存続している。

新左翼運動の三契機への分解を自然成長的に止揚することはできない。「カンパニア政治」と「軍事」の結合を狙った中核派「都市暴動」路線、あるいは人民的諸契機の「カンパニア政治」へのとり込みの試み（全国叛軍、東京入管闘のカンパニア機関化）など、これらは新左翼の危機の深化と、再編の激化を促進する以外ではない。建党建軍・人民権力闘争・国際人民戦争の「三面紅旗」路線の闘いは、新左翼の根底的自己止揚と三契機統合をかちとる唯一の指針である。

深化する新左翼運動の危機と内的解体の進行は、混乱の渦中から〈ロマン的反動〉の思想と運動を析出してきた。抬頭する〈ロマン的反動〉に警戒しなければならない。それは現代移行期世界における帝国主義ブルジョワジーの最後の延命手段たる「新しいファシズム」の大衆的基礎を準備しうるからだ。六〇年代新左翼の残骸が、この〈ロマン的反動〉に組織されることを全力で阻止しなければならない。

資本主義近代は、ロシア革命の勝利によってもたらされた未曾有の世界的危機に対して、近代の合理的過程への非合理主義的反撥をも支配体系に取り込むことで、自己の延命を図ろうとした。一九三〇年代のファシズム革命の根拠はここにあった。

資本主義的近代の「近代」性は、枢軸国に連合国が勝利した第二次大戦の後には順調に回復していくように見えた。しかし帝国主義諸国における「高度成長」と「福祉国家建設」、第三世界諸国における「近代化」と「離陸」の世界史的な破産、戦後資本主義の安定性の崩壊と危機の到来は、近代の合理的過程に対する非合理的矯正の衝動を、近代の不可視の闇の底で胎動させつつある。帝国主義国家権力のファシズム化は、一九三〇年代の再来としての政治的激動を呼ぶだろうか。

近代主義と対決してきたわれわれは、その〈ロマン的反動〉にも全力で打撃を加えなければならない。それは新しいファシズムを萌芽のうちに摘み取る闘争でもある。帝国主義ブルジョワジーから最後の延命の道を、反革命暴力と反近代主義、反合理主義の道を、すなわち新しいファシズムの道を奪い去る闘争に他ならない。

この闘争は容易ではない。今日の〈ロマン的反動〉には、一度は滅亡した〈日本ファシズム〉と内的な継承関係が無視できないからだ。〈ロマン的反動〉は自覚的、無自覚的に日本ファシズムの理論的・実践的遺産を継承している。日本ファシズムは日本の共産主義運動、革命運動が勝利しえなかった敵なのだ。この点は日本革命運動の近代主義的体質と密接な関係がある。近代主義革命思想によって、それへの〈ロマン的反動〉に勝利することはできない。帝国主義ブルジョワジーの支持を獲得した〈ロマン的反動〉は、近代派マルクス主義勢力を打倒しうる。

六〇年代新左翼の内側から、その分解と危機を前提として発生し成長しつつある〈ロマン的反動〉の主張には、一見われわれの観点に類似したところがある。イタリア社会主義運動の内部から、それへのラディカルな批判を立脚点としつつイタリア・ファシズムとイタリア・コミュニズムが同時に発生したように、われわれと彼らとはある種「双生児」的な関係にあるともいえよう。だから闘いはいっそう非和解的である。闘争はまず理念的闘争として、次には組織的闘争として、そしてわれわれがこの二つの闘争に結着をつけない場合には、暴力的闘争として闘われざるをえないだろう。一九三〇年前後のベルリンの街頭で、ナチス突撃隊と共産党赤色戦線が激突したように。

近代主義革命思想への〈ロマン的反動〉は、日本ファシズムの「高度な」思想的成果をとりこみ、反近代主義の自然発生性を吸収しつつある。真実の革命思想、かならずや勝利するであろう持久的・攻勢的な人民権力闘争の「意識」は、〈ロマン的反動〉の思想と運動との全面的で非和解的な闘争に勝利することなしには獲得されえない。

新左翼運動の思想的、運動的な解体の渦中から、その重苦しく苛酷な試練に耐えずに、自然成長的な分岐が発生してきている。

その第一の潮流は、近代主義革命思想に完全に屈服し、新左翼がそれなりに即自的ではあれ内包していた近代主義革命思想の戦後的・日本的形態に対する批判意識を自ら武装解除して、帝国主義社民や日共修正主義とともに、その左翼的補完物として肩をならべ、日本帝国主義公民秩序に回収されていく自然成長性である。この傾向性は、新左翼としての存在根拠を放棄するものであり、革命主体の危機的現状に誤った方法で応えたものといえる。現在のところ日本帝国主義の階級支配の支柱は、この党派ブロック（帝国主義社民、反革命修正主義、そして六〇年代新左翼の近代主義的分解部分）にある。戦後民主主義の国家形態を日帝が放棄し権力再編を強行するまでの期間、この議会主義＝組合主義としての近代主義革命思想とその構造的土台は、日帝の合法主義的階級支配の支柱であり続けるだろう。

第二の潮流は、新左翼がある種の傾向性として有していた反近代主義を純粋化し、徹底化するなかで形成された近代主義革命思想への〈ロマン的反動〉の自然成長性である。近代世界のうちに拡大しつつある大衆的ニヒリズムが、不定型で流動する大衆暴力の静かな増大が、この傾向性の潜在的な根拠となっている。戦後国家の合法主義的支配形態の枠内における日帝の国際・国内路線の右翼化（右翼ブロック国家建設）が限界に達した時、あえておこなうその追求が危機の拡大に転化する時、日帝ブルジョワジーは戦後国家からの訣別と公然たる権力再編に突入するであろう。その時、日帝階級支配の古い支柱はうち捨てられる。そして新たな支柱は、日本帝国主義公民秩序に対する精神の貴族主義たる万年反対派――〈ロマン的反動〉の思想と運動によってすでに準備されている。深まる大衆的ニヒリズムと成就せざる潜在的暴力の肥大化が、ついに戦後国家の安定的支配を掘り崩すにいたる時、大衆的ニヒリズムの組織者たる〈ロマン的反動〉が階級支配の支柱へと押し上げられるだろう。

六〇年代的急進主義の自己解体による新左翼の混迷と危機は、日帝の階級支配の第一の、あるいは第二の支柱として機能しはじめている。新左翼の自己止揚を目指すところのわれわれには、これら自然成長的な二傾向、二潮流に対して全面的な対決を組織する任務が課せられている。とりわけ〈ロマン的反動〉との闘争の意義を摑み、これとの闘争を開始しなければならない。過渡期の混乱にある日本革命運動の実践と理論の検討から、〈ロマン的反動〉の思想的根拠と形成過程を明らかにし、近代主義革命思想の頽廃とそれへの〈ロマン的反動〉をともに超える真実の革命思想への転生を闘いとること。

われわれの立脚点は、「近代―前近代」複合抑圧構造への批判にある。この立場こそ、新たに摑みとられるであろう革命思想の立脚点に他ならない。近代主義革命思想とその〈ロマン的反動〉を、「近代―前近代」複合抑圧構造批判の立場から一挙かつ同時的に粉砕しなければならない。

具体的な検討にはいる前に、これまで明らかにしてきた問題点を整理しておこう。

①七〇―七二年過程における新左翼の根底的危機と内的解体の渦中から、近代主義革命思想への屈服と迎合に向かう自然発生性とともに、〈ロマン的反動〉の思想と運動が、いまだ部分的、萌芽的、無意識的でありながらも無視しえない影響力を獲得しはじめている。この〈ロマン的反動〉は近代派マルクス主義と修正主義に対する闘いの前進から生み出されたものであり、反近代主義の一点において、あたかもわれわれと類似するような主張をおこなう。さまざまに錯綜する主張と断片的諸実践のなかから、真の革命派と〈ロマン的反動〉を正確に区別し、後者への批判を集中しなければならない。

②〈ロマン的反動〉は、戦後市民社会の内的解体から生じた、深まる大衆的ニヒリズムの政治的・思想的表現である。それは新左翼大衆にも浸透している大衆的ニヒリズムから発生した。〈ロマン的反動〉の思想的純化と政治へゲモニーの確立は、国益主義的親帝労働運動と、それを土台としての左派社民、日共修正主義の「体制内反対派」（新左翼の一部もいまやこの隊列に合流しつつある）を含む日帝右翼ブロック国家化（＝軍国主義化）の最大の支柱を揺るがし、戦後国家を否定的に解体する大衆結集（大衆的ニヒリズムの組織化としての新しいファシズム運動）に成功する無視し難い可能性を有している。

③大衆的ニヒリズムを組織する〈ロマン的反動〉の綱領思想は「原始回帰思想」、その戦略思想は「民族的

責任論」、そして組織思想は「戦士的共同体」である。その「綱領・戦略・組織」思想は、いまだ全面的に体系化されてはいない。しかし、近代主義革命思想を圧倒し去る程度には強力である。かつて戦前マルクス主義との闘争に勝利したところの、日本ファシズムの成果に依拠する新勢力との闘争は困難をきわめるだろう。「原始回帰思想」は〈日本ファシズム〉の農本主義的原始回帰思想を、「民族的責任論」はアジア主義を、そして「戦士的共同体」は天皇制共同体（日本的共同体の国家的逆立を媒介とする集約体）を無意識的に継承している。

④〈ロマン的反動〉の大衆運動が全面化する時、日帝ブルジョワジーはそこに階級支配の支柱を見出すことになるだろう。戦後世界体制が東アジアを焦点として根本的な再編に突入しつつある現在、戦後日本国家＝戦後民主主義国家の枠内において、すなわち権力形態の再編を回避しつつ、国際国内路線を極限にまで右傾化させる日帝右翼ブロック国家建設＝軍国主義化の試みは、不可避的に限界に直面せざるをえない。その時、たんなる政治再編ではない権力再編が、戦後民主主義国家から新ファシズム国家への全面的再編が開始されるだろう。大衆的ニヒリズムの暴力的組織化に成功した〈ロマン的反動〉は、権力再編を強制された日帝にとって最大の援軍となる。

⑤〈ロマン的反動〉との闘争は、このような展望において把握されねばならない。われわれが〈ロマン的反動〉と対決するための立脚点は、「近代—前近代」複合抑圧構造批判の観点である。〈ロマン的反動〉もまた近代主義革命思想と同様に、こうした近代世界の本質的構造を無自覚のまま反映しているからだ。近代主義革命思想も〈ロマン的反動〉も、それぞれ全体の一面でしかない。ブルジョワジーに利用されうる弱点は、こうした一面性の絶対化にこそある。

　以上五点にさしあたり問題を整理するなら、われわれの方向性も明確となる。

〈ロマン的反動〉の際だった特質は、綱領性、戦略性、組織性の三領域にわたって日本ファシズムの潜在的影響下にあるにもかかわらず、その直接的影響はなによりも第三世界解放革命の現実から発生している点にある。彼らとわれわれとの間で、同じ第三世界解放革命の現実に直面し、存在の深部を揺さぶられるような衝撃をともに共有しながら、どこで決定的な対立関係に突入したのかを明らかにすることは、われわれにとっても重要な問題だろう。

肥大化した市民社会のそこここで、何か鮮烈なものに対する希求と渇望が渦巻いている。この希求と渇望を〈ロマン的反動〉に組織させてはならない。〈日本ファシズム〉の潜在的規定性、第三世界解放革命の思想的衝撃、そして全社会的規模での大衆的ニヒリズムの深化、〈ロマン的反動〉はこれら諸要素の結合から発生した。

民族的責任論の系譜――〈ロマン的反動〉の戦略思想

〈ロマン的反動〉の戦略思想は、「民族的責任論」という一連の政治主張のなかで萌芽的な形成を遂げた。それは、鮮明な自己意識を、「原始回帰思想」ほどにも有するに至っていない。しかし近代主義革命思想における戦略域の理論的破綻に促されながら、日本ファシズムのアジア主義に規定された〈ロマン的反動〉の戦略思想の自己形成、自己確立は加速していくだろう。かかる事態にそなえ、一九七〇―七二年入管闘争過程において顕在化し、無党派入管闘争活動家を軸とする新左翼大衆を一定程度その思想的影響下に獲得した「民族的責任論」に対する批判を、われわれの課題としなければならない。

その論理構成において、直接的にはその国家および民族に向き合う構えにおいて、「民族的責任論」にはアジア主義と類似した性格が否定できない。その表現形態はたがいに逆倒しているとしても。「民族的責任論」の批判において、一方でアジア主義との類似性を指摘すると当時に、他方でそれとの逆倒関係についても明らかにする必要がある。この逆倒の構造こそ、〈ロマン的反動〉の精神に固有の「傲漫と卑屈」の心的スタイルを典型的に表現するものだからだ。被抑圧民族に対しては無限の卑屈を、被抑圧民族に拝跪しない抑圧民族のある部分に対しては無限の傲慢を——という心的スタイルは入管闘争における被抑圧民族と抑圧民族、沖縄連帯闘争におけるウチナンチューとヤマトンチュー、部落解放闘争における被差別部落民と一般民、女性解放闘争における男性と女性などのヴァリエーションを生み出しながら、最終的には相も変わらぬ知識人と大衆の対項図式に還元されていく。

「傲慢と卑屈」の心的スタイルは、あくまでも抑圧民族やヤマトンチューや知識人である側のロマン的心性として発生する。これら「抑圧者」(と、とりあえず一括しておこう)は、「抑圧者」である自己を是が非でも否認したい、否認しなければならないという衝動にかられるからだ。重要なのは自己否定の衝動にかられた「抑圧者」にとって「被抑圧者」はある種の「像」として、あるいは「表象」として存在する点である。「華青闘の告発」という観念的に措定された「像」に対する無限の卑屈——これこそが「華青闘の告発」そのものを構造的に把え返しえない七〇—七一年入管闘争の限界をなしたのではなかったか。帝国主義公民たるわれわれにとって「見えない人間」であった在日アジア人民が、彼らの闘いの前進と、そして幾分かは六九年秋期決戦敗北以降のわれわれの自己総括の深化によって可視的になろうとしていた時、この〈ロマン的反動〉の心的スタイルは、被抑圧アジア人民の生活と闘いの実体に自己を直面させるのではなく、彼らをたとえば「告発者」という「像」に一面化し切り縮めることによって、逆説的に理念的自己保身をはかったのである。この心的スタイルの反動的性格は指摘するまでもあるまい。

被抑圧者への直面の形式は、無限に続く挫折である。このような論理を設定する以上、それ以外の直面形式はありえない。そして被抑圧者への無限の挫折とそこから発生する「卑屈」は、この問題に無自覚な者に対する無限の「傲慢」として反転する。あたかも被抑圧者から全権を委任されたかのように、その特権的代弁者であるかのように彼らは振る舞う。

中核派の血債主義に典型的である、こうした倒錯的観念性が〈ロマン的反動〉の精神の核心には刻まれている。「民族的責任論」はその醜悪な副産物として、解体期日本新左翼の裡に「卑屈と傲慢」の倒錯的な心的スタイルを生じさせた。六〇年代新左翼の新ナロードニズム的解体のなかで、この心的スタイルは、〈ロマン的反動〉の思想と運動の温床となっている。「革命の人民的根拠」は、わが綱領の後半部分たる「人民綱領」域の発見において確認されうる（前半部分は「世界─共産主義綱領」に他ならない）。そして「革命の人民的根拠」から「人民綱領」へのわれわれの前進は、解体期新左翼の人民主義＝新ナロードニズムへの根底的な批判によってのみ闘いとられたのだった。

「民族的責任論」の二重性（「アジア主義」との関係における本質的類似性と形態的逆倒性）を構造的に批判するに際して、われわれが最初に検討しなければならないのは、津村喬のこの間の諸論考（津村自身は「雑文」と称しているが）である。

津村自身は不徹底な「民族的責任論」者であったし、最後にはそれを撤回してしまった。しかしわれわれは津村を通じて、「民族的責任論」の系譜を要約的に把握することができる。

津村のスタイルは、いわば「ツィーシャンク派マオイスト」とでも規定しうるものだ。この傾向は藤本進治にも感じられたが、それは津村によって拡大され定着させられた。『われらの内なる差別』という著作の表題をめぐる対立のなかで、実質的には「民族的責任論」を撤回してしまった事実にも示されているように、津村自身が〈ロマン的反動〉のイデオローグであるとはいえない。しかし津村の一連のイデオロギー活動の内には、〈ロマン的反動〉の精神風土の形成と無縁でない部分も含まれている。批判の作業を津村の六九年総括の検討から始めることにしよう。

津村は、六九年秋期政治決戦とほぼ完全に無関係であることを主体的に選択したといえる。このことは次のように語られている。

大学闘争の〈位置づけ〉をめぐって、二つの考えが存在している。ひとつは、現実の学生叛乱における諸党派の無能、時には抑圧的役割が誰の目にも明らかになったにもかかわらず、それが全国的に不均等であることをもって、党派の存在意義を強調しようとしたもので、すでに街頭闘争といった外的・偶然的な闘争をのりこえて生まれて来た大学闘争を再び前者の手段に引き下げようとする考えであった。全共闘は〈決戦〉にそなえて再編し強力に指導すべき大衆団体と、時には統一戦線とさえ見なされていた。もうひとつは、全大学の中で学生が自分たちの交通を作りあげ、それをたえず普遍化して労働者人民と結びついていく、全くこれまでと異質な運動形態の創出を含む大学解体こそ、当面の階級闘争の〈環〉だとする考え方があった。

(『革命への権利』)

「六九年には、この対立は、明確な二つの路線の対立となった。八派連合の決戦主義と、反大学、パルチザン、解放大学その他の都市ゲリラ(大学も都市的現実である)=文化・政治革命路線との対立である」。こうした津村の認識は、六九年段階における新左翼大衆の多くに共有されていた。秋期決戦を敗北として総括したわれわれは、津村の批判のある部分を承認しなければならない。とりわけ、全共闘学生叛乱を秋期政治決戦に総体としては媒介させえなかった限界性は明らかである。しかし津村のように問題を合理化してしまうことは、ひとつの欺瞞でさえある。バリケードを破壊された全共闘大衆が六九年一〇・二一の新宿に群衆として、何故、数千の規模で集まったのか。彼らは何をもとめたのか。全共闘大衆の戦略的部分は何故、重苦しく暗い自問自答の果てに「それ以外には秋期を闘いえない」と決断し、党派軍団と行動をともにして傷つき、あるいは逮捕される道を選んだのか。たとえばプロ学同の隊列に参加して機動隊の弾圧に斃れた同志糟谷も、全共闘活動家の一人だった。彼らの思想的苦闘は無だったのか。津村のように総括するならば、これらの問いは抑圧され不可視化されざるをえない。

秋期決戦を通過した一九七〇年冒頭、「具体性の方へ」「人民の中へ」と語り始めたのは、津村だけではなかった。われわれもまたそのように主張し、反帝拠点の工作的実践に着手した。しかし「人民綱領」域の発見にまで至るわれわれの闘いと津村のそれとは、六〇年代新左翼の自己止揚に、どのように主体的な責任を負うのかという点で決定的に異なっている。「自国帝国主義打倒―政府打倒」派として自己形成した六〇年代新左翼の、その論理を実践的に徹底化する果てに初めて摑みとることのできた「革命の人民的根拠」と「第三世界解放革命」は、津村の権力闘争なき革命談議とは根底的に対立する。国家批判とは、実践的には政治権力との闘争を持久的に闘うことであり、大学権力との闘争それ自体は権力闘争とはいえない。また、さまざまの社会権力との闘争（社会叛乱）によって形成される主体の質が、政治権力（プロレタリア独裁）主体のそれとまったく異なることも自明である。大学闘争をはじめとする社会叛乱闘争を、どのようにして権力闘争を展望する六九年全人民的政治闘争に媒介するのか。われわれにとっては、これが問われていた課題だった。今となってみれば、問題をこのように設定しえないことは明らかである。しかし、そのことをも含めて避け難いディレンマを引き受け、闘い続ける以外にいかなる主体的立場がありえたろう。

われわれは津村が「二つの路線の対立」と規定する問題領域を、「資本主義批判・帝国主義批判」の二重性として総括した。こうした視点から津村的な政治的選択を、無党派活動家の戦線召還と批判したし、またそうしうるのである。

津村の理解では、全共闘運動―三里塚・北富士などの人民拠点闘争―第三世界の人民戦争、この三者は切れ目や矛盾なく無構造的に連続している。三者の共通項は「異質の大衆叛乱―〈コミューン的連合〉」にある。それは「八派連合の決戦政治」の対立物でもある。しかし、この「全共闘・三里塚・第三世界」対「決戦政治」なる図式は、津村の頭脳にだけ存在しているにすぎない。

三里塚闘争は、国家権力と持久的に対決する主体の質において、自然成長的な「資本主義批判」の純粋社会叛乱たる全共闘運動をのりこえるものであったし、三里塚が創出した七一年九・一六人民武装闘争勝利の地平は、全共闘運動における所与の構造性とは端的に対立的なものであった。しかし三里塚の農民闘争もまた、それ自体としては「第三世界革命への合流」という国際主義的意識には達しえない。三里塚における「革命の人民的根拠」は、第三世界のそれを想起させうる質を有しているにせよ、三里塚もまた第三世界から遠く離れている。

津村が語るところの「全共闘と決戦政治」の矛盾を極限まで生きることなしには、六〇年代新左翼の自己止揚はありえなかった。この矛盾と苦闘のなかからのみ三里塚と第三世界がさしあたり、それぞれ別の方角から見えてきたという実践的認識過程を、津村の先験的図式に対置しなければならない。

全共闘と三里塚と第三世界を串刺しにする津村の発想は、その現代帝国主義論あるいは国家独占資本主義論を理論的背景としている。

三〇年代初頭から中期にかけて、いくつかの帝国主義大国のブルジョアジーは、多かれ少なかれ困難な実験を伴った統制経済(ニューディールや戦時統制経済——ファシズムの社会的合理性としての)の中で、言葉の真の意味での階級戦略——経済社会構成体の必然性の認知と展望——を持つのである。それは階級闘争に根底的な変化をもたらす。

(「俗なるものの革命」)

津村は次のように続ける。「この反省的な階級戦略は国家独占資本主義体制に物質的基礎を見出す。国家はここでは、経済外的に市場を供給したり、巨大な購買者となるだけでなしに、とりわけ管理通貨制度を中軸として、独占の縦断組織を有機的に結合し、資本の運動をその帝国主義的上部構造とともに全体的に〈構造化〉する。それは古典的な恐慌を回避しうるまでに、〈操作するもの〉となる」。

この文体は紛れもなくツィーシャンク派のものである。こうした類いの「構造的分析」の深化から、何ものかが新しく見えてくるという確信こそ、その思想的根拠である。こうした発想は最終的に、「三里塚闘争における農協と生協の解体的奪権による流通機構の破壊が、最初は手工業的に、次第に全国的に追求していけるとしたら、それもすぐれて政治的課題であろう」という、社会党構改派的な政策プランを得々とならべるにまで頽落する。津村による六九年総括の無党派主義は、その革命論領域におけるトリアッティ路線に対応している。

津村革命論の特質は、「肥大した生産力の資本による再組織化としての修正資本主義（国家独占資本主義）」という問題意識に、まず第一義的には存在する。「資本主義の上部構造としての帝国主義は、危機の自然発生的な解決形態であり、盲目的な、直接の敵対的不均等性のうちにあった。未だ一国規模であれ、階級戦略を持ったブルジョアジーは、〈一〇月〉以後の指導性の喪失を回復する」（「俗なるものの革命」）こうした文体と、それに込められた問題への接近の構えが、典型的にツィーシャンク派のそれであることは確認した。現代革命への、とりわけその困難性への接近と把握におけるツィーシャンク的なるものは、いまなお歴史的経験によって、それ自体の存在根拠を了解されなければならない問題をはらんでいる。

われわれにとって決定的に不可解なのは、津村においてツィーシャンク理論とマオイズムが、修正資本主義（国家独占資本主義）論と第三世界論が、なんら矛盾なく同居しえている事実である。両者の「統一」形態は、次のような文章において、もっとも端的に表現されている。

いまや中国革命が切り拓き、ベトナム革命が継承し、中国文化大革命が反省的に普遍化したところの二〇世紀革命が全世界に波及しつつある時代なのではあるまいか。具体的民主主義を志向したフランス五月革命において、わが六八年学生叛乱において、われわれは普遍的・根源的＝永続的・創造的全体化革命の新資本主義社会における開始を、奇型化されているにせよその偉大な可能性を、垣間見たのではあるまいか。

一九六〇年代のわれわれがツィーシャンク主義者だった意味を捉え返さなければならない。戦後世界体制の「安定」と戦後日本社会の「繁栄」の幻想のなかで、少なくとも教科書風の「革命の必然性」がなんらの説得力も持ちえなかった情況のもとで、欺瞞的な「賃労働―資本」一般論や「世界危機」待望論に足を取られまいとした時、ツィーシャンク理論はわれわれを捉えた。ツィーシャンク理論を、トリアッティ主義と構造改革路線、社会革命主義、一国主義、非武装平和主義の理論的基礎として批判するのはたやすい。しかし六〇年代におけるツィーシャンク理論の根拠は、そうした凡百の「批判」によっては解体されえない。たとえば、われわれのツィーシャンク的革命論の完成形態であった「社会危機論」あるいは「政治―社会同時革命論」などは、容易にそれらの「批判」を退けることができる。

六〇年代における帝国主義本国階級闘争の閉塞的情況に規定された、現代革命のシニシズムこそツィーシャンク理論に他ならない。ツィーシャンク派から宇野派への移行も、宇野原理論のラディカルな科学主義が、現代革命のシニシズムのさらに適切な表現ではないかと思われたからだ。ツィーシャンク―宇野的な、近代世界の純化された近代主義的把握から脱却するためには、第三世界との直面が不可欠だった（宇野経済学とわれわれのかかわりについては、「戦後解体期における時代精神」で多少とも触れた）。

現代革命のシニシズムとしてのツィーシャンク理論を根底的に自己批判＝自己止揚するためには、六九年秋期政治決戦の敗北から第三世界解放革命の現実に直面するという自己解体的な経験を通過することが不可欠だった。ツィーシャンク的・宇野的な「抽象的反資本主義」と、「自国帝国主義打倒―政府打倒」主義的な「抽象的反帝国主義」の自然発生的結合体こそ、六〇年代日本新左翼の立脚点だった。この立脚点の極限的展開とその根底的挫折は、六九年秋期政治決戦の敗北として経験された。第三世界の発見は、その痛苦の総括からもたらされたのである。六九年秋期政治決戦をついに主体的に通過することがなかった津村においてのみ、ツィーシャンク的修正資本主義論とマオイズムの無矛盾的結合という思想的アクロバットは可能だった。

しかし修正資本主義的・国家独占資本主義的現状認識と、第三世界革命の現実は決定的に非和解的である。前者から後者への転化における、われわれの思想的実践的苦悶こそが真実であり、前者と後者の「和解」、無矛盾的同居は欺瞞にすぎない。

修正資本主義論の核心は「近代は純化する」という思想的確信にある。その帰結は、近代世界を資本の世界性によってのみ根拠づけ了解するにいたる。新しい資本形態、新しい国家・階級支配形態、これらを世界了解の基軸とする構えは、ベルンシュタイン―ヒルファディング―ツィーシャンクという系譜において、近代派マルクス主義の伝統的世界了解の方法をなしている。第三世界解放革命と永続する人民戦争こそが、この近代主義的近代世界把握を実践的に破砕し、近代世界の「近代―前近代」複合構造を開示した。「第三世界解放革命―世界共産主義」の綱領的内実こそ闘いとられたわれわれの立脚点に他ならない。

このような地平に無自覚ないっさいの第三世界論は、第三世界的現実の近代主義的解釈（これ自体がひとつの〈ロマン的反動〉であるが）として、極度の文化主義的傾向性に陥らざるをえない。津村の第三世界論にもそうした傾向は無視できないものとしてある。

津村の「〈第三世界〉序説」（『魂にふれる革命』所収）では、第三世界を次の諸点にわたる規定性に分解している。すなわち、①南北問題としての「第三世界」、②反帝闘争の環としての「第三世界」、③西欧文明への異議申し立てとしての「第三世界」、④現代文明の自己批判としての「第三世界」、⑤意味の復興としての判が加えられねばならない。

「第三世界」。しかし世界としての、あるいは主体としての第三世界を、以上のような諸規定に無構造的に分解する方法そのものに問題がある。とりわけ①および②の表層性と、③、④、⑤の文化主義には自覚的な批判が加えられねばならない。

「資本主義批判・帝国主義批判・近代世界批判」を基底として「第三世界解放革命」の現実を捉え返し、それを「世界共産主義」の綱領的立脚点において把握するなら、次のような発想は前提として生じえないはずだ。「南北問題としての『第三世界』の本質は、『北』の二つの世界の『安定』と『繁栄』が『南』のみじめさの上に成りたっているとすれば、『飢えた二十億』の生活水準の向上は『戦う第三世界』に決定される」、あるいは「『闘う第三世界』が反帝闘争として突き出しているものは単なる政治的・軍事的打撃力ではなかった。その闘いは生活水準が『先進国』と平等化すればすむということではなかった。問題になっているのは普遍的な価値体系であり、現代文明の根拠であった」、等々。

第三世界解放革命の意味は、「生活の向上」や「現代文明の普遍的価値の解体」にあるのではない。それらは経済主義的・文化主義的なフィルターによって歪められ、平板化された「像」としての第三世界にすぎない。近代的前近代としての第三世界の革命は、資本主義—帝国主義の打倒を含む、近代世界総体の実践的解体を目指し、永続革命として世界共産主義に到達せざるをえない。第三世界の革命の意義を根底的に摑みとりうるか否かは、近代的近代の住人（帝国主義公民）たるわれわれが、どれほどまでに深く徹底した近代世界批判を、自己批判として達成しえたかにかかわる。

全共闘運動や五月革命をも、その不徹底性への批判において超えていく主体の質でなければ、第三世界民衆の闘いの意味を了解しうるわけがない。「具体的ヒューマニズム」や「直接民主主義」という六〇年代新左翼の不徹底な大衆的スローガン、「全体化革命」や「文化革命」というその知的上部構造、これらの表層性を超えることとなくしては、われわれの第三世界は発見されえなかった。そもそもレヴィ＝ストロースやその亜流、北沢方邦、あるいは羽仁五郎の『都市の論理』、人間主義者アンリ・ルフェーブル——これら第三世界的「存在」に小心翼々たる態度で自己保身している雑多な文化主義者群の言辞をもって、第三世界の意味を語ろうとするなどという方法そのものが、問題だろう。津村は「疎外論」と自己を区別しながら、「人間の全体性」「全体性の回復」などの諸観念に対して、底抜けに楽天主義的な信仰を寄せている。「第三世界解放革命—世界共産主義」が、ルネッサンス的「全人」において理想化される「人間なるもの」それ自体を解体止揚すべきものとしてあること、この点に関する津村の無自覚は、結果として無惨な思想的破産に帰結する。

　津村にはこのことが理解できないのだ。西欧近代の没落期における「人間」なるものへの救い難い自己不信、自己懐疑としてのニヒリズムこそ、近代の知にとって第三世界への唯一の通路であることが。ランボーのアフリカ、T・H・ロレンスのアラブ、ポール・ニザンのアデン、アンドレ・マルローの中国。これら一群の西欧的知性による先駆的な第三世界の発見は、人々の嫌悪を誘う精神の腐蝕作用に憑かれたニヒリストの、耐え難い内的衝動としてのみ理解可能だ。われわれはこのリストに、ムルソーとアルジェ、ニコライ・スタヴローギンのエルサレムを加えることもできる。いっさいの価値の無化と近代への絶望のみが、第三世界に直面するための精神的風土であり、ニヒリズムの止揚は安直な人間信仰の対置によってではなく、ニヒリズムをも解体しきる第三世界の「地球と人類の物理的変化—世界共産主義」の予感においてのみ展望しうる。

「わたしは大言壮語のかげで若き革命派の間に浸透しつつあるニヒリズムを、堪え難く感じている」「疲れた口調のまじりもした『具体性の方へ』の方向転換の提唱において、わたしの前にあったのは、ニヒリズムかそれとも具体的自由、具体的民主主義、マルクス的な『具体的ヒューマニズム』かの二者択一であった」(「俗なるものの革命」)。ニヒリズムと聞けば身の毛がよだつ津村には、「具体的ヒューマニズム」よりも「ニヒリズム」の方が（どちらも近代主義の枠内にあるとはいえ）第三世界には多少とも近いのだという主張が理解しうるはずもない。津村の第三世界論の問題は、その差別構造論にも影を落としている。

　津村による差別構造論の特質は、修正資本主義論＝国家独占資本主義論を帝国主義本国の支配形態に媒介する点にある。「『戦後民主主義』、それは差別的な寛容であった。このように言語を収奪してさまざまな敵対を無意識でくるんだこの国家は、差別的寛容の体系であった。／かくて近代は、完成の、従って死滅の階段を昇りつめる。だが、この体系はまだあまりにも自然発生的なものだった。どちらかといえば、それは真のマルクス主義の歴史的欠如に依拠している。それによって日本のブルジョアジーは猶予を与えられたのである。この猶予の期間に、彼らは急速に政治的訓練を積み、少なくとも二つの重大な変化に耐えることで、比較的高度の指導性を手にするに至った」（『われらの内なる差別』）。

　ひとつは、「言葉の民主主義」の土壌の上に「消費」を組織したことである。消費の領域、私生活は、『資本論』の時代にはプロテスタンティズムの禁欲の精神といった先進資本制的道徳観念に委ねられていた。資本「主義」とは、日常性にとっては専ら生産のイデオロギーにほかならなかった。十九世紀末から没落過程に入った資本主義は、一九三〇年代に至って、国家的規模で個別資本を「統制」しようと意欲することになる。国家独占資本主義体制が成立する。解体し、自己撞着に陥りつつあった経済学（ブルジョアジーの自己意識）は、経営学として再編される。ある不確定性において（というのは、ブルジョアジーは決して私的所有を「統制」できず、競争がなくなってひとつの主体となることはないから）彼らは戦略を持つのである。

　日本で消費のイデオロギーが、商品過剰とテレビの一定の普及を前提として一応確立するのは五〇年代後半から六〇年代にかけてであるが、これによってブルジョアジーは一般的な差別的寛容＝自己抑圧を、いまやその物的基礎においてさまざまな様式による「自己搾取」へと組織するのである。

ツィーシャンク派としてのキャリアは津村よりもはるかに高級なわれわれであるから、その気になれば『資本論』の株式会社論や、レーニンの「さしせまる破局、それといかにたたかうか」の国家資本主義論などを持ち出して、この問題に関する「教養」の深さを見せることもできるのだが、いずれにしてもツィーシャンク理論に特有の形態論的問題視角からは第三世界も、在日被抑圧民族も視えてこないことは明瞭だ。われわれのツィーシャンク派としての、あるいは宇野派としての根底的な自己批判の根拠はそこにあった。

津村は帝国主義を資本形態と蓄積様式の一国的変化から説明し、国家独占資本主義をブルジョワジーの三〇年代危機のりきりのための「戦略（目的意識性）」と捉え、支配形態の一国的再編・具体化を「差別構造」なる発想で集約する。そして一連の近代主義的な認識構造のなかに、第三世界解放革命とその持久的権力闘争としての人民戦争を、その核心を摑みえないままに解体し、切り縮め、悟性的解釈対象に矮小化してしまう。こうした「差別構造」に対置されるのは、人民戦争を下敷きとした「全体的永続的文化大革命」なるものだ。「それは具体的なものに向けての抽象的な『プロレタリア政治』の不断の解体のよびかけだったのである。中国の農村社会としての特殊性を十分ふまえたうえでなお、われわれは、こうした具体的なものの叛乱を、最初の二〇世紀革命とよぶことができる」（「俗なるものの革命」）。

農業社会であった中国では、この〈構造〉を世界資本主義の三〇年代への〈構造化〉と同列に論じるわけにはいかないが、またそれと切り離して考えられない。この点についてはもっと詳細に検討する必要があるが、交通形態に問題を限るとすれば、新資本主義にむかう独占の縦断組織による構造の代わりに、そこには、日帝を含む諸帝国主義に系列化された地方軍閥の不均等構造があった。われわれは日本において六〇年代いらい、近代的自我の解体を体験しつつあるが、中国の農村には、近代的個成立以前の、物的生産手段と無媒介的に結合した、それゆえにまた直接の全体性をもった主体が存在した。政治は生産や消費や遊びや性と不可分の、主体の契機をなしており、自然発生的な、『野生の』革命的力量の噴出はすぐさまこの主体に、地主などに代わる権力として行動することを強いたのである。

「毛沢東はこの全体的文化革命とでもよびうる湖南のイメージに導かれつつ、中国のこの条件から農村根拠地＝赤色地方政権の革命路線をうちだした。ここでプロレタリアートの都市的普遍性を〈代行〉したのは赤軍である。彼が多くの著作において、大衆の政治意識を組織するよりも、いっそうその生活を組織するようよびかけていることは偶然だろうか」。以上のように津村は語るが、人民戦争の文化主義的解体の典型がここにはある。毛沢東による人民戦争論の独創性として、われわれは移行期世界の革命条件を「主体戦略、攻勢戦略、持久戦略」という戦略思想にまで高めた点に注目しなければならない。

スターリン主義的な「全般的危機」として一面的に了解されてきた物象的危機の偏在的・潜在的存在様式を、主体の攻勢によって持久的な権力闘争に転化する試みにおいてこそ、人民戦争は移行期世界の革命の前衛たりえた。その意義は次の諸点にわたる。解放区のような地理的実体であろうとあるまいと、その主体が「党―軍―人民」という本質的に非合法の政治空間であること。「党―軍―人民」陣型が所与の抑圧的構造に喰い込んでいく「攻勢」こそが、農民暴動などの社会叛乱を権力闘争に不断に、持久的に転化しえたということ。闘いの権力闘争の質を表現したものが「赤色政権―中華ソヴェト共和国」と「白色政権―国民党政府」との内戦という階級闘争の全国的形態であったこと。

これらの諸点は、全共闘学生叛乱をはじめとする構造的社会叛乱の噴出を、人民の権力闘争にいかに再編・統合しうるのかというアポリアを、自らの問いとして苦闘した者のみが達した認識といえる。津村のように社会危機—社会叛乱の「高次の質」に埋没し、これに拝脆する者には、湖南農民運動を全共闘運動と比較することはできても、農民暴動—社会叛乱を持久的・攻勢的な権力闘争に転化・結合した、人民戦争の真の革命性はついに理解しえない。

津村におけるツィーシャンク派マオイストともいうべき思想構造を検討するなかで、ようやく〈ロマン的反動〉の戦略思想たる「民族的責任論」の構造と特質を了解する前提を獲得したといえる。

津村「民族的責任論」は、修正資本主義的＝国家独占資本主義的世界了解による差別構造論の民族問題への展開に他ならない。それは一国主義（構造としての「民族」主義）という致命的限界をのりこええないばかりか、その否定面を再生産せざるをえない。津村は「これら重層的な『分離』、国内的『新植民地主義』、『ゲットー』の普遍的構造化の根底的な基盤となるのが、出入国管理体制によるアジア人民と日本人民の、とりわけ六〇万在日朝鮮人、五万の中国人と日本人の『分離』である」（『われらの内なる差別』）と、一国主義的差別構造論の単純外延化として在日被抑圧民族の問題を位置づける。かかる一国主義こそ「抽象的国際主義（＝世界主義）」と同時に「民族的責任論」が発生する基盤なのだ。

「われわれがはじめ、この〈民族的責任〉を階級形成の現実の存在拘束性の問題として、レーニンのいう『自分の外に出る』問題として提出しつつ〈告白〉といった契機をとりあげ、強調したのは、実際にはレヴィ＝ストロースのルソー論にその着想を求めてのことであった」と津村は語る。

だがこの〈告白〉は、先述した倫理主義の虚構の内部では著しい誤解を受けた。われわれの側にも曖昧さがあった。われわれはやがて問題を「交通形態の問題としての〈民族的責任〉」として再提出した。ここでは、〈異邦人〉一般ではなしに、再び〈アジア〉が強調された。（略）つまりここでは、アジアと日本との、革命の交通形態上の差異が問題になったのである。アジアの民族解放闘争の中では、反近代的な永続的＝

文化革命の交通形態——根拠地革命路線として反省され、なお展開しつつある——が見出されていた。だが、われわれのそれはなお徹頭徹尾近代的なものにとどまっていた。

（『戦略とスタイル』）

津村は追われるように、さまざまの言い換えと論点移動を試みる。津村が語るように、それが、「階級形成の存在拘束性」（被拘束性?）や「革命の交通形態」などに属する問題であるなら、「民族的責任論」なるものは独自の「論」としては空虚でしかない。しかし「民族的責任」の名において語られた、解体期日本新左翼内のあの「熱狂」を無視することはできない。それは「排外主義的熱狂」と立場上対極的でありながら、それを彷彿させる「自己滅却的熱狂」とでもいうべきもので〈ロマン的反動〉の情念性がそこには込められていた。

その火つけ役の一人だった津村だが、このロマン主義的「熱狂」の渦中から致命傷を負うことなく、かろうじて脱出しえたといえる。しかし、根底的自己批判なき思想的危機からの「脱出」は、「民族的責任論」を極限において発生させる、一国主義的構えの自己止揚を阻んだ。問題の核心はどこにあったのか、何が今もなお問われているのか。

六〇年代新左翼主流から投げられた「人道主義者」という憎悪に満ちた批難について、津村は語っている。しかし、われわれは綱領思想において近代主義革命思想と〈ロマン的反動〉の相互依存と相互反撥の構造を総体として批判対象としたように、相互に反撥し敵対する「民族的責任論」派と六〇年代新左翼の主流だった近代主義派の、そのいずれにも加担する気はない。

六〇年代新左翼の戦略思想は綱領思想の場合と同様に、近代主義革命思想の枠内に封じられていた。戦略における コミンテルン綱領的思考を背景とする日共的一国主義に対し、新左翼は「プロレタリア世界革命」を掲げて自己の立脚点とした。しかし日共的一国主義も新左翼的世界革命主義も、その近代主義的本質においては少しも変わらない。安保ブントの世界革命論に端を発する六〇年代新左翼の戦略思想は、①革共同の反帝反スタ世界革命論、②岩田弘「世界資本主義論」による日本―アジア―世界革命論、③白川真澄「ベトナム・ドル危機＝帝国主義の第四の危機」論、④一向健「過渡期世界論」による世界革命戦争論などの諸バリエーションに分化しつつ、いずれも六九年秋期政治決戦の敗北によって実践的な破算に見舞われた。

反帝反スタ戦略は理念としては世界革命でも、しかし「反スタ運動」が実体的に存在するのは日本だけだから、場所的立場を踏まえてまず日本革命からという、救い難い一国主義をその本質としている。革マル派の神学体系である「三段階革命論」では、もっとも実践的たるべき現実論が各国現状分析の寄せ集めにすぎない。このように反帝反スタ世界革命戦略なるものが、最悪の「抽象的国際主義＝一国主義」に他ならないことは明白だろう。

革マル派の反帝反スタ世界革命戦略とは、帝国主義国家と労働者国家との単純「共犯」関係によって世界を観念的に構成し、ロシア革命以降の移行期世界階級闘争の現実的歴史と実践を「裏切られ史観」によって観念的に抹殺する、帝国主義本国インテリゲンチャの頭脳に反映された近代世界のイデオロギー的表象にすぎない。これは論外としても、白川真澄「帝国主義の第四の危機」論を含む六〇年代左翼新戦略思想は、いずれも「物象的危機―危機論型戦略」主義において「抽象的国際主義＝一国主義」に帰結したといわざるをえない。

六〇年代新左翼の戦略思想は、ドル危機―IMF・GATT体制危機―国際金融恐慌において新たな世界危機を把握し、そこに世界革命戦略の立脚点を据えるところに集約的に表現されている。しかしながら、かかる物象的危機論の立場には、それ自体として近代世界の近代主義的了解という根底的な限界性が潜在していた。こうした発想の原典として恣意的かつ主観的に再構成されたマルクス「世界市場恐慌―世界危機―世界革命」、レーニン「帝国主義世界戦争―世界危機―世界革命」なる通俗的なシェーマにも明確であるように、この戦略思想は世界市場として物象化された資本制的世界流通過程に「世界の世界性」を、そして「革命の世界性」の根拠を見出そうとする。

資本主義的商品経済の自律的自己運動は、いっさいの労働生産物を商品に転化することで、世界に物象的関係を押しつける。たしかに世界市場の完成によってのみ、世界は世界たりえた。しかしながら、資本制的生産様式が世界を世界として形成したとしても、形成された世界それ自体と資本制的生産様式が構造的に同一であるとはいえない。事実、資本制的生産様式は資本制的流通形態という物象的外皮で世界を覆ったにすぎない。

資本制的生産様式と非資本制的生産様式との流通形態的複合体としてのみ、世界は世界たりえた。このことは西ヨーロッパ、そしてアメリカ、日本などの資本主義国中心と、それ以外の植民地・従属国という地理的問題としてのみ理解されてはならない。イギリスにおいても、理念型化された純粋資本主義はついに実現されえなかった点、資本主義が永遠に国民経済という具体的身体性を放棄しえない点と、それは無関係ではない。われわれの近代世界把握が「近代―前近代」複合構造批判と定式化された根拠がここにはある。綱領論において全面的に展開されるであろうわれわれの基本的論点は、①資本主義の流通形態的世界性の矛盾（世界貨幣の矛盾）、②資本主義の国民経済的世界性の矛盾（民族・植民地問題の矛盾）、③資本主義の土地―農業―前近代的共同体への分解力における世界的および一国的矛盾（農業・土地問題の矛盾）、④資本主義の生産＝再生産過程における矛盾（労働力商品化の矛盾）、この四点に整理できる。以上を前提として、「資本主義批判（市民社会批判）」を内包する「近代世界批判」を、「帝国主義批判」を過程的媒介として実現しなければならない。

物象的危機は、資本主義の自立的自己運動の運動的矛盾の現実的処理形態として生じるにすぎない。恐慌や戦争などの物象的危機という近代世界の部分的・表層的現象に「危機論型戦略」は誤って依拠する。

物象的危機それ自体は、革命の条件とともに反革命の条件をも同時にもたらすだろう。また資本主義の自己運動的矛盾の現実的処理形態という本質的性格からして、階級闘争の現実的契機を捨象するならば、物象的危機は資本主義にとって原理的に克服可能であるばかりか、その高度化による延命の条件でもある。近代世界とは「資本主義的共同体（国民経済）を実体的支柱とする、諸前資本主義的共同体の流通形態的総括」である。また、その総括的上部構造として、「少数の支配的民族によるそれ以外の多数民族への搾取・抑圧・収奪の世界体系」すなわち帝国主義が存在する。

国際革命主体を共同的に形成するための導きの糸としての「戦略」だが、物象的危機論の限界性は、危機論型戦略においていっそう増幅されてくる。岩田弘の戦略論に典型的な危機論型戦略主義は、「来たるべき世界危機の客観主義的主観化」にいっさいを集約し、その上で〝危機のブルジョア的克服かプロレタリア的克服か〟という危機処理問題に革命闘争を矮小化する。帝国主義の法則の全面的で非和解的な世界的貫徹を前提とする一向健の理論も、その近代主義的近代世界把握において「危機論型戦略」と同型的な欠陥をさらに全面化している。

以上の簡単な整理からも明らかであるように、六〇年代新左翼の戦略思想は「革命の世界性を資本の世界性によって根拠づける」抽象的国際主義であり、たんなる「世界」主義でしかなかった。近代世界の近代主義的把握による平板な世界主義は、「抽象的国際主義＝内実の一国主義」に不断に転化していく。こうした新左翼の戦略思想こそが、「自国帝国主義打倒―帝国主義政府打倒」を特権化した七〇年安保の中央決戦政治を基礎づけた。この限界は、前節の原始回帰思想批判で明らかにした「第三世界解放革命―世界共産主義」の綱領的立脚点の確立によってのみ、内在的な止揚が可能となったのである。

〈ロマン的反動〉の戦略思想たる「民族的責任論」は、六〇年代新左翼の戦略における近代主義への即自的反撥として形成された。

戦略思想における〈ロマン的反動〉は、次の諸点において「民族的責任論」に凝固した。第一には、六〇年代新左翼戦略思想の「抽象的国際主義」に対し、いわば「具体的一国主義」の濃密な存在感ともいうべきものが対置される。第二には、この「具体的一国主義」の根拠である「民族」の強迫観念的固定化、先験化がおこなわれる。その結果として第三には、主体措定における「民族」の枠組みの先験化から、ある種の擬制的「国際主義」が形成される。第四として擬制的「国際主義」は、「国境の外的膨張としての民族的責任論」あるいは「国境の（観念上の）内的縮小としての民族的責任論」に帰結する。前者は完成されたアジア主義としての具体的根拠に媒介された排外主義であり、日本ファシズムの戦略思想である。それは帝国主義と西欧近代からの解放を目指す「アジア革命＝反革命」戦争の主体的基軸である日本、すなわち日本民族の「民族的責任」を主張する。後者は六〇年代新左翼の解体過程から発生した〈ロマン的反動〉の戦略思想、いわゆる「民族的責任論」であり、前者の裏返しのイデオロギー構造を持つ。

「民族的責任論」として対象的表現形態を受けとった解体期新左翼のロマン的心情は、表層的近代の抽象性に対する嫌悪と「具体的なるもの」への渇望の衝動が「民族」への熱情に、あるいは近代的市民社会の具体的身体性（＝民族）への拝脆に帰結していく、近代思想史において幾度となく繰り返された思想反動の発生過程と、この水準においては本質的に同一である。ただし、ここ数年間の「民族的責任論」はプリミティヴなナショナリズムではなく――過去のアジア侵略への自己嫌悪あるいは自己「恐怖」と、戦後民主主義国家の独自のイデオロギー的規定力とによって――内攻的ナショナリズム、出口のない自己否認＝自己崩壊のナショナリズムの衝動という、極度に屈折し歪んだ形態で流布されてきた。このイデオロギーが、「像」としての被抑圧者への拝跪という〈ロマン反動〉の心的スタイルと結合するのは必然的だった。

「民族的責任論」は、「原始回帰思想＝原始共産制への復帰」論とは異なるベクトルから、戦後市民社会の大衆的ニヒリズムのロマン主義的ヘゲモニーとして機能してきた。当人がどのような主観的意図を持っていたとしても、次のような発言に託された心情は、戦後市民社会の内なる頽廃に傷つけられたロマン的精神の二重に屈折した自己表白に他ならない。

ここでぼくらは、戦争を全く知らないぼくらにも戦争責任がある、民族的責任がある、と主張して、中国との法的な戦争状態が現在も続いている中で、朝鮮戦争、ベトナム戦争、またアジア諸国への資本輸出を通じて肥えふとってきた日本資本主義の中で安閑として暮しているぼくたちは、やはり中国人民、朝鮮人民、アジア人民に対して政治的な責任を負っていることを強調しました。　　　　（『われらの内なる差別』）

こうした自己表白の主観的真剣さは、それ自体として両義的である。しかし問題を「革命責任」でなく「戦争責任」と、「国際主義の敗北」としてでなく「民族的責任」と捉える発想は三重の屈折の果てに、新しいファシズムの戦略思想を準備するだろう。「抽象的国際主義」から「民族」に立場を変えても、問題は解決されえない。もちろん両者ともにプリミティヴな形態では実存しないこと、さまざまの現実的根拠を媒介しながら、おのれのみが「真の国際主義」であると称することは既に明らかにした通りだ。

津村喬の一連の主張を検討しながら、問題の核心に迫ろうとしてきた。最初にことわったように、津村を〈ロマン的反動〉の自覚的なイデオローグとして批判するつもりはない。とはいえ津村が当初、説明抜きの「民族的責任論」によって表現しようとした内なる衝動には、〈ロマン的反動〉の戦略思想にいたる解体期新左翼の精神風土との連続性が認められる。津村にとっての内なる衝動の自覚化と清算は、七〇年秋以降の「ラディカリズムとナショナリズム」などの文章で達成されたと評価できる。津村はここで、いくつかの論点では正当な内実を語ってはいる。しかし、この時点においてさえ津村の裡では、理論的に対象化されざるものとして〈ロマン的反動〉の戦略思想――綱領域をも当然含むが――と、ある点において共鳴しうる思考が温存されている。あるいは深層における共通性によって、〈ロマン的反動〉とは対決なしえない限界性が認められる。

「民族的責任とは民族的被拘束性の解体である」と言い換えたのち津村は、「一般的にいうならインタナショナルとは、プロレタリアートが市民社会と国家を止揚していく、ナショナルなものを解体していく現実の過程のうちにしかない」(「ラジカリズムとナショナリズム」)と語る。戦後精神のコスモポリタニズムとナショナリズムとの二重構造を対象化しえない六〇年代新左翼の国際主義は、「内なるナショナリズム」の解体の方途を見失ったまま「潜在的には侵略的で」あり続けるし、深層のナショナリズムは言葉でも意識でも暴力でも超ええないとして、さらに津村は語る。

結局どんなにまわり道に見えようとも、日本人のひとりひとりが、自らの『アジア体験』を組織し、それを基礎に、その存在を規定する条件の総体をつかみかえし、そこから新たな自覚的な統合の原理を形成していく長い過程にしか、ほんとうのインタナショナルはないとわたしは思う。さしあたっての、自己の民族的所与のすべてを解体していったはてにしか、この新しい意味での民族性——天皇なしの、資本の物神性なしの、統合の原理——は噴出して来ないはずである」

修正資本主義—国家独占資本主義社会に温存された日本的共同体、そして天皇制的深層構造といかに対決するのかという問題意識は、むろんわれわれのものでもある。しかし、津村によってはどうしても見ることのできない本質問題がそこには残されてもいる。

全共闘運動で語られ津村もまた主張した「大学コミューン」と、日本的共同体の惰性的構造の間には、ひそかな密通関係があったのではないか。夢想の「バリケード共同体」が、〈あるいは「戦士的共同体」を媒介しつつ）日本的共同体にからめとられ吸収されていった過程を、津村は見なかったのか。

表層的コスモポリタニズムと深層的ナショナリズムという六〇年代新左翼の精神的二重構造は、その解体期たる今日、表層の純化と深層の自立化という二重の衝動に襲われている。津村自身も決して無縁だったとはいえない、入管闘争をめぐる「自己滅却的情熱」の沸騰こそ、精神的深層の自立化衝動の端的なあらわれではなかったか。「民族的責任論」を自己清算したのち、津村は「スタイル」論など新たな理論展開に向かう。しかし、そこでも深層的ナショナリズムの自立化衝動、すなわち〈ロマン的反動〉の思想と運動に根底的には対決しえない限界性がある。

われわれの批判点の第一は、津村による国際主義の提起が、実践的な国家批判の契機を欠いており、大衆批判（大衆路線）の契機を欠いている点にある。実践的国家批判、それは人民による権力闘争の路線とその実践である。大衆批判、それは人民権力闘争路線で武装した「人民の指導的核心としての党」の組織路線である。「政治」「軍事」「人民」という三契機の分解を統合しうる、権力闘争路線、組織路線と結合した国際路線こそが要求されている。

「個体史のコンテクストへの異邦人の侵入と、その自己組織化」という森崎和江の「媒介者」論を踏まえた津村による提起も、国家権力と恒常的に対峙し、人民の指導的核心たろうとする「党」の、国際主義的非合法党を目指す国際路線へと凝集されるのでなければ、たんなる教養主義的自己成長の決意表明に終わるだろう。「政治的効率の要請する、やたらな統合や集中などはしないほうがいい。新しい統合の原理をさぐりあてていない今の時点では、そこに必ず、どんな形でか国家主義が忍び込んでくる」という発想は、組織プラグマチズム特有の「上からでなければ下から」の類にすぎない。

第二は、「単一の東アジア国際革命戦略」の政治戦略としてわれわれが摑みとった領域への無自覚である。「東亜解放」の「国境を越える革命」と、それはどうちがうのだ――と津村は問う。日本ファシズムのアジア主義はナチス第三帝国と同じく、かつて一度も真実の意味で国境を越えたことはない。「満洲国」建国をめぐる日本ファシズムの内部闘争においても、その本質は石原莞爾派を含めて国境の膨張であり、外延化でしかなかった。「民族的責任論」が国境の観念的縮小の心理において特徴的なように。「単一の東アジア国際革命」、この獲得された観点は、われわれの永続的な帝国主義公民秩序解体の闘いを、いかなる方向に導くのかを明らかにする。「打日」すなわちアジア人民とともに日本帝国主義を打倒し、「放米」すなわちアメリカ帝国主義をアジアから放逐する共同の国際革命、「打日放米を任務とする単一の東アジア国際革命戦略」を掲げて、あらゆる闘いをこの旗の下に集中するのでなければ、国境を超える主体の形成は決して実現されえない。「国境を越える」ことは、玄海灘を越えるというような物象的「越境」を意味しない。津村の政治戦略なき「国際主義」は、日本国家に内化された国際的闘争という限りでしか国際主義的闘争の構造を見ることができない一国主義に、不可避に陥らざるをえない。

第三には、第三世界とアジアとを区別しえない点、両者を本質的な意味で相互規定的に捉え返しえない点がある。綱領域としての第三世界の意味を摑みとりえないが故に、戦略域としてアジアを摑みえない限界は、視点の前者から後者への不断の動揺をもたらし、前者を文化主義に、後者を教養主義に追いやることになる。津村の「潜在的天皇制」批判の問題意識も、近代世界批判の一環としての日本近代の複合構造批判という視点を導入しない限り、ついに結実することはないだろう。

〈ロマン的反動〉の戦略思想は、民族の先験的固定化を集約点としつつ発生した。民族なるものを内から解体し、アジア人民との共同闘争・共同革命を闘いとる立場を前提として、われわれの戦略思想はそれと対決しうるだろうか。

「近代世界」の基礎構造と「第三世界解放革命―世界共産主義」

本論の課題は、われわれにとっての「所与の世界」すなわち世界共産主義革命によって最後的に葬り去られるであろう「資本主義を基軸とし帝国主義を総括的上部構造とする近代世界」の、その内的編成を構造的に解明することだ。「資本主義・帝国主義・近代世界」の構造とは、その対極に「世界共産主義」をそれに対する根底的批判性・全的否定態として形成せしめるものであり、その主体的推力としての「第三世界」を創出するものでもある。本稿においていくぶんか明らかにされるであろう「近代世界」の構造そのものもまた、第三世界解放革命の歴史的突出力によって開示された世界了解の歴史的地平に立脚してのみ可知的となった。われわれが、論理的措定としては「近代世界批判―世界共産主義」と表現されるべき内実を、あくまでも「第三世界解放革命―世界共産主義」の綱領的立脚点として歴史的に措定するのは、以上の確認を踏まえるからだ。「近代世界批判」という「知」を創造し、担ってきた主体である「第三世界解放革命」への合流によってのみ、「世界共産主義」へのわれわれの実践的接近は可能となる。

「第三世界解放革命―世界共産主義」の綱領的立脚点を確立し、近代派マルクス主義の誤てる世界把握を根底から打ち砕き、六〇年代新左翼の綱領的意識を解体・止揚する理論的・実践的拠点を獲得すること、〈ロマン的反動〉の自然発生性と対決し、真実の革命的理論に基礎づけられた革命的実践を開始すること、これらの課題を自らのものとしなければならない。

「近代世界の基礎構造」の解明を初歩的に試みるものとしての本論は、「資本主義批判・帝国主義批判・近代世界批判」を基底とする「第三世界解放革命—世界共産主義」の綱領的立脚点確立に向けた、わが「綱領」論の、直接の序章を構成するものに他ならない。

〈ロマン的反動〉批判の完遂のために、端初的にもせよ「綱領」論上の問題提起が要請されている理由は既に明らかだろう。たとえば若きレーニンの〈ロマン的反動〉批判（すなわち「土地と自由」—「人民の意志」—「エス・エル」という系譜をなすロシア・ナロードニズムへの批判）と「綱領」論（『ロシアにおける資本主義の発達』を基底とし、一九〇二年六月「綱領草案」にいたる）との不可分の関係を想起することによっても、本論の意義は明らかだろう。

マルクスの「経済学批判」体系プランにおける「世界」措定の二重性を出発点に、「資本主義を基軸とし帝国主義を総括的上部構造とする近代世界」の基礎構造を原理的な水準で解明すること。そこに本稿の目指すところがある。

1　「経済学批判」体系における二重の「世界」措定

「経済学批判」体系が「始源的世界」と「再措定された世界」とに二重に「世界」を措定していることの意義を明らかにしなければならない。この作業によって、「第三世界解放革命—世界共産主義」の綱領的立脚点をその原理的前提において了解することも可能となるからだ。そのためには、「経済学批判」体系の論理構成について一定の視点を確立しなければならない。いわゆる「プラン問題」に全面的に介入する余裕はないが、以下に提起する論点は、「プラン問題」にもひとつの決着をもたらしうるだろう。

マルクスは、『経済学批判要綱』序説（一八五七年八月—九月）において、「上向法」を「経済学批判」体系の構成に適用したものとして、次のようなプランを提起している。

(1)一般的・抽象的諸規定、したがってそれらは多かれ少なかれすべての社会諸形態に通じる（略）。(2)ブルジョア社会の内部的仕組みをなし、また基本的諸階級が存立する基礎となっている諸範疇。資本、賃労働、土地所有。それらの相互関係。都市と農村。三大社会階級。これら諸階級間の交換。流通。信用制度（私的）。(3)国家の形態でのブルジョア社会の総括。それ自体との関係での考察。『不生産的』諸階級。租税。国債。公信用。人口。植民地。移住。(4)生産の国際的関係。国際的分業。国際的交換。為替相場。(5)世界市場と恐慌。[註1]

また『要綱』執筆中の「ラッサールへの手紙」では、同様の内容をより簡潔に、「1 資本、2 土地所有、3 賃労働、4 国家、5 国際貿易、6 世界市場[註2]」とまとめている。一八五〇年代後半における以上のプランが、一八六〇年代後半（『資本論』第一巻の完成は一八六七年八月、刊行は一八六七年九月）において確定された『資本論』体系の「資本の生産過程（第一部）、資本の流通過程（第二部）、資本制的生産の総過程（第三部）――以上がいわゆる『資本論』であり、第一部はマルクスの生前にマルクス自身の手によって、第二部、三部はマルクス死後にエンゲルスの編集によって、各々刊行された――、理論と歴史のために（第四部――この部分はエンゲルス死後にカウツキーの編集によって、『資本論』第四部ではなく『剰余価値学説史』として独立して刊行された[註3]」という構成と、いかなる関係にあるのか、いかなる対応としてあるのかを解明することが、いわゆる「プラン問題」の論争点をなしている。

われわれは、次の諸点において「プラン問題」への視点を確定しなければならない。

①『資本論』は、『経済学批判』（『要綱』における「貨幣にかんする章」すなわち「ノートⅠおよびⅡ」を直接的に再構成したものであり、後の『資本論』第一部第一編の直接の土台である）第一分冊の続きであり、『批判』に

おいて省かれた「資本一般」が出版計画の変更によって「資本」（すなわち『資本論』）と題され、独立に刊行されたものである。

②『資本論』の「理論の歴史のために」（『剰余価値学説史』）を除く第一、二、三部（すなわちその「理論的部分」）は、『要綱』プランにおける「資本一般」の分析体系としての基本的性格を継承しており、『資本論』の「理論的部分」三部の構成は「資本一般」の三区分構成の発展である。

③しかし『資本論』には、当初の「資本一般」についての構想には含まれていない諸問題――「競争」「信用」「土地所有」など――も、「資本の核心構造の分析」＝「資本制的生産様式一般の特徴づけ」に「必要なかぎり」で、基礎的な展開が構造的に内化されている。

　こうした点から「『資本論』は、文字どおり内容的にも形式的にもはじめの計画での『資本一般』の完成形態として存在するということ。したがって『経済学批判』と『資本論』とのあいだには、出版計画や著作プランのたびたびの変更にもかかわらず、『資本一般』の分析体系としての著作の基本性格を変えるほどの根本的な計画変更の事実は存在しないということ（註4）」という、佐藤金三郎の結論はその限りで支持しうる。

　以上を前提的に踏まえるならば、問題はただちに次の三点へと収斂される。第一には、『資本論』における第一部第一編「商品と貨幣」の自立性、自己完結性（少なくともそれは、第二編「貨幣の資本への転化」およびそれ以降の展開と単純な連続関係にあるとは考え難い）の問題であり、第二には、『資本論』体系全体の自立性、自己完結性（とりわけ、「要綱」プランにおける「資本一般」部分のそれ以降の部分に対する独立性として捉え返される）の問題であり、第三には、にもかかわらず意図された「経済学批判」体系が、ついに完成されえなかったという事実をめぐる問題である。『資本論』の現在的な捉え返し、再把握と再措定の理論作業が積極的な意義をになううるためには、以上三点の問題に整合的な解答を与えることが不可欠である。われわれは一連の記述の最後でこの課題に応えるだろう。

マルクスの「経済学批判」体系の構成プランを以上のように把握するならば、『資本論』における「世界」措定の複層的な性格に無自覚でいるわけにはいかない。「経済学批判」体系において「世界」が措定されるのは、第一に『資本論』第一部第一編の最後の箇所、すなわち第三章「貨幣または商品流通」の「価値尺度―流通手段―貨幣蓄蔵―支払手段」と展開された後の結論部「世界貨幣」においてである。そして第二には、あらゆる全体プランで語られているように、「経済学批判」体系全体の最後の箇所、すなわち「世界市場」においてだ。「経済学批判」体系の構成における二重の「世界」措定、すなわち「世界貨幣」と「世界市場」の複層的な措定、この論理構成にこそ、「資本主義批判」として「帝国主義批判」を基礎づけ、さらに「近代世界批判」の方法を内化した「経済学批判」としての『資本論』の核心がある。

マルクスは、「1 商品、2 貨幣」という「世界貨幣」をその結語とする部分を、『経済学批判』第一分冊として、「3 資本」とは区別して先行的に出版した（一八五九年）。その理由は、「商品、貨幣」の両章が「資本一般」の「序章」をなすものであり、本来の「資本一般」は「商品、貨幣」の章に続く「資本」の章から始まる以上、マルクスの経済学批判における本来の仕事が第三章「資本」であることは疑いえない。「商品、貨幣」の部分を分割して最初に刊行したのは、人びとを「最初から驚かさない方が得策」だと考えたからにすぎない。いうまでもなく、この時出版されなかった「3 資本」こそが、とめどもない大膨張の果てに『資本論』体系へと結実していく。その結果『要綱』における「貨幣にかんする章」から、『批判』第一分冊へと発展してきた部分（「単純商品」に始まり「世界貨幣」に終わる）は、『資本論』第一部第一編「商品と貨幣」として再編された。

『資本論』第一部第一編とは、「経済学批判」体系中、以上のような歴史的位置を有するのであり、それは全体系の、とりわけ直接的には「資本一般」部分の「序章」をなすものとして把握されうる。

ようするに「経済学批判」体系は二重の「世界」措定を内包している。「資本―資本一般」において直接の「序章」をなす部分の結語としての「世界貨幣」と、それをも含む「経済学批判」体系全体の最終編としての「世界市場」[註5]と。

註

（1）『経済学批判要綱』第一分冊三〇頁、大月書店

（2）『資本論に関する手紙』上巻八四頁、法政大学出版局

マルクスはここで、全六部を同じ密度で展開するつもりではなく、「ブルジョア社会の内部的仕組みをなし、また基本的諸階級が存立する基礎となっている諸範疇」の研究としての前半三部では「いたるところで詳論が避けられない」のに対し、後半三部は「むしろただ梗概だけを述べるにすぎない」としている。注目すべきは、ほぼ同じ内容とはいえ、「要綱」プランにおける「(1)一般的・抽象的諸規定」（これは後に『資本論』第一部第一編となる）が「ラッサールへの手紙」プランでは解消され（おそらく「I

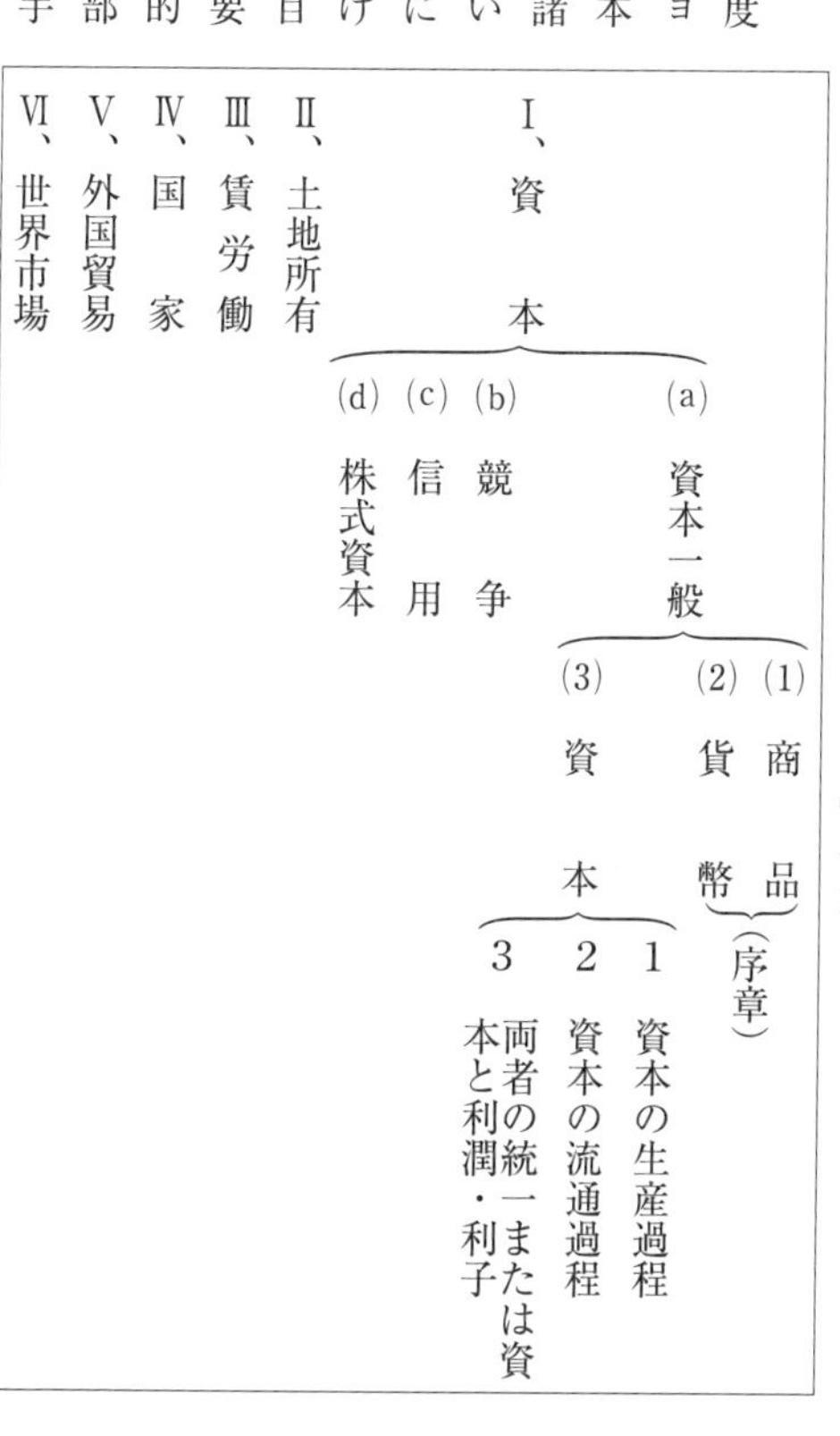

（『資本論』と宇野経済学」より）

資本」の一部に再措定されたのだろう）、『要綱』プラン「⑵ブルジョア社会の内部的仕組みをなし、また基本的諸階級が存立する基礎となっている諸範疇。資本、賃労動、土地所有……」が『ラッサールへの手紙』プランでは、「1資本、2土地所有、3賃労働」という具合に、「土地所有」と「賃労働」の順序が入れ替えられている点である。さらに「土地所有」と「賃労働」が「大分節」の二番目に総括される「小分節」から、「国家」「生産の国際的関係」（「ラッサールへの手紙」プランでは「国際貿易」とされている）、「世界市場」とならぶ「大分節」に昇格された点である。この点は、『要綱』―『経済学批判』―『資本論』という構想の発展過程における重要な特質、すなわち、「五七年の手稿」の「ノートⅡ」（一八五七年十一月）における「ラッサールへの手紙」プランの第一部「資本」に関する内部構成で「資本一般」と呼ばれた箇所の複雑化、肥大化の、その出発点をなすものとして重要である（『要綱』第二分冊、一九七頁参照）。参考までに、佐藤金三郎による「〈経済学批判〉体系のプラン」の整理図をあげておこう（前頁）。佐藤は「五七年の手稿」（『要綱』）を素材として以上の整理をおこなった。

（3）一八六六年十月十三日付『クーゲルマンあての手紙』（『資本論に関する手紙』上巻、一四五―一四六頁）参照。

「著作全体はつぎの部分にわかれます。

第一部　資本の生産過程
第二部　資本の流通過程
第三部　総過程の諸姿態
第四部　理論の歴史のために」

と『クーゲルマンあての手紙』にあるように、『資本論』の構想は、一八六三年八月から一八六五年三月の間に練り上げられ、一八六六年十月に最終的に完成されるに至った。

（4）佐藤金三郎『「資本論」と宇野経済学』八二頁、新評論版

なお「プラン問題」については、同じく佐藤金三郎「『経済批判』体系と『資本論』――『経済学批判要綱』を中

心として」(「経済学雑誌」第三一巻第五・六号)が重要であり、他に遊部久蔵『「資本論」研究史』第四章(ミネルヴァ書房)、宇野弘蔵『恐慌論』(岩波書店)、『経済学方法論』(東大出版会)、さらに黒田寛一『『資本論』百年』(こぶし書房)などがある。宇野弘蔵による「原理論の純化」という視点からの「プラン問題」への独自の接近は、批判的な検討に値する。しかし本稿では、この作業に取り組むための余裕はない。

(5)『資本論』第一部第一編「商品と貨幣」を、全体系の「序」として把握すべきことは既に明らかだろう。しかし第二編「貨幣の資本への転化」までをも含めて、「序説」として把握すべきだという見解も存在する。たとえば岩田弘『世界資本主義論』(未来社)第一章第三節「資本論体系と資本主義」、第二章「貨幣の資本への転化」などである。「『資本論』体系は、(略)その冒頭にいわば『全体の序章』として『商品と貨幣』および『貨幣の資本への転化』と題する二篇をおき、まず第一篇で、資本主義的生産の表面的な直接的存在を『ひとつの厖大な商品集積』――『商品世界』として設定したのち、その『商品世界』の諸関連の分析から出発して、つぎの第二篇『貨幣の資本への転化』を媒介にしてはじめて、その背後にかくされている資本主義的生産の内的関連の考察を開示する、というきわめて特徴的な方法をとっているのであって、明らかにこの第一巻第一、第二篇は、それ自身で、右の二つの領域から区別さるべき独自の一領域をなすものであった」(九六頁)。このような見解は「プラン」におけるマルクスの意図の把握に失敗しているだけではなく、岩田の『世界資本主義論』の方法的限界性をなしてもいる。『世界資本主義論』が、まさに核心問題であるところの「資本主義における二重の世界性」をなんら把握しえず、平板な「世界市場」一元論としての流通形態論的世界把握に陥るのは、第一篇と第二篇以降の全展開との、論理―歴史的切断ともいうべき関係の困難性を、引用にも明らかであるような第二篇の意味付与(第一篇と第二篇との「媒介」であり、第一篇とともに全体の「序章」をなす――という種類の)によって直接的に連結してしまった点と無関係ではない。第二篇「貨幣の資本への転化」は『資本論』の本論部分(直接には第一部「資本の生産過程」)の一部であり、そのように理解することこそが、「経済学批判」体系における「世界」措定の二重性の方法的見地からしても、唯一の正当な論理的把握といえる。『資本論』体系における第二篇「貨幣の資本への転化」をめぐる論争は、以上のような見解であるわれわれに、それへの批判的介入を要請しているといえる。これには次節「本源的蓄積と『世界貨幣』」で応えることにしたい。

2　本源的蓄積と「世界貨幣」

「世界貨幣―世界市場」という「経済学批判」体系における「世界」措定の二重性の把握は、既に提起してきたところの「資本主義」を基軸とし「帝国主義」を上部構造とする近代世界の基礎構造を、論理的・歴史的な意味において解明するための決定的な条件を構成する。たとえば「世界は、資本制的生産様式と非資本制的生産様式との『流通形態的複合体』としてのみ世界たりえた」、あるいは「近代世界を、資本主義的共同体（国民経済）を実体的支柱とする諸前資本主義的共同体の流通形態的総括[(註1)]」として把握する、等々というような、一般論的な水準にとどめられてきた観点を具体的・体系的に展開するためには、以上の「世界」措定における二重性の把握こそが決定的だった。

「世界」措定の二重性の意味するところは、第一に「本源的蓄積」と「世界貨幣」の、第二に「国際再生産圏」と「世界市場」の具体的関係を「歴史―論理」的に解明することから了解されるだろう。

「商品流通は資本の出発点である。商品生産、および発展した商品流通――商業は、そのもとで資本が成立する歴史的前提をなす。世界商業および世界市場は、十六世紀において、資本の近代的生活史を開始する[(註2)]」とマルクスは語った。十六世紀における「資本の近代的生活史」の開始――この解明こそ問題の出発点である。経済史的領域の検討から、われわれの見解を明らかにしなければならない。

「地理上の発見」――「アメリカの発見と、喜望峰を経由する東インドへの航路の発見とは、人類の歴史に記録されたもっとも偉大でもっとも重要な二つの事件である[(註3)]」――と、それによって引きおこされた「商業革命」が、「資本の近代的生活史」の開幕を告げる。

「地理上の発見」すなわち「東インド航路」および「西インド航路」の発見は、中世ヨーロッパ以来の地中海貿易（「東方貿易」）の基礎を完全に崩壊させ、世界的な規模での商品流通（「世界商業」）を歴史的に創出した。「全ヨーロッパの中心市場アントウェルペン—南ドイツ銀鉱山—ヴェネツィア（ジェノヴァ、ピサ、フィレンツェ）—アレキサンドリア（オスマン・トルコ西侵の結果）—アラビア商人—西アジア、南アジア」という商品流通回路の中継点（ヨーロッパとアジアとの）を制圧することによって繁栄した地中海貿易の基軸商品は、ヨーロッパからアジアへの輸出商品としては南ドイツ鉱山の銀、アジアからの輸入商品としては胡椒を代表的商品とする東洋品（香料、染料、奢侈的織物）だった。ヨーロッパからは銀、アジアからは胡椒などの東洋品という東西貿易の基軸商品は、十六世紀の商業革命以降も基本的に変化していない。

こうした地中海貿易の構造は、ヴェネツィアをはじめとするイタリア商業都市と南ドイツ鉱山業（アクスブルグ）の繁栄をもたらしたが、「地理上の発見」は、二重の意味でこの商業構造に解体的打撃をもたらした。第一には、新航路の発見によって新たに出現したポルトガル商人が、低廉な東洋品（とりわけ胡椒）を武器としてヴェネツィア商人を圧倒し去ったこと。第二には、十六世紀初頭よりヨーロッパ（直接にはスペイン、就中セビリヤ）に流入し始めた新大陸の貴金属（ポルトガル領ブラジルの金、しかしあくまでもスペイン領ペルーおよびメキシコの銀が圧倒的）が南ドイツ銀鉱業を制圧して、たちまち東インド貿易における輸出品の基軸的な地位を得たこと、この二点である。新大陸の銀に対し、ヨーロッパからは毛織物を基軸とする工業生産物が輸出された。この点について大塚久雄は語っている。

東印度貿易に覇を制するためには何よりも貴金属就中「銀」の供給を確保する事が必要である如く、新大陸より流入するあの豊富な銀をその支配下に置きうるためには、要するに、諸種の工業生産物、就中「毛織物」を豊富且つ廉価に供給し得なければならなかった。而してまた此の点から東印度貿易に対比しての新大陸貿易の特質も自ら明かである。即ち、東印度貿易がそもそも仲立商業の性格を具え、此ののちそれが益々あらわとなりゆくに対比して、新大陸貿易は工業生産物の販路を提供する事によって、西欧諸国における工業生産の発達と緊密な関係をもつに至ったと云う事、之である。(註4)

世界商業におけるポルトガル・スペインの制覇をもたらした「商業革命」は、次のような図表として整理できる世界商品循環を実体的に創出した。(註5)

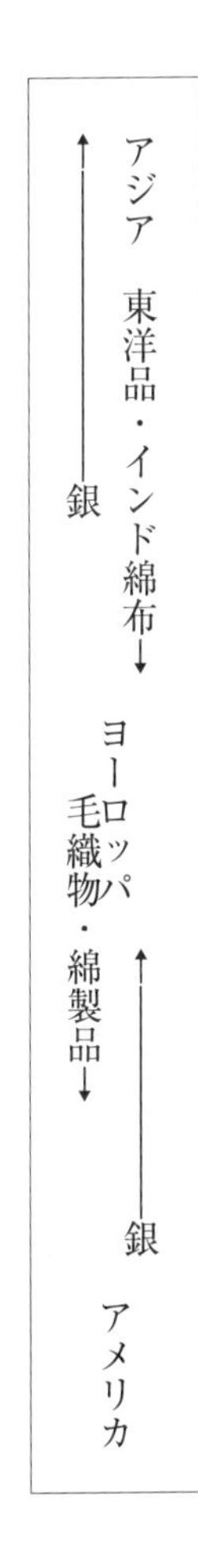

「商業革命」によって形成された世界商品循環こそ、マルクスのいわれる「資本の近代的生活史を開始する世界商業」の内的構造をなしている。さらに大塚久雄の経済史学説の検討によって、世界商業の発達がいかにして「資本をそのもとで発生」せしめたのかを、続いて明らかにしていこう。

　商業革命展開の帰結として、毛織物工業のもっとも発達せる国国の商人が新大陸産のあの夥しい「銀」を襲断し、更に之によって東印度貿易をもあわせ支配しうるという可能性が――姑く視野を経済的条件に限るならば経済的必然性が――成立することとなった。つまり、商業革命の結末として、毛織物工業は近世における世界商業の二大分野たる東印度貿易と新大陸貿易の両者に於ける制覇の生産的基礎と云う世界史的意義を獲得するに至ったのである。(註6)

大塚は世界商業の二大領域を構成した新大陸貿易と東インド貿易における、両者の対立あるいは相克を、近代経済史上の中軸的な問題として設定する。先の引用によっても明らかなように、それは「新大陸貿易の工業生産物輸出的性格」と「東インド貿易の仲立貿易的性格」の対立相克として把握される。ポルトガル―スペイン―オランダ―イギリスという西ヨーロッパにおける世界商業基軸国のヘゲモニー移動の根拠は、東西インド両貿易の対立相克あるいは矛盾の展開過程として説かれていく。

ポルトガルの経済的衰退の原因は、仲立貿易たる東インド貿易にのみ依存した点にある。とりわけ東インド貿易の基軸的輸出品としての銀を、対抗国スペインに掌握されてしまった点に、その直接の根拠を見ることができる（ポルトガルはオランダ独立戦争中の一五八〇年に、スペインに合併されてしまう）。

しかしながらポルトガルを合併し、新大陸貿易と東インド貿易の交点を確保したスペインもまた、一五七〇年をもって開始される南ネーデルランドとイギリスにおける毛織物工業の一大発展によって、新大陸市場を急速に奪い取られていく。

十六世紀末から十七世紀にかけてのスペインの没落、イギリスおよび新興オランダによる世界制覇の要因としては、次の諸点が注目される。第一にセビリア商人が自国スペインの毛織物商品ではなく、低廉で良質なオランダ・イギリス品をもっぱら新大陸に輸出し始めたこと（ここに自国工業の発展に無関心で産業資本の成長に敵対的な、「仲立ち」的商人資本の本性を見ることができる）。第二には、北ネーデルランド／イギリス連合軍の攻撃によるスペイン制海権の危機から生じた私掠船（公許された海賊船）の活動、そしてスペイン領アメリカにおける密貿易の激増。第三には、スペイン支配に対するネーデルランドの反乱とオランダの独立、一五八八年のスペイン無敵艦隊敗北などスペインの政治的・軍事的敗北。これらの要因から世界商業の基軸国は移動していった。

しかし十七世紀初頭における強国オランダの彗星的出現は、約一世紀間の繁栄をもって基本的に終焉し、十七世紀末には世界商業上の覇権をイギリスに奪われてしまう。大塚久雄の論に沿って、オランダの没落とイギリスの世界商業における最終的勝利の歴史的根拠を簡単に見ていこう。

「支配的商業国民としてのオランダ衰微の歴史は、商業資本の産業資本への従属の歴史である」[註7]。このマルクスの言葉をもって、オランダの敗北とイギリスの勝利の根拠を解明せんとするのが、大塚の観点であるといえる。オランダの「十七世紀における東印度貿易と新大陸貿易との対立」についての大塚の見解は次のようだ。

「経済史上、東印度貿易と新大陸貿易はかくしてその取引される商品、『銀』、を通じて素材的に相互依存の関係にあり、いわば一体的関係をなしていた」[註8]。にもかかわらず、同時に両貿易は「而もそれぞれ異った社会層の利害にむすびつき、いわば社会的には『対抗的』な、あるいは『相克』の関係におかれていた」[註9]。

その根拠は、「東印度貿易は東印度及び新大陸においてそれぞれ『非資本主義的』に生産されるところの余剰生産物（商品）の相互的交換の媒介を営む古い形態の『仲立ち商業』という規定性をもっていたのである。ところでこの古い形態の『仲立ち商業』は、周知のように、古い形態の（前期的）商業資本の本来的な存在の地盤である」[註10]のに対し、「新大陸は産業資本家にとって、原料の供給地たるに止らず、その生産物の販路を形造っているというまさに近代的な社会的性格をもっていたのである。だからこそ、当時の初期産業資本家層（マニュファクチュア所有者）並びにかかるものに転化しつつある小生産者層の利益は、きわめて当然に、積極的に新大陸貿易と結びついたのである」[註11]。

十七世紀のオランダにおける社会的・経済的・政治的な諸対立、たとえば東インド会社に対する対大陸貿易のための西インド会社設立の動き、両会社内部における「取締役団」（東インド貿易に基礎を持つ商人資本家）と一般「出資者群」（新興のマニュファクチュア所有毛織物工業家）との会社運営の民主化をめぐる深刻な対立、さらにホラント州会を支配していた「自由派」と、ウィルレム・ユセリンクス[註12]（を代表者とする）「カルヴィン派」との社会的対立など――これらは「前者〔東インド貿易―引用者註〕は古い形態の仲立ち商業として（前期的）商業資本の利害にむすびつき、後者〔新大陸貿易—引用者註〕はマニュファクチュアの原料供給地並びにその生産物の販路として（近代的）産業資本の利害にむすびついたのである。従って東印度貿易と新大陸貿易の『対立』乃至『相克』というのは、まさに、商業資本の『香料商人的政策』と産業資本の販路拡張策との対立[註13]」を経済的基底として発生したものと把握される。

結論としては、「和蘭においては結局商業資本の力が勝を制して、東印度会社と西印度会社との構成は何れも株主総会なき専制型となり了った。その結果、産業資本の利害とむすびついた新大陸貿易は、商業資本の『香料商人的政策』の犠牲となり、西印度会社と新大陸貿易は萎微してふるわず、産業の発達は結局十七世紀末以降英吉利によって完全に凌駕せられることとなった。英吉利に於ては、和蘭と反対の途を辿って、産業資本が商業資本の勢力を圧服していたからである[註14]」。

世界市場におけるオランダの後退を、大塚は以上のように論じている。それでは、「産業資本が商業資本の勢力を圧服」したと説かれるイギリスの、その世界商業における最後の覇権獲得の根拠については、いかなる論理が展開されているのか。大塚経済史学の核心的部分を構成する「農村の織元と都市の織元」論（イギリス国民経済の初期資本主義における「構造類型」論）こそ、その論理に他ならない。

大塚によれば、イギリスの毛織物工業におけるマニュファクチュアの発展は、中世都市の「問屋制度」——「織元、つまりさまざまな小生産者たちを原料その他の前貸しによって支配し組織する問屋制商人[註15]」を基軸とする——に対して、都市のギルド的規制から逃れ農村地帯に移住した向上心に富む織布工、あるいは農村地帯で成長しつつあったヨーマン出身の小生産者たちによる、「農村工業」の定着によって可能となった。封建的制約に妥協し、あるいはその保護下においてのみ存立しえた都市商人資本の「問屋制度」（「都市の織元」）に対抗し、一連の政治革命をもってそれへの勝利を確保した農村マニュファクチュア（「農村の織元」）こそ、ヨーマン出身者や自由を要求する織布工などを主体的担い手とし、その内部から産業資本を形成する進歩的勢力であった。

「農村の織元」の発展に対する「都市の織元」の反動的抑圧は、外国貿易の部門では「制規組合」と称されたところの、都市の商人層を主体とする特権的ギルドの創設や、原料供給・製品販路の買占的独占のための「特権的会社企業」の設置などとして執拗に試みられた。にもかかわらず「当時〔十七世紀前半──引用者註〕のイギリスにおいては、コルベルティズム下のフランスと異って、『農村の織元』層の足場は既にきわめて確く、謂わば全く手遅れであったのである」(註16)。

而して其の結果はと言えば、当然に、「農村の織元」(近代的職場制度・十八世紀のイギリス人の所謂マニュファクチュア)のより力強き伸展とそれによる「都市の織元」(問屋制度)の圧倒であり、「産業の自由」による「商業的独占」の浸蝕である。かくして「農村」に近代的職場制度が展開すればする程古き「都市」の問屋制度は崩れ、之に応じて新しい類型の近代的商人層の取引もますます繁きを加えつつ、商業資本の産業資本に従属せしめられんとする決定的な一歩が漸く踏み出されるに至ったのである。而して此の過程において、画期的な意義をもった出来事はかのピューリタン革命(一六四九年)及びそれに引続く王政復古(一六六〇年)であった。即ち、「都市の織元」と「農村の織元」との対立に関する限り、右の二つの事件を経過するとともに、政権の重心は決定的に前者から後者に移行し、「農村の織元」にとってはいまや洋洋たる展開の途が拓かれる事となった(註17)。

オランダにおけるカルヴァン派の自由派への敗北(発生期産業資本の前期的商業資本に対する敗北)は、イギリスにおいて「農村の織元」の「都市の織元」への経済的・社会的・政治的勝利(ピューリタン革命)として完全に逆転してあらわれた。この点についてマルクスは「支配的商業国民としてのオランダの衰微の歴史は、商業資本の産業資本への従属の歴史である」と指摘している。「十六世紀より開始される資本の近代的生活史」の歴史的構造性は、大塚経済史学に沿った以上の展開によって、多少とも明らかとなったろうか。「資本の近代的生活史」の前提をなす十六世紀―十八世紀の世界商業構造を、一層根底的に捉えつくすためにも、次の諸点にわたる大塚理論への批判を踏まえなければならない[註18]。

大塚における、十六世紀以来の世界商業の歴史的発展をめぐる「西欧中心史観」的な把握、これへの批判が第一点だ。

「新大陸―西欧―東インド」という世界商業の場所性の措定。この世界的「場」における商品流通の客観構造がヨーロッパ（とりわけイギリス）における「毛織物産業―マニュファクチュア―産業資本」発生の客観的可能性を基礎づけたという、一応のところ説得的である主張、等々。これらは表面的な論理整合性にもかかわらず、構造認識上の重大な欠落を深層に抱え込んでいる。たとえば大塚は、「西班牙領亜米利加で『奴隷制的に』――即ち非資本主義的に――生産せられ（略）たところの『銀』」と、「東印度より輸入されたものは色色あったが、何と言ってもその大部分は香料特に胡椒であり、之に僅少の絹物などの奢侈品が交へられていた[註19]」とされるアジアからの輸入品とを、「東印度及び新大陸においてそれぞれ『非資本主義的』に生産されるところの余剰生産物」という規定のもとに同一視する。

しかし、この二種類の商品（「銀」と「東洋品」）が、歴史的に対立する質を有したことはあまりにも明らかである。「東洋品」が、アジア的専制国家（インド、中国）およびその周辺地域の余剰生産物でしかなかったのに対し、「銀」はそもそもの始めからヨーロッパの要求とヨーロッパの意図によって、先住民（後には黒人奴隷）の奴隷的労働によって生産されたものだ。重商主義ヨーロッパは、アジアではその生産様式に指一本触れることもできなかった。それはアジアにおいて「古い形態の仲立ち商人」そのものであり、それ以上でもそれ以下でもなかった。しかし新大陸においては、無国家的な先住民社会の生産様式や、あるいはインカなど古代国家の生産様式を暴力的に解体し、その廃墟の上に、「奴隷制鉱業」(補足的には西インド諸島における「奴隷制プランテーション」)という独自の生産様式を構築したのである。

新大陸の「銀」はネーデルランドの毛織物とは異った意味で、しかしある意味ではそれ以上に「近代世界」的商品だった。新大陸の「銀」に対する大塚のあまりにプリミティヴな把握は、世界商業における黒人奴隷貿易への過小評価とも関係する。この点を了解するなら、イギリスにおける産業資本の発達が、大塚によって美化されているような種類のものでなかったことは明白だろう。

第二点は、「新大陸—西欧—東インド」という世界流通過程を外部的環境としたイギリス毛織物工業の発展が、あたかも自律的に「産業資本」の誕生に帰結したかのような主張への批判である。

広汎なマニュファクチュア毛織物工業の「農村工業」としての定着を生産的土台として、東西貿易の対立相克を有機的に連関、統一せしめたイギリス経済の世界史的意義は、なによりもイギリスにベンガル侵略を可能ならしめた点にある。ポルトガル、スペイン、オランダという、イギリスに先行する東インド貿易のヘゲモニー国家は、アジア的専制国家の強固な低滞的安定性の前に、なんらの構造的介入もなしえないまま、表層的な商人資本として寄生的に活動する以外なかった。

一七六五年をメルクマールとする(この時より、ベンガル全土の地租が東インド会社に上納されるようになった)イギリスによるベンガル侵略の完了は、ポルトガル、スペイン、オランダがついになしえなかったアジア的専制国家に対するヨーロッパの植民地支配に突破口を開いた。一七六六年から六八年までの三年間でインドから収奪された富は、六三一万一二五〇ポンドにのぼる。大西洋三角貿易による奴隷貿易からの超過利潤と、膨大きわまりないベンガル収奪がなければ、イギリスにおける機械制大工業と産業資本の急速な発達は不可能だったろう。しかし大塚は奴隷貿易と同様に、十八世紀イギリスのベンガル収奪についても、ほとんど興味を示していない。

大塚批判の第三点は、「本源的蓄積」に関する大塚の無関心である。たとえば『欧州経済史』[註20]におけるこの点についての論述には、通り一遍の平板さが特徴的といえる。以上の点を踏まえるなら、十六世紀―十八世紀（「商業革命」から「産業革命」まで）における「世界」総括の「世界貨幣」的存在様式が明らかとなる。

地理上の発見は、十六世紀において商業革命をもたらし、「新大陸―西欧―東インド」世界商業（世界商品流通）を形成することにより、「資本の近代的生活史」の開始を告げた。ほぼ十八世紀まで続く歴史過程は、その内部構造の成熟から産業資本を形成させるに至る。

この時代の世界商業は、新大陸から西欧を経てアジアへと流れる銀（貨幣商品）によってのみ媒介されえた。また新大陸の銀は、ヨーロッパ絶対主義国家の植民地主義暴力を背景に、ラテンアメリカにおける自生的生産様式の廃墟の上に構築された、奴隷制鉱業という生産的基底によってのみ産出されえたのである。東西インド航路の発見から形成されていく世界商業（大三角貿易）は、ヨーロッパ的に変型された奴隷制生産を生産的基底としていた。この時代の世界商品循環においてヨーロッパが仲介的位置を占めていたにすぎないという俗説は、あらかじめ難破しているといわざるをえない。

新大陸における奴隷制鉱業によって生産された銀の世界流通は、新大陸の銀を買い占め、それによって東インド貿易を独占しうる基軸商品としての毛織物の需要を拡大し、西ヨーロッパにおける毛織物工業の発展を促進した。この毛織物工業の発展こそが、マニュファクチュアの定着を経て産業資本の発生、成長の基礎をなしていく。こうした点から、新大陸における奴隷制鉱業による銀生産を世界商業の第一次的な生産的基底とするなら、ヨーロッパ（とりわけイギリス）におけるマニュファクチュア毛織物工業を第二次的な生産的基底ということができる。第二次的な生産的基底は、あくまでも第一次的な生産的基底の土台の上に、その上部構造として、それが創出し、媒介的に維持している世界的流通過程を外部的環境として発生、発展しえた。

マニュファクチュア毛織物工業（第二次的な生産的基底）の確立は、ヨーロッパ貿易国における伝統的な「東インド貿易と西インド貿易の対立・相克」という矛盾を、高次の生産的土台の上に統一する基礎をもたらした。その結果がイギリスによるベンガル収奪の現実化である。アジア的専制国家の剰余生産物を、銀という貨幣商品によって輸入する商人資本的活動は、これをもって段階的に高次化され、産業革命による本格的な機械制大工業の発達を追い風として産業資本主義の基礎が確立されていく。

新大陸における奴隷制鉱業生産（第一次的な生産的基底）―その生産物「銀」による世界商業の維持・回転―世界商業の発達を外部的環境とするマニュファクチュア毛織物工業の発達（第二次的な生産的基底）―イギリスによるベンガル収奪（ヨーロッパ植民地主義によるアジア的封建国家への侵略・支配の現実化）―産業資本の成立。こうした「資本の近代的生活史」の序曲は、さらに重要な一幕として、一国内における小生産者からの生産手段の収奪（本源的蓄積）を構成要素として組み込んでいた。

以上がわれわれの結論である。その核心は第一に、この時代における「世界」総括があくまでも新大陸の銀において、すなわち「世界貨幣」的様式においてなされていた点。第二には、資本主義中心国と第三世界の世界史的分裂の端緒が、「近代世界」の形成期に見られるという点。第三には、こうしたものとしての世界貨幣的「世界」総括（世界商業）が、産業資本を地球上の一角に析出したのだという点、等々である。(註21)

われわれは、これら諸点を一層具体的かつ実証的に検討する用意がある。しかし、残念ながら純粋に時間と紙数の制約がそれを妨げている。以下に課題のみ列記して、先に進まなければならない。

①スペイン領アメリカにおける奴隷制鉱業に体現される諸問題。「近代世界」が、前近代的階級社会をいかに「総括」しているのかの発生史的解明。

②イギリスのベンガル収奪の諸問題。「さればヒンドゥ文化に優越し従って彼にとって興し難き最初のそして最後の征服者イギリス人が、一六〇〇年ここに東印度会社を設立し一七〇二年に一応これを確立し政治的

支配が及ぶに至っても、かかる圧力のみをもっては印度社会の基礎構造は実に十九世紀初にいたるまで何等の根本的革新を受けなかったのである」「印度がイギリスの植民地と化せしめられたということは、イギリス資本が植民地印度においては生産者よりの収奪を専らにし、生産手段の資本への蓄積転化はこれを専ら本国においてのみ行うことの自由をほしいままにし得たということに他ならぬ」[註22]。すなわち、十八世紀におけるベンガル収奪の経済外的性格と、それがイギリス産業資本形成に果たした役割について。

③この歴史段階における、ヨーロッパの非ヨーロッパ世界への対面形式は、第一に高度化したアジア的専制国家（ムガール帝国、中華帝国、オスマン帝国）に対しては商品貿易的関係、第二に中南米のアステカ、マヤなどの古代的国家に対しては旧生産様式の解体・変型の支配関係、第三に北米、オーストラリアなどの氏族社会や部族社会に対しては先住民の抹殺と土地の収奪（これが「近代的植民地」の舞台を提供する）、等々として整理できる。三類型それぞれに即した「第三世界発生史」論は、今後の課題として残されている。

『資本論』第一篇の歴史的背景については、要約的ながら一応の検討を終えた。十六世紀─十八世紀の世界商業の構造、あるいはそのもとでの産業資本の発生、これらの歴史的過程が、『資本論』ではどのように論理化されているのかを、次に明らかにしなければならない。

註

（1）「日本革命思想の転生　第二章 民族的責任論の系譜」参照。

（2）『資本論』長谷部文雄訳、大月書店版、第Ⅰ部二八三頁。この点についてマルクスは、次のようにも述べている。「世界市場――これは、総じて資本制的生産様式の基礎および生活圏をなす――」（同、第Ⅲ部一八一頁）。第Ⅰ部における「世界商業および世界市場（資本の近代的生活史を開始するものとしての）」と、第Ⅲ部における「世界市場（資本制的生産様式の基礎および生活圏をなすものとしての）」との間には、『資本論』体系における論理─歴史的切断が媒介的に措定されている。この意味で引用した二つの文章は、マルクス「経済学批判」体系における「世界」措定の二重性を直接に表現するものといえる。この点に無自覚である岩田弘は、二つの引用箇所を同一の理論的内容を表示するものと捉え、平板かつ無構造的に並列している。岩田「世界資本主義論」のヘーゲル主義的「世界市場―世界資本主義」歴史主体論（「流通形態論」の体系的全面化）という根本的欠陥が、ここに端的に露呈されている（『世界資本主義』一三六頁参照）。

（3）アダム＝スミス『諸国民の富』（三）、大内兵衛・松川七郎訳、岩波文庫、三八八頁。

（4）大塚久雄『近代欧州経済史序説』（上巻）日本評論社版、五〇頁。引用した「大塚テーゼ」は、最新の研究（さしあたり、川北稔「ヨーロッパの商業的進出」、岩波講座『世界の歴史』十六巻所収、を参照せよ）によって部分的再編が余儀なくされつつあるとはいえ、その根底的欠陥――西インド／ヨーロッパ／東インドの大三角貿易の歴史的前提である生産的基底は、あくまでスペイン領アメリカの奴隷制鉱業にあった、という点の致命的無自覚――を除外すれば、理論的枠組みとして基本的正当性が今日も認められる。

（5）いいだ・ももはその著書『プロレタリア世界革命論序説』（三一書房）において、楊井克己『概説国際経済論』（東大出版会）を参照しつつ、この図表を提出している。『序説』はアジアからヨーロッパへの輸出品が、胡椒など「東洋品」に加えてインド綿布を重要な構成要素としていたことについて正当な強調を行なっているが、しかしそこには、「ヨーロッパはその世界商品循環においていわば仲買的位置を占めていたにすぎない」（二〇頁）というように、世界商品循環が西ヨーロッパにおける毛織物工業の発達（初期産業資本の形成）に対し、ほとんど決定的ともいえる条件を構成したことについての無視、もしくは過小評価が否定できない。この点から『序説』の資本主義了解の「産業革命噴射推進力論」という謬見もまた生じてくる。「産業革命―世界市場」において近代世界構造を把握する発想は、「二重の世界措定」の観点から批判されなければならない。

（6）『近代欧州経済史序説』上巻、五八頁

（7）『資本論』第Ⅲ部、四七三頁
（8）大塚久雄「十七世紀に於ける東印度貿易と新大陸貿易との対立」（『近代資本主義の系譜』所収）、学生書房、一三三頁
（9）同、一三四頁
（10）同、一三六頁
（11）同、一三七頁
（12）ウィルレム・ユセリンクスは、その生涯を「理想の西インド会社」設立のために費やしたオランダの重商主義者、新大陸貿易商人。ユセリンクスの失意と挫折の生涯は、前期的商業資本（商人資本）の強大な惰性力を突破しえず、未熟のままイギリス毛織物工業（初期産業資本）の成長によって葬り去られていったオランダ産業資本の消長を象徴している。詳細については、大塚久雄「ウィルレム・ユセリンクスの眼に映じたる東印度貿易」（『近代資本主義の系譜』所収）を、また『株式会社発生史論』後編第三章第三節「和蘭西印度会社設立に関するユセリンクスの企図とその意義」（中央公論社版、四五八頁）を参照のこと。
（13）「十七世紀における東印度貿易と新大陸貿易との対立」一三七頁
（14）同、一三八頁
（15）大塚久雄『欧州経済史』、弘文堂、一四六頁
（16）『近代欧州経済史序説』上巻、三九六頁
（17）同、三九七頁
（18）大塚史学の文献解釈上の誤解、曲解、一面化（とりわけ、アンウィン、マントゥー、ウォズワースなど）を批判したものとしては、矢口孝次郎『資本主義成立期の研究』がある。
（19）「十七世紀における東印度貿易と新大陸貿易との対立」一三七頁

（20）大塚久雄『欧州経済史』、弘文堂

（21）本来の意味での世界貨幣は、この時代にあっても「金」に他ならなかった。「銀」は、「金」を尺度として、比較的低く評価される「新大陸」から「西欧」へ、「西欧」から比較的高く評価される「アジア」へと流れた。十六世紀にはメキシコに準ずる生産量を誇った日本の銀が、世界商業でどのような役割を果たしたのかは、今後の研究課題としたい。

（22）羽仁五郎『明治維新史研究』、岩波書店、二五頁

（23）「なおスペインはメキシコやペルーの統治に際し、既存のインディオの組織制度を巧みに取り入れた。これらの地方では、住民がすでにかなりの文明を持ち、生産力を支配する体系や、経済統制の組織を作りあげていたからである」「レバルティミエント制が主として鉱山労働に利用されたのがミータ制度である。ミータもインカの労働組織に基づくものであったが、特殊な者を除き、各インディオ部落より常時七分の一程度の男子を徴用し、貢納とは別に、少額の賃金によって鉱山、公共土木、農繁期の農園などで賦役を強制するものであった。元来スペイン宮廷の財政は植民地鉱山から採掘される金銀に強く依存しており、絶えずインディオの自由労働を主張しながら鉱山の労働力としてこのミータ制を維持し続けた」（飯本稔「中南米の植民地」、『世界の歴史』十六巻、二二八頁、岩波書店）。新大陸におけるヨーロッパ絶対主義が、旧来の生産様式の暴力的解体の廃墟の上に、それを素材としつつ「半解体・再編・変型・包摂」の上に新たな奴隷制を創造したことが、この引用からも明らかだろう。

3　国際再生産圏と「世界市場」

世界商業における第二次的な生産的基底の確立（イギリスにおける毛織物マニュファクチュアの産業基軸化）は、ヨーロッパ資本のアジアにおける「仲買商人資本的性格」の克服（ベンガル収奪の現実化）と「産業資本」（K）の形成と発展、これを生産的基軸とする「国際再生産圏」の確立への道を拓いた。国際再生産圏の確立こそ、産業資本による世界市場の再措定に他ならない。

世界貨幣「WG」（Weltgeld）＝銀によって総括されるが故に、十六世紀―十八世紀の「世界商業」（マルクスによって「資本の近代的生活史」を開始するものと規定された）は、前節で検討した、その内的―必然的メカニズムによって地球上の一角に産業資本を析出するが、世界商業の展開された内的結果たる産業資本の形成は、それを基軸とする世界市場の再措定を不可避とする。この、再措定された世界市場、すなわち「世界市場としての世界市場」の構造的内実こそ、「国際再生産圏」である。

したがってわれわれは、十六世紀―十八世紀の「世界商業」＝「始源的世界」（WG）は、産業資本（K）によって（産業革命を決定的なテコとしつつ）、十九世紀以降の「国際再生産圏を内的構造とする世界市場としての世界市場」＝「再措定された世界」（これを「世界市場」Weltmarkt＝WMとする）に転変したと考える。近代世界の基礎構造を、その論理的・歴史的抽象性において、「WG―K―WM」と定式化するのは、以上のような内実においてなのだ。「WG―K―WM」という近代世界の基礎構造は、「資本主義を基軸とし、帝国主義を総括的上部構造とする近代世界」の総体構造の基底としてあり、それは、十六世紀以降現代にいたる近代世界の発展（―没落）過程の歴史的総括である。本源的蓄積が「原罪」であり「現罪」であるように、それは一度きりの単線的歴史過程の抽象化であると同時に、成熟した近代世界において日々再生産される構造の論理的総括でもある。このことは、本源的蓄積が「原罪」であり同時に「現罪」である――という規定とパラレルなものとしてある。(註1)

「WG―K―WM」の定式が、「経済学批判」体系と『資本論』プランの構成に有した決定的な意義については、すでに第一節で簡単に触れたが、後にあらためて検討する。

「再措定された世界」は、「始源的世界」を歴史的前提として、始源的世界から構造的に析出された産業資本（およびその支配する国民経済―市民社会）を基軸的な形成主体として歴史的に実現される。再措定された世界は始源的世界の複合構造を解消し、より高次なものへと完成していく。国際再生産圏は、二つの生産的基底の根本的矛盾を解決するのではなく、この矛盾をさらに解消し難い構造性へと固定化する。また「絶対帝国主義」の経済外的暴力性を排除するのではなく、「自由帝国主義」へとそれを完成に向けて構造化していく。世界的交通の普遍的実現である世界市場の形成と、完成された世界貨幣＝金の成立も、近代世界の矛盾的存在形態を透明で均質なものに止揚することはできない。こうした歴史的現実過程から、始源的世界において、すでにして形成過程の資本にとっての二つの夢魔、二つの妖怪であったところのもの、すなわちネーデルランドあるいはイギリスの毛織物マニュファクチュア・プロレタリアートと、スペイン領アメリカ銀鉱山の先住民・黒人奴隷プロレタリアートは、新たな再措定された世界にあっては、「革命的産業プロレタリアート」と「第三世界の土地なき農民」という、いっそう完成された姿態において、世界プロレタリア共産主義革命運動の二大構成要素＝構成主体として、換言するなら近代世界総体の巨大な墓掘り人として登場してくる。この両者の「合流」にこそ、「世界共産主義」の実体的展望があるというわれわれの思想的立脚点は、かかるものとしていっさいの政治的ロマン主義、窮民革命論、ロマン的反動の思想潮流と厳格に区別された近代世界の対象的認識の厳密化、徹底化を背景としている。

近代世界の基礎構造は歴史的・論理的に「WG―K―WM」として定式化される。この把握を前提に、

「K」および「WM」の内的構造と相互関連を次に検討していきたい。

マルクスの近代世界認識は、世界市場の歴史的形成に規定された世界認識の深化過程に対応して段階的に発展してきた。

マルクスの第一期の世界市場論は一八四〇年代の諸著作、『ドイツ・イデオロギー』、『共産党宣言』、『共産主義の原理』などに典型的である。一八四八年ヨーロッパ革命の敗北から一八五七年世界市場恐慌までの十年間が第二期で、それは『経済学批判要綱』および多数のインド論、中国論で展開されている。六〇年代から七〇年代にかけての『資本論』(「経済学批判」体系)の執筆が第三期で、七〇年代から八〇年代初頭にかけての「資本主義の『上から』の発展の道」論としてのドイツ論とロシア論(とりわけ『ヴェラ・ザスーリッチへの手紙』)が、マルクス世界市場論—世界認識の第四期となる。①四〇年代(『宣言』)、②五〇年代(『要綱』)、③六〇—七〇年代(『資本論』)、④七〇—八〇年代(『ヴェラ・ザスーリッチへの手紙』)。以上のマルクス世界認識の深化過程を、その世界市場論の内包的・構造的展開——国際再生産圏論の確立——の過程として検討していこう。

第一期の著作『ドイツ・イデオロギー』の画期的意義について、ここで多くは触れない。『ドイツ・イデオロギー』で二つの提起に注目するにとどめる。

「共産主義は、経験的には、主要な諸民族が《一挙》に、かつ同時的に遂行することによってのみ可能なのであり、そしてそのことは生産力の普遍的発展とそれに結びついた世界交通を前提としている。(略)なおその上に、ただ労働するしかない人々の大群は、またそれゆえ、確実な生活源としてのこの労働そのものの、たんに一時的でない喪失は、競争の結果生じた世界市場を前提としている[註2]」ことを一般的前提として、マルクスは「十七世紀にたえまなく進行していたイギリス一国への商業とマニュファクチュアの集中は、この国のために、しだいに相対的な世界市場をつくりだした[註3]」とする。

大工業がある国のどの地域においても、おなじ程度に発達するのでないことは自明なことである。しかしながら、このことは、プロレタリアートの階級運動をさまたげはしない。なぜなら、大工業によってうみだされたプロレタリアが、この運動の先頭に立って、全大衆をひっぱってゆくからであり、また大工業から閉めだされた労働者は、この大工業によって、大工業の労働者自身よりももっと悪い生活状態へつきおとされるからである。大工業が発達している国々は、多少とも〔plus ou moins〕非工業的な国々に対して――後者が世界交通をつうじて一般的な競争戦のなかにひきこまれているかぎり――おなじような影響をおよぼす。(註4)

資本主義の世界形成力の肯定的評価を前提に、ここでは二つの領域の問題が語られている。第一にそれは「イギリス一国への商業とマニュファクチュアの集中」――「相対的な世界市場の形成」という、十六世紀―十八世紀における世界商業の構造的発展がイギリスに産業資本を析出し、イギリス産業資本主義が自らを主語に、自らを基軸として世界市場を創出する過程の問題である。第二には「大工業労働者とそこからしめだされた労働者」という、資本主義社会＝国民経済と市民社会そのものの複合的発展様式の把握、さらに「大工業が発達している国々と非工業的な国々」という、近代世界の複合的存在様式の把握である。とりわけ注目するべきなのは、両者の関連について「後者（非工業的諸国）が世界交通をつうじて一般的な競争戦にひきこまれているかぎり」、大工業諸国の基軸的ヘゲモニーのもとに密接不可分の関係におかれるという指摘だ。(註5)

以上の二点はマルクスの世界市場論の出発点であり、そこからの世界史的な諸事件を媒介とする展開過程こそが、マルクス世界認識の深化過程の中軸をなしている。

しかしながら『ドイツ・イデオロギー』における二点の提起が、『宣言』および『原理』において深化しているとはいえない。反対に二つの提起の一般的前提を構成した「資本主義の世界形成力への肯定的評価」が、『宣言』および『原理』では一面的に単純化されている。たとえば「自分の生産物の販路をたえず拡張していく必要にうながされて、ブルジョアジーは全地球上を駆けまわる。彼らは、どこにでも腰をおろし、どこにでも住みつき、どこにでも結びつきをつくらなければならない(註6)」と『宣言』は語る。

ブルジョアジーは、世界市場の開発をつうじて、あらゆる国々の生産と消費を全世界的なものとした。産業の足もとから国民的な基盤をとりさって、反動家どもをいたく嘆かせた。古来の民族的な産業は滅ぼされてしまい、なおも日々に滅ぼされていく。それらの民族的産業は新しい産業におしのけられ、これらの新しい産業を導入することが文明国にとって死活の問題となる。それは、もはや国内産の原料ではなくて、はるか遠い地域で産する原料を加工する産業であり、これらの産業の製品は、自国民だけではなく、同時にあらゆる大陸で消費される。

『宣言』における、こうした「資本主義の世界形成力への肯定的評価」は、次のような記述にまで発展することによって、この段階におけるマルクスの世界認識の一面性を浮き彫りにする。

ブルジョアジーは、あらゆる生産用具を急速に改善することによって、またすばらしく便利になった交通によって、あらゆる国を、もっとも未開な国までも、文明にひきこむ。彼らの商品の安い価格は、どんな万里の長城をもうちくずし、未開人のどんなに頑固な外国人ぎらいをも降服させずにはおかない重砲である。ブルジョアジーは、あらゆる国民に、滅亡したくなければブルジョアジーの生産様式をとりいれるよう強制する。あらゆる国民に、いわゆる文明を自国にとりいれるよう、つまりブルジョアになるよう強制する。一言でいえば、ブルジョアジーは、自分の姿に似せて一つの世界をつくりだす。(註7)

こうしたマルクスの発言は、近代派マルクス主義の典拠となってきた。そうした解釈を許す余地がないとはいいきれない、ある種の曖昧性がここには認められる。『要綱』(註8)においてマルクスが、「世界市場を創造しようとする傾向は、直接に資本の概念自体のうちに与えられている」としたこと、すなわち「世界市場創造傾向が資本の内的傾向性であること」の端緒的な指摘として、この発言には重要な意味がある。しかしこの指摘が、①資本家的商品が「未開な国」の伝統的生産様式を、短期のうちに全面的かつ根本的に解体しうるという観点において、②「未開な国」が「文明をとりいれる」こと、あるいは「ブルジョアになる」ことの、きわめて屈折した重層的かつ複合的な内容が単純化されている点において、③「ブルジョアジーは自分の姿に似せて世界をつくり出す」という断定的観点において、ある種の一面性が否定しえない。

このようなマルクスの観点は、第一に「後追い発展史観」ともいうべき近代主義的歴史観を、第二に「資本による単層的・均質的世界形成」という近代主義的世界把握をもたらした。この二点こそ、近代派マルクス主義の原理的立脚点に他ならない。

後追い発展史観とは、産業資本主義が典型的な発展をとげた「世界の工場」であり「ブルジョア的宇宙の造物主」たるイギリス＝「指導的先発国」の、その後を追うものとして、「後発国」の資本主義化を極度に単線的に想定する歴史観である。たとえば『ドイツ・イデオロギー』―『宣言』―『原理』の当該箇所のみならず、文脈への配慮なしに『資本論』における次の提起までも、後追い発展史観の支持者は主張の正当化のために利用してきた。

一八八六年七月二十五日の日付をもつ『資本論』第一部第一版序文には、「産業的に発展した国は、発展のおくれた国にたいし、他ならぬそれ自身の将来の姿を示すのである[註9]」とある。この「序文」で述べられた内容を、たとえば淡路憲治は次のように整理している。

①後進資本主義国では、資本制的生産様式と前資本制的生産様式との両者が並存することによって、「生きたものに悩んでいるばかりでなく、死んだものにも悩んでいる。死者、生者を捉う」という重層関係にあるが、②資本制生産の発展に応じて、次第に「純粋化」がすすみ、前資本制的生産様式とそのもとでの諸法則の作用は衰退し、減少していく。③こうして、「先進国は後進国の未来像である」という命題に見合った形で、後進国も次第に先進国型の資本主義に近似し・接近していくが、そのことはまた典型的な純粋資本主義への接近の過程でもある。④その結果として、後進国は基本的に先進国と同一の発展経路、同一の発展諸段階を辿るのであり、発展諸段階を飛びこすことはなく、またそれは国家の政策をもってしてもなしえない[註10]。

しかし、このような整理には難点が無視できない。これでは近代派マルクス主義の後追い発展史観を排除しえないからだ。一八六七年の時点でマルクスは、既に「二重の世界措定」を含む「経済学批判」体系の構想を完成し、近代世界の複合的存在様式を、論理・歴史的に把握しうる理論的地平に到達していた。このような理論的地平と近代主義的な後追い発展史観とが、理論的に両立することは本来ありえない。たとえば「産業的に発展した国は、発展のおくれた国にたいし、他ならぬそれ自身の将来の姿を示す」という文章にしても、そこだけを個別的・部分的に解釈するのでなく、その前半部分との統一性において把握するなら、後追い発展史観的解釈の恣意性は明確になる。その前半部分を含めての文章全体は以下のようだ。

> 資本制生産の自然法則から生ずる社会的な諸々の敵対の発展程度の高低は絶対的に問題でない。問題なのは、これらの法則そのものであり、頑強な必然性をもって作用して自己を貫徹しつつあるこれらの傾向である。産業的に発達した国は、発展のおくれた国にたいし、他ならぬそれ自身の将来の姿を示すのである。

ここで語られているのは、「問題は法則であって、その発展程度ではない」以上でも以下でもなく、後追い発展史観的な意味付与の余地はない[註11]。その核心が、「帝国主義」問題として存在することにも注意しなければならない。

近代派マルクス主義の第二の原理的立脚点である「資本による単層的・均質的世界形成」という近代主義的世界把握は、『資本論』の方法としてマルクスが提起した「世界―一国同一対象」論（全商業世界を一国とみなし、資本の一般的かつ排他的な支配がおこなわれている、という理論的想定）の実体主義的把握と、後追い発展史観の全面化において完成する。

「世界―一国同一対象」論は、近代世界批判の基軸的構成要素たる資本主義批判の方法として重要な意義を持つものだが、分析の方法として「世界―一国同一対象」論を理解するのではなく、近代世界の現実構造が、完成された国民経済の単純な外延体として存在すると思いこむのは、たんなる誤解ではなく重大な理論的誤謬に他ならない。

先に検討した『資本論』第一部第一版序文における「発展のおくれた国」という箇所を、前後の文脈から常識的に読みとるなら、それが直接にはドイツ、枠を拡大しても大陸ヨーロッパ諸国を指していることに疑問の余地はない。この点は「序文」の次の文章にも明らかである。

> イギリス帝国の駐外代表者たちは、ここで露骨な言葉をもってドイツ、フランス、簡単にいえばヨーロッ

パ大陸のすべての文明国において、資本と労働との現存諸関係の変化がイギリスにおけるのと同じように感ぜられ、また同じように不可避であることを、物語っている。(註12)

それでも近代派マルクス主義者は、「発展のおくれた国」にインドや中国までが含まれると強引に解釈するのだが、その誤りは指摘するまでもない。

一八五七年恐慌前後にいたるまで、マルクスは「イギリスのインド支配」「イギリスのインド支配の将来の結果」などの評論で、ドイツとヨーロッパの後発資本主義国とは異なる前資本主義的なアジア諸国とりわけインドが、単線的に資本主義化しうるかのような発言を時折もらしている。しかし、それも五七年恐慌以降の世界認識では次第に放棄されていく。

「資本による単層的・均質的世界形成」という近代主義世界把握は、近代世界の重層的で不均質な構造を理解しえないまま、不断に「世界プロレタリア共産主義革命運動」(レーニン)の原理的根拠を、「賃労働—資本」関係にのみ実体主義的に切り縮めようとする。

マルクスの第一期的な近代世界把握を、以上のように要約することができる。政治文書という性格に規定されているせいか、『共産党宣言』では「世界市場におけるイギリス産業資本主義の基軸性」と「世界市場における大工業国と非工業的諸国の関係性」という、『ドイツ・イデオロギー』に見られた発想が棚上げされている。その結果『共産党宣言』は、後追い発展史観や「資本による単層的・均質的世界形成」など近代派マルクス主義の固定観念を正当化するテキストとして利用されてきた。

共産主義者同盟の綱領としての『共産党宣言』は「資本主義批判の綱領」に他ならない。『宣言』から半世紀以上が経過し、独占帝国主義段階の歴史認識を背景としてブハーリンは、ボリシェヴィキ党の綱領を「帝国主義(金融資本主義)批判の綱領」に改正することを提案した。これに反対したレーニンが、あくまでも「資本主義批判・帝国主義批判の綱領」を対置したことから、「世界プロレタリア共産主義革命運動」の対象的意識たる綱領は、新たな歴史的段階に移行する。われわれは、マルクスの「資本主義批判綱領」、レーニンの「資本主義批判・帝国主義批判」綱領の歴史的発展の意義を継承し、第三世界解放革命の世界史的先導力に学び、「資本主義批判・帝国主義批判・近代世界批判」綱領を提起しなければならない。マルクスの思考過程からその裡に萌芽していた諸要素を、「資本主義批判・帝国主義批判・近代世界批判」による「第三世界解放革命―世界共産主義」に継承・止揚することが求められている。

『ドイツ・イデオロギー』と『共産党宣言』の一八四〇年代を第一期とするなら、一八五七年恐慌で前後に分かたれる一八五〇年代が、マルクスによる世界把握の第二期になる。そこでは『ドイツ・イデオロギー』に見られた二つの問題のうち、第一の「世界市場におけるイギリス産業資本主義の基軸性」については国際再生産圏論として、『経済学批判要綱』（一八五七年―五八年）に集約される、五〇年代を貫いた経済学研究として追求された。第二の「世界市場における大工業国と非工業諸国の関係性」については、『要綱』の理論内容とも重なり合いながら、より直接的には多数の「インド・中国」問題をめぐる分析として展開された。両者の結合と交差から、「二重の世界措定」を核心とする「経済学批判」体系の構想が最終的に確定されていく。

ここでは第二のインド・中国論から、この時期におけるマルクスの思考展開を検討したい。マルクスのインド・中国認識を、マルクス主義における「第三世界」認識の萌芽形態として捉えることができる。一八五〇年の時点でマルクスは、「カリフォルニアおよびオーストラリアの金の発見」をもって世界市場の実体的成立を宣言した。一八四八年のカリフォルニアの金鉱脈の発見、一八五一年におけるオーストラリア・ニューサウスウエルズ金鉱脈の発見は、東西インド貿易と南半球の大洋州地域を太平洋において、単一の世界市場に統合する役割を果たした。世界貿易の取引額が一八三〇年の六四億マルク、四〇年の一〇〇億マルクという水準から、五〇年には一四五億マルク、六〇年には二六八億マルクと一挙的な膨張を遂げたこと。一八五一年から五八年までの八年間でイギリス王立造幣局で鋳造された硬貨の量は、それ以前の七年間の約二倍の増加（一〇〇パーセントの増大）を示したこと。これらは「カリフォルニアとオーストラリアの金の発見」が世界市場の実体的成立を決定的に加速した事実を示している。

一八五〇年代初めの世界市場の完成に際し、マルクスは「カリフォルニアの金が奔流となってアメリカと太平洋のアジア沿岸にそそぎこみ、もっとも強情な野蛮民族をさえ世界貿易に、文明にひきずりこんでいる」と語った。この観点が『共産党宣言』の世界認識を引き継いでいることは明らかだろう。ともあれ、こうした地点から出発したマルクスは五〇年代全体を通じて、近代世界における前近代的社会経済構造の「半解体・変型・統合」という存在様式の解明にまで進んでいく。

一八五〇年代マルクスのアジア認識と世界市場認識は、インド・中国をめぐる多数の時事評論に見ることができる。そのうちの重要な意義を持つ幾篇かの検討から、第二期マルクスの世界市場論と世界把握の深化過程を明らかにしていこう。

一八五〇年代前期におけるマルクスの見解を端的に表現しているのは、中国問題については「中国とヨーロッパにおける革命」「阿片貿易」「来るべきイギリスの選挙」など、インド問題については「インドにおけるイギリスの支配」「イギリスのインド支配の将来の結果」などの諸論考である。

たとえば「中国とヨーロッパにおける革命」では、ヘーゲルを参照しながら次のように述べている。「人類の運動を支配する原理について思索した、きわめて深遠ではあるが、しかし空想的なある思想家は、彼が両極端一致の法則とよぶものを、自然を支配する秘密の一つとして称揚するのが常であった。『両極端は一致する』というありふれた諺は、彼の考えによれば、生活のあらゆる領域におけるすぐれた有力な真理であって、それは天文学者にとってケプラーの法則やニュートンの大発見がそうであるように、哲学者にとってなしにすませることのできない公理なのである（註13）」。

「両極端の一致」がそのように普遍的な原理であるにせよないにせよ、その適切な例は、中国革命が文明世界におよぼしそうに思われる影響のうちに見られるであろう。ヨーロッパにおけるこの次の人民蜂起、共和主義的自由と安あがりの政府とをめざす次のヨーロッパ人民の運動は、現存するほかのどんな政治問題――ロシアの脅威や、その結果全ヨーロッパ戦争が起こりそうであるということさえふくめて――に依存するよりも、ヨーロッパの対極であるこの天朝〔中国〕でいま起こっていることに依存するほうが多いかもしれないと言ったならば、はなはだ奇妙な、はなはだ逆説的な主張のように見えるかもしれない。とはいえ、この事件の仔細を注意して観察すればだれにもわかるように、これはすこしも逆説ではない。

「中国とヨーロッパにおける革命」冒頭のこの一節は、一八五三年前後のマルクスの、アジア問題（この時点での第三世界問題として捉えることができる）をめぐる視点を示している。近代派マルクス主義者の「資本による単層的・均質的世界形成」論をはるかに超える視点、すなわちヨーロッパ資本主義の運動を基軸としつつも、それには解消しえない構造性において近代世界を把握する視点を、すでにマルクスは獲得しようとしていた。「マルクスは、ヨーロッパ資本主義の運動を中心として世界史を考察し、アジアをそのなかに包摂されてゆく対象としてとらえつつも、同時に、アジアにおいてこの包摂過程がまきおこしてゆく諸事件のなかに、ヨーロッパ資本主義の内包する諸矛盾が対象化され、鏡のように映し出されている、という事実を読みとっていた（註14）」という山之内靖の指摘にも明らかであるように、この点はマルクスによる近代世界批判の深化の画期をなしている。

この時期の諸論稿でマルクスは、「ヨーロッパ⇕アジア」の相互的な緊張関係の根拠を、一八三〇年代以来急速に拡大したヨーロッパ資本主義、とりわけイギリス綿工業の過剰生産物のはけ口として、アジア市場が無視できない位置を占めてきた事実にもとめている。それは五〇年代に世界市場が実体的に成立したという、この時期のマルクスの認識に対応している。

もしもアジア市場が急速に縮小するなら、それは世界市場恐慌に転化せざるをえないとマルクスは予想した。マルクスは一八四八年ヨーロッパ革命敗北の総括から、「一八四七年の世界的商業恐慌が、二月と三月の革命の真の生みの親であったこと、そして一八四八年の半ばからだんだん回復し、一八四六年と一八五〇年に全盛に達した産業の好況が、新たに強化されたヨーロッパの反動を活気づけた力であった」(註15)こと、また「こうした基礎〔全般的好況―引用者註〕にぶつかっては、ブルジョア的発展を押さえようとする反動のあらゆる試みも、民主々義者のあらゆる道義的憤慨や感激的宣言も、ともにはじき返される。新しい革命は、新しい恐慌につづいてのみ起りうる。しかし革命はまた、恐慌が確実であるように確実である」ことを洞察していた。そして太平天国の乱に際会し、「アジア市場の急激な縮小―世界市場恐慌―新しい全ヨーロッパ(世界)革命」という新たな展望を打ち出すことになる。それでは、アジア市場の縮小がいかなる根拠によって不可避であるとマルクスは考えたのか。

第二節で明らかにしたように、十七世紀―十八世紀のヨーロッパの対アジア貿易は慢性的に輸入超過であり、ヨーロッパからアジアへの銀の輸出はインドの綿花・綿布、中国の茶・絹の対価として貿易量の増大とともに増加の傾向をたどった。しかしイギリス東インド会社の貿易独占権解体(一八三四年)を契機に、イギリス工業製品のアジアへの輸出は(対中国貿易の場合、これに加えてインドからの大量のアヘン密輸があった)飛躍的に拡大し、アヘン戦争の勝利と南京条約の成立を政治的テコとして「一八四二年に、近代商業史上はじめて、アジアからヨーロッパへの銀の大輸送が実際におこなわれるにいたった」。しかし一八五一年以降、アジアのヨーロッパに対する輸出超過は再び拡大に転じていく。マルクスが「新しい恐慌＝新しい革命」の世界市場的な契機として理論的に注目したのは、五一年以降の「アジア市場の縮小」現象だった。これが偶然的・一時的な現象ではなく、世界市場の経済循環に規定された根本的問題であるとするなら、それは確実に「次の恐慌」を呼びよせ、長期にわたる深刻な経済危機という革命の温床を世界的に生じさせるに違いない。

一八五一年を画期とするアジア市場の急激な縮小と、対ヨーロッパ輸出超過という経済現象を、マルクスは次の三点から根拠づけている。第一に、一八五〇年以来のイギリス製造工業の急速な発達である。好景気の最中にも工業恐慌の明白な兆候が認められた。

カリフォルニアやオーストラリア〔における金の発見〕にもかかわらず、大量の前例のない移住にもかかわらず、なにもべつに事件がおこらなくとも、そのうちに市場の拡大がイギリスの製造工業の拡張と歩調をあわせてゆけなくなる時点がきっとくるにちがいないし、そしてこの不均衡は、過去にそうしたと同じくらい確実に、新しい恐慌をひきおこすにちがいない。しかも、大市場の一つが突然縮小するならば、恐慌の到来はそれによって必然的に促進される。さて中国の反乱は、さしあたって、まさにこうした影響をイギリスに及ぼすにちがいない。(註16)

太平天国の乱による茶葉の生産と輸送の麻痺（「茶葉を保護する手段が中国の河海に碇泊している英米仏の艦隊によってあたえられるものでないことは確かである。これらの艦隊はその干渉によって逆に、茶を生産する奥地と茶を輸出する海港との間のいっさいの取引関係を断絶するような紛糾をひきおこすだけである」）、それによる茶の価格騰貴、動乱による貨幣退蔵の全面化（「中国人は、革命的動乱期のすべての国民のように、手持の運搬困難な商品を外国人に売りたがっているとしても、東洋人が大きな浮沈を考えて普通やるように貨幣を退蔵しはじめ、茶や絹の代償としては硬貨以外のものを受け取らないであろう。したがってイギリスは、その主要需要品の一つの価格騰貴、貴金属の流出およびその木綿や羊毛製品の主要市場のいちじるしい萎縮をかくごしていなければならぬ」）など、マルクスは一八五三年の時点で、太平天国の乱こそが注目する経済現象の第一の根拠であると考えた。

一八五六年の十月から十一月にかけて切迫する世界市場恐慌の徴候を検討した結果、次のような問題点が浮かんできた。これが第二の根拠をなしている。五〇年代の活況はカリフォルニアとオーストラリアの金生産の増加を基礎として、金貨の大量鋳造とその市場流通をもたらした。これは世界的な規模で、当時なお貴金属貨幣として相当の比重を占めていた銀貨の相対的価値上昇に結果した。この事実を踏まえて、マルクスは、「ヨーロッパの現在の恐慌は、地金の流出――商業的災厄の通常の前兆――が、銀に対する金の減価とからみ合っているために、複雑になっている」（註17）と指摘し、さらに「その要因とは中国とインドとの貿易なのであって、おもしろいことには、一八四七年の大恐慌のさいにもこの貿易が支配的特徴をなしたのであった」と語る。

銀を本位貨としていたアジアでは、銀の金に対する相対的価格騰貴はヨーロッパよりも一層急速であったことから、イギリス商人のアジアへの投機的銀輸出（その対価としてのアジア原産物の輸入）が促進された。五〇年代におけるアジアの出超という経済現象の第二の根拠としてマルクスが提起したのは、金銀比価の変動がアジアに有利に作用した点だ。

第三の根拠として、「アヘン貿易がそのものとして中国の購買力を制約している」という論点がある。この論点は前二点よりも時期的に多少遅く、一八五六年十月のアロー号事件から一八五八年の天津条約という中国の屈辱的敗北に終わる第二アヘン戦争の過程で注目されはじめている。この点に関しては、イギリス本国におけるパーマストン内閣の対中国政策に対する批判勢力の結集という政治過程の考察の副産物として、一八五八年頃に主題的に検討されるにいたる。この点はマルクスの『阿片貿易』で引用された、一八四七年の対中国通商事情調査のための、次のようなイギリス下院の委員会報告書にも明らかだろう。

いかんながらこの国〔清国―引用者註〕との貿易が最近きわめて不満足な状態にあることを認めなければならない。また吾々の取引の拡張の結果が、このすばらしい市場の門戸開放という事実から当然にうまれた正当な期待をすこしもみたさなかったことを認めなければならない。吾々は、貿易の困難が、イギリスの商品に対する中国人の需要が少ないからでも、また他国の競争が発展しているからでもないことを知るのである。阿片にたいする支払いが中国人の商業全体に大きな損害をあたえて銀を大量に呑みこんでしまい、事実上茶と絹とでその他の商品の代価を支払わなければならないのである。(註18)

この報告が物語るように、東インドにおける政治的利権と結合した投機的商業資本（アヘン商人としての東インド会社）の存在は、十九世紀半ばの時点で産業資本家（膨張する綿織物工業生産物の販路をアジア市場に求めるマンチェスター綿工業者）にとって桎梏に転化していた。このようにマルクスは、一八五三年―五六年―五八年の過程で、ヨーロッパの五〇年代を通じたアジア貿易の入超現象＝「アジアへの銀流出」の根拠を、①「太平天国の乱」、②世界市場における金銀比価の変動、③中国の過剰なアヘン消費、という三点に見出そうとした。

一八五七年に到来した世界市場恐慌は、アジア貿易の輸入超過という経済現象から「新しい恐慌」を予測していたマルクスの正当性を示した。けれども「世界経済恐慌の開始された年」（ヴァルガ・イェネー）たる一八五七年とそれに続く数年間は、マルクスにとって深刻な理論的苦闘の時期となる。四〇年代末より待ち望んでいた「新しい恐慌」は、予測に反して「新しい革命」をもたらさなかったからだ。マルクスの「アジア認識—第三世界認識」は、この現実を前にした理論的苦闘によって深められていく。

ここまで五〇年代前期におけるマルクスのアジア論のうち、中国問題を中心として検討してきた。次にインド問題について、一八五七年以前のマルクスの認識を見ていくことにしよう。

インド問題で注目すべきは、中国問題では検討されていないヨーロッパの産業資本主義と、アジアの前近代的共同体との相互関係が視野に入ってきている点だ。近代派マルクス主義者の陥穽である第三世界の資本主義化とも関連する問題が、ここでは詳細に検討されている。[註19] たとえば「インドの過去の政治的様相がいかに変転をきわめたように見えようとも、その社会的条件は最古の時代から十九世紀初頭の十年代までかわらずにあったのである。規則ただしくその幾万の紡工と織工とをうみだす手織車と紡車とがこの社会の構造の枢軸をなしていた[註20]」とマルクスは語る。

> インドの手織機を打ちこわし、紡車を粉砕したのはイギリスの侵入者であった。イギリスは、まずインドの木綿製品をヨーロッパの市場から駆逐することからはじめた。それから撚糸をヒンドスタンに入れ、ついで木綿の原産地に木綿を氾濫させた。（略）この同じ時期（一八一八年—一八三六年）にダッカ市の人口は十五万人から二万人に減少した。しかし、その織物製品で有名なインドの都市のこの衰亡も、まだ決して最悪の結果ではなかった。イギリスの蒸気力とイギリスの科学とが全ヒンドスタンにおいて農業と手工業との結合を打ちこわしてしまったのである。

「イギリスのインド支配」（一八五三年六月二五日付）では、インド問題への総括的視点が以上のように語られている。この論説で検討されている当時のマルクスの問題意識は、次のように整理することができる。

第一に、アジア的生産様式とアジア的「村落共同体」への独自の認識である。「これら二つの事情、——

一方においてヒンズー人が東洋のすべての国民とおなじくその農業と商業との基礎をなす包括的な公共事業の配慮を中央政府にまかせていたという事実、他方においてこのヒンズー人が、全国に散在していて、農業的労働および手工業的労働の家内的結合によってわずかに小中心に総括されていたという事実――これらの事情が遠い昔から一個の特別の社会組織、いわゆる村落制度をつくって、この組織がこれらの小中心のおのおのにその独自な組織と独自の生活とをあたえていたのである」(註21)。この指摘にも明らかであるように、インドの地で古代から十九世紀まで温存されてきた停滞的なアジア的生産様式の形態的特質を、マルクスは、手工業と農業との家内的結合が形成する無数の「小さな中心」の全国的散在と、このような村落共同体を基礎とする自給自足の経済構造、そして無数の共同体を外的に支配するアジア的専制権力の複合として把握している。「住民は王国の瓦解も分割も意に介しなかった。その村がそこなわれずにいさえすれば、自分等が誰の権力のもとに入ろうが、どの支配者に属そうが、彼等はいっこうにかまわなかったのである。村の内部経済はそれにもかかわらず、手を触れられずにとどまった」。

第二はイギリス綿製品のインド社会への浸透によって、強固に停滞的なアジア的村落共同体は急速に解体され消滅しつつあるという点だ。

社会組織のこの小さなステロ版的な形は、イギリス徴税吏やイギリス兵の残酷な干渉の結果というよりもむしろイギリスの蒸気機関やイギリスの自由貿易のおかげで、大部分解体され、そして消滅しはじめている。この種の家族共同体は、手織、手紡および手営農耕の独特な綜合によって成り、彼等を自給自足者にしている家内工業の上に基礎をおいている紡工をランカシャへ、織工をベンガルへ移し、またはヒンズー紡工とヒンズー織工との両者を吹き飛ばしてしまったイギリスの干渉は、その経済的基礎を破砕することによって、これらの小さな半野蛮的、半開明的共同体を解体させ、かくしてアジアがかつて見た最大の、そし

て真実のことをいえば唯一の社会的革命を完成したのである。(註22)

このようにマルクスは、イギリス綿製品による「インドの社会構造の枢軸」の破壊をもって、「社会革命の完成」が実現されたと指摘する。その結果として第三に、「イギリスがヒンドスタンに社会革命をひきおこすにあたって低劣きわまる利益にのみ動かされ、しかもこれらの利益を追求するやり口も間の抜けたものであったことはたしかである。しかし、それは問題ではない、問題はむしろ、人類はアジアの社会状態における基本的な革命なしにその使命をはたしうるかどうか、である。この使命をはたすことができないとすれば、イギリスは、その犯罪がいかなるものであったにせよ、この革命の招来にさいしては歴史の無意識の道具にすぎなかった」とする。ここではヨーロッパ資本主義のアジアへの浸透に対する楽観的判断と、その進歩的意味への手放しの評価と礼賛が特徴的だ。

続けて書かれた『イギリスのインド支配の将来の結果』(一八五三年八月八日付)では、「インドにおける社会革命」についてさらに重要な見解が語られている。

「イギリスはインドにおいてこの二重の使命をはたさなければならない。一つは破壊的、他は創造的な使命である。旧アジア社会を絶滅すること、そしてアジアにおける西欧的社会の物質的土台をすえること、これである(註23)」。このようにマルクスは、イギリス資本主義のインドへの侵入が、「西欧社会の物質的土台をすえること」に結果すると語る。その意味するところは次のようだ。

こんにちまでイギリスの支配諸階級は、ただ偶然に、一時的に、かつ例外的にインドの進歩に関心をもつだけであった。貴族はインドを征服しようと欲し、金融業者はインドを掠奪しようと欲し、工場主はインドを販売競争で負かそうと欲した。ところがいまや情勢は一変した。工場主はインドを生産国に転化することが自分たちにとって死活的な意義をもつにいたったこと、そしてそのためにはまず第一にインドに灌漑や国内交通の手段をさずける必要のあることに気がついた。彼等はいま全インドに鉄道網を張りめぐらそうとくわだてている。そしてそれを実行するであろう。その結果はかりしれぬものであるにちがいない。(註24)

イギリスの工場主たちがインドに鉄道をさずけようと考えているのは、ただ綿花その他の粗製品をもっと安い費用で手に入れるというだけの目的から出たものであることを、私も知っている。しかしいったん鉄と石炭をもつ国の交通に機械をもちこむならば、この国が自分でそれを製造するのを抑止することはできない。広大な一国に鉄道網を維持することは、鉄道交通の直接日常の要求をみたすに必要ないっさいの工業部門を同時に導入することなしには不可能である。そしてこのことから、機械の応用が鉄道に直接関係のない工業部門にたいしても増大せざるをえない。したがって、鉄道組織は真実インドにおける近代工業の先駆者となるであろう。(註25)

インドの新しい支配者である工業家たちにとって、インドを生産国に転化することは死活の問題である。インドを生産国に転化させるには、近代的な灌漑や国内交通の手段を与えざるをえない。鉄道網の整備はインドの近代工業の先駆者となるだろう。このようにマルクスは主張する。「鉄道組織から生ずる近代工業は、インドの進歩とインドの力とにたいする決定的障害となっているインドの種姓制度の、その土台をなす世襲的な分業を解体させるであろう(註26)」。しかしながら「イギリスの本国において産業プロレタリアートが現在の支配階級にとってかわるか、それともまたインド人自身がイギリスの軛をそっくりかなぐり捨てるだけに強くなるか、そのどちらかのときまではインド人は、イギリスのブルジョアジーが彼等のあいだにまいた新しい社会の諸要素の果実を獲得しえないであろう」[註27]。

一八五七年以前のマルクスの認識は、「鉄道組織の導入と産業化―アジア的村落共同体の解体―インド解放の物質的諸前提の成熟―イギリスのプロレタリア革命による／あるいはインド人の民族独立闘争によるインドの解放」と要約できる。

世界市場を媒介としたアジアとヨーロッパの関係を、緊張した相互関係において把握しようとしたマルクスだが、世界市場を通じてのヨーロッパ資本主義の外延的普遍化作用、アジアの社会経済構造に対する文明化的解体作用を実際以上に過大評価していたといわざるをえない。その後一世紀を経過しても、インドの工業化が達成されたとはいえないからだ。

五〇年代におけるインド・中国問題をめぐっての世界把握―世界市場論の深化と展開は、一八五七年から五八年にかけて執筆された『経済学批判要綱』において一定の理論的総括があたえられている。近代世界批判の理論的前提をほぼ獲得したといえる『要綱』の問題点を、ここで簡単に検討しておこう。

『要綱』の「第二篇　資本の流通過程」では、①絶対的剰余価値生産、②相対的剰余価値生産、③循環＝蓄積過程―再生産過程、④回転＝蓄積過程、などの問題設定と論理展開の結論として「国際再生産圏と世界市場」が論じられる。このように『要綱』の「資本の流通過程」は完成された「経済学批判」体系の流通過程論以上の内容を含んでいる。『資本論』での生産過程としての蓄積過程、流通過程としての循環＝回転過程、この両者を含むものとして『要綱』の「資本の流通過程」は構成されている。以下、国際再生産圏の提起にいたる『要綱』の記述を簡単に見ていきたい。

①〈絶対的剰余価値生産〉

ここでは資本の世界市場創造傾向が指摘される。「より多くの剰余労働を創造しようとする傾向」と「より多くの補完的交換地点を創造しようとする傾向」は、資本の本質的必然的傾向であり、「世界市場を創造しようとする傾向は、直接に資本の概念のうちに与えられている」[註28]。資本の世界市場創造傾向は剰余価値創造傾向とともに資本主義的生産様式に不可避の内的要因であり、これによって資本主義的生産様式は、先行するいっさいの自然発生的諸生産様式を解体しつつ自己を外延化し、その優越性を全世界に布教propagierenする。

②〈相対的剰余価値生産〉

絶対的剰余価値生産との関連から世界市場が、次に蓄積の現実的契機である相対的剰余価値生産と世界市場との関連が論じられる。その核心には資本の文明化作用がある。絶対的剰余価値生産が「生産の圏域の拡大」として特徴づけられる世界市場形成をおこなうのにたいし、相対的剰余価値生産による世界市場形成の特徴は「流通の内部での消費の圏域の拡大」にある。それによる自然科学の発展と享楽能力の高度化は、文明としての資本 Kapital=Zivilisation、資本の文明化作用の集約的結果である。

> 資本はブルジョア社会を作りだし、また社会の構成員を通じて自然と社会的関連それ自体の普遍的領有とを作りだす。ここからして、資本の壮大な文明化作用、つまり資本による一つの社会的段階の生産が出てくるのであり、これにくらべるとそれ以前のすべての段階は、人類の局地的発展と自然崇拝として現われるにすぎない。（略）資本は、資本のこの傾向にしたがって、民族的な制限と偏見とを乗り越えて進み、また自然神化を乗り越え、さらに一定の限界のうちでの自給的なわくにとじこめられたありきたりの仕方での現存の欲望の充足と旧時代の生活様式の再生産とを乗り越えて進む。それは、これらいっさいのものに対して破壊的であり、またたえず革命を起こし、生産力の発展、欲望の拡大、生産の多様性、自然力や精

神力の利用と交換をさまたげるいっさいの制限を打ちこわしてゆく。（註29）

資本の文明化作用は、外に向かっては「前資本制的共同体の解体＝西欧社会の物質的土台を据える」過程として進行し、内に向かっては「労働者の市民化的傾向＝資本の下への労働の実質的包摂」過程として進行する。しかし、このような過程も、資本の自己矛盾的制限（第一に生きた労働能力の交換価値＝賃金の限界としての必要労働、第二に剰余労働および生産力の発展の限界としての剰余価値、第三に生産の限界としての剰余価値一般、第四に交換価値による使用価値生産の制約）をまぬがれることはできない。ここに世界市場との関係で恐慌が論じられる必然性がある。

③〈循環＝蓄積過程―再生産過程〉

資本家的蓄積過程は自らの再生産過程に地球の全空間を引き入れ、国の内と外とを問わずいっさいの生産様式を資本のもとに従属させ、変質させる。剰余価値生産に内在する資本の世界市場創造傾向―資本の文明化作用は、循環＝蓄積過程の偽善的・暴力的性格を露呈させる。「前近代的共同体の資本の流通過程への形態的包摂―単純商品流通への障害としての共同体（農業と家内工業の自生的結合の小宇宙）の破壊―資本主義的ヨーロッパの暴力的進出過程（資本に内在する暴力性の赤裸々な発揮）」として、資本家的蓄積運動は本源的蓄積の運動と補完関係になり、それを超える破壊力を発揮する。これについて平田清明は次のように述べる。

> 本源的蓄積は、資本家的蓄積の前提条件を成立させるものであり、両者は概念としてまず区別されるべきものである。しかしながら、『要綱』に見られるマルクスの十九世紀像にあっては、本源的蓄積と資本家

的蓄積が同時に進行し融合するものであった。母国における資本家的蓄積が過程の原動力であるとすれば、後進地帯での本源的蓄積の強行はその対外的発現形態であり、国際競争によって媒介された資本の布教的性格が如実に発動する世界史的過程にほかならなかった。[註30]

④〈回転＝蓄積過程〉

資本の世界市場創造傾向は、資本の回転過程において現実的発現形態をあたえられる。資本の回転過程は現実的時間性において把握された資本循環であり、「展開された蓄積過程」である。「流通（＝回転）は時間と空間において進行する」のである。また、資本が不滅性と無限性という「能力を獲得するのは、ただ資本が吸血鬼として生きた労働をたえず魂として吸収することによってのみである[註31]」。

この点を回転論の核心におくなら、『要綱』において回転論がすなわち蓄積論でもあることの根拠は明らかだろう。資本の回転は生産時間と流通時間とによって構成されるが、生産時間が「価値創造時間」であるのに対し、流通時間は「価値喪失時間」である。両時間はそれ自体として対立的であり、互いに他を前提にしながら他を排除する。流通時間が「価値喪失時間」であることの理由は、これが「可能的生産時間の縮小」であり「剰余価値を創造するうえでの中断」である点、流通費を必要とすることによる「生産上の空費」「剰余価値からの控除」という点、流通時間が固定資本の使用の中断を必然化することによる「固定資本の当初価値それ自体の破壊」が結果する点などにある。

生産の連続性は資本制的生産様式の外的強制条件となる。この連続性を確保するためには、流通時間と生産時間の双方において機能する諸部分に資本を分割し、原材料と賃労働者の増加として追加的流動資本を新たに投下することが求められる。しかし、この追加的流動資本の投下によっても「流通は、資本にとって欠くことのできない条件、資本自身の本性によって措定された条件である」点と、「資本の必然的傾向は流通時間をもたない流通である」点との矛盾、すなわち「流通の必然性」と「流通時間絶滅の必要性」の矛盾は解消されえない。

そのために資本は「流通時間なき流通」の創造という、自己矛盾的な要求から逃れられなくなる。その努力は運輸時間の縮小、商品在荷時間の縮小、売買時間の縮小、等々の形態でなされる。また生産の連続性確保＝流動資本増加には、追加労働者と追加原材料が必要となる。前者は国内における相対的過剰人口によって充当される。後者は生産の連続性を保障するため資本制的工業が拡大した販売市場圏、前資本制的生産様式の支配的な地域の生産物がこれを満たす。

産業資本主義の時代において、主要な原材料は綿花、亜麻布、まゆ、羊毛などの農業生産物だった。しかしながら農業資本には、年一回という資本回転の極度の緩慢さによる生産の中断期の長期性と、その変革困難性が不可避である。資本は工業に比較して不利な条件をもつ農業の資本主義的発展を回避し、急激に増大する原材料や生活資料などの農業生産を前資本制的生産様式の支配的な地域に求めざるをえない。

先進資本家社会は、みずからの流通圏域を後進地帯に突き出し、その循環軌道にこの地帯（後進地帯）の生産物を引き込むのである。このことは、先進社会にとっては、そこに支配的な資本家的大工業が不可欠の生産要素を確保して、その再生産軌道を確立することである。産業資本主義独自の国際再生産圏の成立。これは機械制大工業時代の資本の必然的傾向である。と同時に資本家的大工業は、後進地帯における手工業を近代的生産力の暴力性をもって圧倒し破壊する。そして広く世界にむかって資本家的生産様式の優越性を「布教」する。(註32)

世界市場はたんなる商品流通市場ではない。十九世紀半ばに国際再生産圏を内的構造とする世界市場が成立したことで、旧来の地理的世界は新しい人工的世界となる。地球の自然史的同時性が人類の歴史的共時性となる。『要綱』における「国際再生産圏」概念の確立は、「資本主義を基軸とし帝国主義を総括的上部構造とする近代世界」の基礎的・総体的構造認識の出発点である。

一八六〇年代から七〇年代に執筆された『資本論』では、すでに検討したように十六世紀―十八世紀の世界商業としての「世界貨幣」と、十九世紀の国際再生産圏を内化した「世界市場」とに、世界を歴史＝論理的に二重に措定するにいたる。そこで見出された「WG―K―WM」は近代世界の基礎構造に他ならない。これが近代世界認識の第三期をなしている。

一八七〇年代から八〇年代初頭にかけてのドイツ・ロシア論の展開は『資本論』の地平を踏まえた上での、近代世界構造の重層的・複合的性格の分析的深化として捉えることができる。マルクスの世界市場論＝近代世界認識を『ドイツ・イデオロギー』の第一期、インド・中国論と『要綱』の第二期、『資本論』の第三期として検討してきた。続いて「ヴェラ・ザスーリッチへの手紙」を含むドイツ・ロシア論の第四期の検討が求められているが、それは今後の課題としなければならない。

註

（1）「『要綱』に見られるマルクスの十九世紀世界像にあっては、本源的蓄積と資本家的蓄積は同時に進行し融合する過程だった。母国における資本家的蓄積が過程の原動力であるとすれば、後進地帯での本源的蓄積の強行はその対外的発現形態であり、国際競争によって媒介された資本の布教的性格が如実に発動する世界史的過程にほかならなかった」（『経済学と歴史認識』平田清明、岩波書店、二九頁）。平田がキリスト教神学の「原罪＝現罪」という等式で表現したのは、資本主義の創生期における暴力的・非合理的な本源的蓄積が、合理的な経済関係のもとに自立的自己運動を展開しているかに見える市民社会においてさえ、そして近代世界総体においてはさらに、日々反復され続けるものとして資本家的蓄積過程に構造化されている現実だった。

（2）『ドイツ・イデオロギー』、花崎皋平訳、合同新書、七一頁

（3）同、一二五頁

（4）同、一二八頁

（5）マルクスは一八四八年二月出版の小冊子『自由貿易についての演説』（『演説』自体はブリュッセルの民主主義協会で発表された）で、この問題について次のように語っている。「すべてのものが独占になったと同じように、現今では、ある種の産業部門が他のすべての産業部門を支配し、かつ、その産業部門をもっぱら経営する国民は世界市場の支配権を保障されるということだ」（『マルクス・エンゲルス全集』第四巻、四〇七頁）。この『演説』には、マルクスの「国際再生産圏」論の発展史上、きわめて重要な意義が認められる。ここでの、「自由貿易―国際分業」批判は、「国際再生産圏」論の理論的出発点をなしているからだ。この点は、次のような記述に示されている。「諸君はコーヒーや砂糖の生産は西インドの自然的運命だ、と考えていられるかもしれない。いまから二世紀以前には、産業にあまりかかわりあわない自然は、コーヒーの木も甘蔗もこの地には植えつけていなかったのである。そしてまた、おそらく半世紀もたたないうちに、この地にはコーヒーも砂糖も見られなくなってしまうであろう。なぜなら、東インドがより低廉な生産によって西インドのこのいわゆる自然的運命なるものをすでにうちまかして勝利をおさめているのだから。そしてこの西インドは、その自然の恵みにもかかわらず、すでにイギリスにとっては、これまた開闢いらい手で織るように運命づけられていたデッカの織布工と同じくらいの重荷となっているのである」

（6）「共産党宣言」／大月書店「マルクス　エンゲルス全集」第四巻、四七九頁

（7）同、四八〇頁。マルクスは、『共産主義の原理』で同じ内容を、次のように一層鮮明なものとして語っている。「大工業は世界市場をつくりだして、すでに地球上のすべての人民、とりわけ文明国の人民をたがいに結びつけているので、どこの国の人民も、よその国に起ったことに依存している。さらに大工業は、ブルジョアジーとプロレタリ

アートとを、すでに社会の二つの決定的な階級にし、またこの階級の間での闘争を現在のおもな闘争にした。この点で大工業は、文明国諸国における社会の発展を、既に均質にしてしまっている」。『ドイツ・イデオロギー』『宣言』『原理』をつらぬいて、こうした点が近代派マルクス主義による単純世界同時革命論、先進国革命主義、単純ブル・プロ対立論（階級対立一般論）、生産力主義的共産主義論の理論的基礎とされきた。

（8）『経済学批判要綱』第Ⅱ分冊、大月書店、三三六頁

（9）『資本論』、長谷部文雄訳、青木書店、七一頁

（10）淡路憲治『マルクスの後進国革命像』未来社、一九五頁

（11）この点は、引用文（「資本制的生産の……」）に先行する次の箇所からも明瞭である。「私がこの著作で研究せねばならぬものは、資本制的生産様式、および、これに照応する生産＝ならびに交易諸関係である。それらの行なわれている典型的な場所は、今日まではイギリスである。これ、イギリスが、私の理論的展開の主要な例証として役だつ所以である。だが、もしドイツの読者にして、イギリスの工業および農業労働者の状態について偽善的に眉をひそめるか、あるいは、ドイツでは事態はまだまだそんなに悪くなっていないということで楽天的に安堵するならば、私は彼にこう叫びかけねばならぬ――ひと事ではないのだぞ！と」。一連の文章では、後進国が先進国の後を追って、先進国的社会経済構造をそのまま再生産するということではなく、後進国も先進国と同様に資本制的生産の諸法則の貫徹を、一般的傾向性として受けざるをえないということが語られている。一歩進めれば、これは第二点の問題である近代主義的世界把握の領域に属するのだが、『資本論』の方法として述べられている「世界―一国同一対象」論の補足的説明としてのみ、これら一連の文章は理解されなければならない。

（12）『資本論』、七四頁

（13）「中国とヨーロッパにおける革命」／「マルクス　エンゲルス全集」第八巻、九一頁

（14）『マルクス・エンゲルスの世界史像』山之内靖、未来社、一二九頁

(15)「評論　1850年5月—10月」／「マルクス・エンゲルス全集」第七巻、四五〇頁
(16)「中国とヨーロッパにおける革命」／同　第9巻、九四頁
(17)「来たるべきイギリスの選挙」／大月書店「マルクス・エンゲルス選集」第八巻、六九頁
(18)「阿片貿易」同、七〇頁
(19)「中国とヨーロッパにおける革命」同、二頁
(20)「インドにおけるイギリスの支配」同、一八三頁
(21)同、一八三頁
(22)同、一八五頁
(23)「イギリスのインド支配の将来の結果」同、二二九頁
(24)同、二三〇頁
(25)同、二三二頁
(26)同、二三三頁
(27)同、二三四頁
(28)『経済学批判要綱』第Ⅱ分冊、大月書店、三三六頁。参考のために前後の文章を引用しておく。「世界市場を創造しようとする傾向は、直接に資本自体の概念のうちに与えられている。どんな限界も克服されるべき制限としてあらわれる。まず生産自体の契機はいずれも交換に従属させ、交換に入りこまない直接的使用価値の生産を止揚すること、すなわちまさに資本に基礎をおく生産を、以前の、資本の立場から見れば自然発生的な生産様式のかわりに、措定すること」
(29)同、三三八頁
(30)『経済学と歴史認識』平田清明、岩波書店、二九頁

(31)『経済学批判要綱』第Ⅲ分冊、大月書店、五九三頁
(32)『経済学と歴史認識』平田清明、岩波書店、三五頁

4 「WG—K—WM」と資本主義・帝国主義・近代世界

ここまで「経済学批判」体系における二重の「世界」措定を、世界貨幣としての「始源的世界」については大塚史学の批判的検討から、世界市場としての「再措定された世界」についてはマルクスの「世界把握—世界市場論」から、要約的ながらも一応のところ明らかにしてきた。近代世界の基礎構造としての「WG—K—WM」（世界貨幣—資本—世界市場）をめぐる前節までの論述は、結論として以下のように要約できる。

銀によって総括された世界商業の発展は、第一次的な生産的基底を前提として、第二次的な生産的基底に帰結する。こうしたイギリスにおける毛織物マニファクチュアの産業基軸としての確立は、資本の「仲買商人資本的性格」の克服（本源的蓄積、エンクロージャーおよびベンガル収奪）から産業資本の析出に向かう（歴史過程としてのWG—K）。

イギリスにおいて析出された産業資本は、十六世紀以来の世界商業（始源的世界）を十九世紀以降の世界市場としての世界市場、すなわち国際再生産圏を内的構造とする世界市場に再措定し転変させる。「再措定された世界」に対する産業資本の関係は、『経済学批判要綱』において、絶対的剰余価値生産、相対的剰余価値生産、循環＝蓄積過程、回転＝蓄積過程として論じられている。その核心は「資本の世界市場創造傾向」、「資本の文明化作用」にある（歴史・論理過程としてのK—WM）。

しかし十九世紀以降の世界市場においても資本は、国際再生産圏という構造性を内在させながらも流通過程の世界貨幣的総括様式を十全には止揚なしえない以上、不断に「WG—K」過程は再生産され続ける。これは資本家的蓄積の前提および結果として本源的蓄積が再生産されていくように、永続的に反復される過程に他ならない（論理的過程としてのWG—K）。

かかるものとして、「WG―K―WM」は、近代世界の基礎構造として論理的・歴史的に現存する原理的過程であり、この基礎のうえに「資本主義を基軸とし、帝国主義を総括的上部構造とする近代世界」の全体系が近代世界の総体構造として聳えている。この近代世界の総体構造こそが、まさに世界共産主義革命によって覆されるべき対象的世界の構造的枠組みに他ならない。

以上の確認を前提として、近代世界の総体構造の特質を最後にまとめておこう。

近代世界は分割不可能な単一の体系として現存している。「近代世界における資本主義の基軸性」とは、資本主義によって従属的・補完的なものとして統合される非資本主義的（あるいは前資本主義的）諸要素の存在を直接に意味している。それに従属する周辺部がなければ基軸は基軸でありえないからだ。それは、近代世界が平面的で透明な純粋資本主義としては純化しえないという構造的特質を物語っている。しかし近代世界の資本主義的基軸性と非（前）資本主義的従属性の複合構造は、資本主義的流通過程の抽象的表層性と前近代的共同性のそれへの擬制的・表層的総括という二元論を許容するわけではない。

そうした観点は経済ロマン主義の錯誤でしかない。近代世界において非（前）資本主義的従属性を体現する非（前）近代的共同体経済は、近代派マルクス主義者の考えるように、先進資本主義国の後を追って資本主義的発展をとげ、いつか全面的に解体されるのではない。また資本による表層的な流通形態的包摂に抗して、反資本主義的共同体経済がそのままの形で存続しうるというロマン主義的願望には現実性がない。それは資本による世界の再措定という構造的過程によって「半解体―再編―変型―包摂」されながら、なお資本主義的基軸性に対する非（前）資本主義従属性を体現するのである。

このような観点の確立によって何が得られるのか。それは第一に、近代派マルクス主義の後追い発展史観および抽象的単層的世界把握の近代主義的誤謬を根底的に批判するための方法だ。それは同時に、新左翼に固有の「世界同時革命」主義、「危機論型革命」主義を批判する理論的基礎でもある。

第二は〈ロマン的反動〉の夢想を打破することだ。世界には凡百のロマン主義者が夢想するような資本主義的近代の病毒と無縁である、それ自身が直接に共産主義の基礎であるような前近代的共同体など存在しえない。第三には「第三世界解放革命─世界共産主義」の綱領的立脚点の獲得である。

近代の歴史的創成期における「スペイン領南アメリカの銀鉱山奴隷プロレタリアート」と「ネーデルランドのマニュファクチュア・プロレタリアート」の相互関係を、十六世紀─十八世紀の世界商業（資本の近代的生活史を開始する）における第一次的生産基底と第二次的生産基底の相互関係において明らかにした。両者の相互関係が、完成された（資本によって再措定された）近代世界において、資本主義本国における資本主義的蓄積と植民地での本源的蓄積の相互強化的な同時進行として、絡み合いながら発現する根拠をも解明しえた。

循環＝蓄積過程において暴露される資本の世界市場創造傾向の暴力性は、合理的で潜在暴力的な資本家的蓄積と、非合理で赤裸々に顕在暴力的な本源的蓄積を本国と植民地において、世界的規模で同時に現出させる。ここにおいて「近代世界批判─世界共産主義」すなわちプロレタリア世界共産主義革命運動における第三世界解放革命の先行性・主導性の意義も、経済学的に限定された角度からではあれ明確となる。

資本主義本国における「各資本家に対して、彼自身の労働者を別とすれば、他のすべての労働者の全大衆は労働者としてではなく消費者として現われる。交換価値（賃金）の所持者、資本家の商品と交換する貨幣の所持者として現われる。（略）このことこそ、まさに資本を〔人格的〕支配の関係から区別するものである」（註1）とマルクスが指摘する現象、すなわち資本の下への労働の実質的包摂の深化と労働者の市民化傾向が一方に存在する。そして他方には、第三世界における資本の偽善と暴力の「権利」の無制限的な行使による「半野蛮的半開明的共同体」の一方的壊滅という現象がある。対立するかのような両者は論理的・歴史的に一体で原理的に切り離しえない。

本国における資本家的蓄積が階級関係の陰蔽、労働者の市民化において進行するのに対し、第三世界における本源的蓄積は、もっとも露骨な暴力と強制、前近代的な身分的抑圧と植民地主義的抑圧の結託において進行する。世界市場の円環が閉じようとした十九世紀前半、イギリス・プロレタリアートがようやくチャーチスト運動に自己組織化し始めた時、中国の太平天国の乱、インド大反乱、さらにズル戦争、北米「インディアン」戦争、等々として第三世界解放革命は歴史的出発点を記していた。本国プロレタリアートは、まず市民的幻想と闘わなければならない。しかし第三世界においては、そもそも市民的幻想は存在しえない。とはいえ近代世界の基礎構造―総体構造の「認識」は、本国プロレタリア階級の意識として先行的に析出される。

「資本主義を基軸とする近代世界」は、資本主義本国プロレタリアートと第三世界人民の合流によるプロレタリア世界共産主義革命によってのみ歴史的に打倒されうるであろう。

「第三世界解放革命―世界共産主義」の綱領的立脚点の理論的基礎の第一である「資本主義批判」とは、したがって以下のような理論的領域を含んでいる。

それは「経済学批判」体系のうち特に現行『資本論』において展開されている理論領域を包括する。その目的は賃労働者の革命的根拠を理論的に解明する点にあり、したがって宇野弘蔵「労働力商品」論と黒田寛一「プロレタリアートの自覚」論の批判、さらに関西ブントの榎原均や旭凡太郎による「賃金奴隷制」論の批判、等々を含む。「資本主義批判」の原理的展開を闘いとることによってのみ、帝国主義国プロレタリアートを革命的に組織化するための理論的立脚点は獲得しうる。これを欠落させるなら、近代派マルクス主義の生産力主義的労働者本隊主義、あるいはロマン主義的な反労働者本隊・窮民革命論を真に超えることはできない。

「資本主義を基軸とする近代世界」の検討を終えたところで、「近代世界における帝国主義の上部構造」性に論点を移させなければならない。
「近代世界の上部構造としての帝国主義」の観点は、ブハーリンの「純粋金融資本主義＝純粋帝国主義」論への批判として提起された、レーニンの「帝国主義は資本主義の上にたつ上部構造である」という把握を前提としている。

これは、単に現実分析における優位性にとどまらず、近代世界の複合的構造の把握、批判（＝歴史認識）の重要な視座がはらまれている。しかし、レーニンの「資本主義の最高の発展段階としての帝国主義」という歴史的段階把握とこの「資本主義の上部構造としての帝国主義」という把握の内的連関が十分に対象化されるには至らなかった（レーニンの場合、資本主義―帝国主義が自由競争―独占に単純に対応させられており、従ってこの「上部構造」という把握が一国的な枠組におしこめられている）。われわれは、この「上部構造としての帝国主義」というレーニンの把握を、資本主義批判―帝国主義批判―近代世界批判の論理的・歴史的連関において継承発展させ「近代世界の総括的上部構造としての帝国主義」と把握しなおし、これと「段階としての帝国主義」との内的・歴史的連関をとらえかえすのである。(註2)

すでにわれわれは、以上のような観点を提起している。前節において検討したように、「たとえば、イギリスのような、資本の基礎のうえで生産しつつある工業国民が中国人と交換し、彼等の生産過程から価値を貨幣と商品という形態で吸収するばあい、ただちに理解されるように、中国人自身はなにもそのために資本家として生産するにおよばないのである」(註3)。資本の流通過程の形態である単純商品流通に中国人を巻きこみ、組み入れることによって、資本の世界市場創造傾向は貫徹されうる。しかし単純商品流通の最悪の阻害体、障害を構成する自生的共同体経済は解体されなければならない。資本の共同体経済に対する暴力的解体作用は、経済過程のうちに根拠を持ちながら、経済外的力において実現される。

十九世紀を通じて自由貿易の要求、自由貿易の保護を掲げるイギリスの砲艦外交は東アジア全域で展開された。インドにおいて「最高の地主の地位についたイギリス人は、その土地所有制度を掘りくずすことが可能であったし、このようにしてヒンドゥー人の自給自足的な共同体の一部を強制的に、イギリスの織物と交換にアヘン、綿花、藍、大麻その他の原料を生産する単純な農場に変えることが可能であった」とマルクスが語るように、共同体経済の破壊もまた統治権力の暴力的強制をもって推進された。

近代世界の創成期にあって、重商主義的一国経済と十六世紀—十八世紀世界商業の上部構造として萌芽的に自己形成を開始した「近代世界の上部構造としての帝国主義」は、この絶対主義国家の植民地主義としての「絶対帝国主義」段階から、自由貿易を掲げる「自由帝国主義」段階への全面的発展をもって、世界の総括的上部構造としての地位を確保するにいたる。

ここで「国家としての国家である帝国主義国家」についても簡単に触れておこう。プロレタリア世界共産主義革命運動における「民族解放闘争」の位置を確定するためにも、この作業は必要だからだ。

近代世界の上部構造としての帝国主義世界体系は、その有機的一分肢として、発達した資本制的国民経済を基礎とする帝国主義国家を形成する。かかる帝国主義国家は、その内と外に二重に〈民族〉を創出した。その素材は人種的・言語的・宗教的・文化的・習俗的、等々の要素である。帝国主義国家の内側に創出される民族は特権的支配的な抑圧民族であり、その外側には植民地主義的に支配・抑圧・収奪される被抑圧民族が創出される。この限りで、帝国主義国家とそれに対決するプロレタリア世界共産主義革命運動は、〈抑圧民族〉と〈被抑圧民族〉の対抗関係をはらむ。

イングランド人とスコットランド人やアイルランド人が民族として先行的に存在し、前者が後二者を支配するにいたったのではない。ケルト系、アングロ・サクソン系、北欧系、その他の人種的・言語的・宗教的・習俗的諸要素を素材として、世界商業―世界市場の発展から形成された「近代世界の総括的上部構造としての帝国主義」の有機的一分肢たるイングランド帝国主義国家が、その内にイングランド人を、その外にスコットランド人やアイルランド人を民族として二重に創出したと考えなければならない。

このように近代世界における〈民族〉および〈国家〉の概念を確定すると、プロレタリア世界共産主義革命運動の内的諸関連もまた、ある程度は明らかになる。プロレタリア世界共産主義革命運動は、直接的には帝国主義国家（国民経済を基礎とする前資本制的経済外強制装置）の打倒闘争として存在する。この闘争は帝国主義国家によって規定的に創出された被抑圧民族が、近代世界総体への否定態として自己変革することによって、その内的可能性を全面化するだろう。

われわれは、「近代世界の総括的上部構造としての帝国主義」論と「資本主義の最高段階としての帝国主義」論（帝国主義の世界―体系規定と歴史―段階規定）の統一を、近代世界批判において果たさなければならない。「資本主義を基軸とし帝国主義を総括的上部構造とする近代世界」は、その内的必然性において、「一握りの支配的諸民族による地球上の住民の圧倒的多数への植民地主義的抑圧と金融的抹殺の世界体系」＝「資本主義の最高の段階としての帝国主義」に向かって完成する。

近代世界批判は、その内部に資本主義批判や帝国主義批判を総括しつつ、それらの総和よりもはるかに豊かな内実を持つものとして構想されなければならない。本論が明らかにしてきたように、近代世界は先行する全階級社会史の歴史的総括である。

だから近代世界の全的否定態に他ならぬプロレタリア世界共産主義革命運動は、資本主義と闘争し帝国主義と闘争するだけではなお不充分である。たとえば男性による女性支配という階級支配の最初の形態が、たんなる遺制ではなく近代世界の根幹をなす構造であることを、われわれは知っている。近代世界が先行する全階級社会史の歴史的総括であるからこそ、「第三世界解放革命―世界共産主義」はある階級支配（資本家による労働者階級の支配）ではなく、あらゆる支配と抑圧を終わらせうる。

近代世界の基礎構造―総体構造の対象的認識、資本主義批判―帝国主義批判―近代世界批判を理論的基礎とする「第三世界解放革命―世界共産主義」の綱領的立脚点は、混迷の渦中にある新左翼の理論と運動を、新たなる主体の陣型に再構成する中心点となるだろう。

註

（1）『経済学批判要綱』第Ⅱ分冊、大月書店、三四八頁

（2）「紅旗」、共産主義労働者党首都圏委員会理論誌、四四頁

（3）『経済学批判要綱』第Ⅲ分冊、大月書店、六八一頁

1974年

一九六八年の春に大学入学金を払わせたあと、親との経済的な縁は切れていた。なにしろ母子家庭の子供である。大学生相手の下宿屋で息子を育てた母親に経済的に依存しながら、学生運動や党派運動をするわけにはいかない。

それから五年間、なんとか暮らせたことが自分でも不思議だ。たまに実家に立ちよれば食べるものくらいはあるという感じで、なんとか生きていた。

そんなカネはないから部屋を借りたことはない。大学のバリケード、組織のアジト、友人の下宿などを泊まり歩いていた。下北沢にあった戸田徹のアパートは半ば自分の家のようにしていたし、三里塚現闘で戸田が留守だった一九七一年には、半年ほど実際に住んでいた。

ルンプロ革命家も喰わなければならないが、食費など最低限の生活費は断続的なアルバイトでなんとか調達していた。製油工場の現場労働、横浜港の荷揚げ、その他もろもろ。いよいよ食い詰めて一九七二年には、横浜の小学校で週に二度ほど警備員のアルバイトをはじめた。曜日を割り振って仕事を分担しないかと司法試験準備中の知人に誘われたのだ。校舎の鍵を掛けたあとは朝まで暇な仕事なので、その時間を「情況」連載の執筆に充てることができるし、条件のよいアルバイトだった。ただし担当日に活動上の急用が入ることも多く、そんなときは無理にも交代を頼みこむしかない。左翼でもない知人には迷惑をかけた。

いまから思うと、二〇歳を前後する数年間の貧乏度は想像を絶している。しかし政治派と文化派を問わず、カネのない若者が周囲にごろごろしていたせいか、貧乏生活もさほど苦にはならなかった。ちなみに文化派とはロック青年や映画青年などだ。政治も文化も関係がない、たんなる怠け者も身近には珍しくなかった。

時代的な必然である拡散化に抗して党的団結を維持するためのボリシェヴィキ化は、一九七二年一二月に不意に中断される。それぞれの個人的理由から、すでに山根真一や江坂淳などの有力党員が活動から離れていた。左派党員と赤色戦線の活動家の多くが、大衆運動の現場での活動を求めていた。戸田や設楽たちは方向転換を模索しはじめ、「綱領的立脚点の確立と全国政治闘争の防衛」を軸としたボリシェヴィキ化から一転して「人民の中へ」という新路線が都委員会で決定される。「疎外された前衛主義とカンパニア政治からの訣別」の名の下に、地区や職場の大衆運動を積極的に進めるという路線だ。しかし党的団結を維持するという点では、それは地獄への道だろう。

一九六〇年代の大衆ラディカリズムは七〇年代に入っても持続していたが、七一年秋期の三里塚・沖縄連続闘争を最後の頂点として、七二年に入ると急速に退潮しはじめる。新左翼大衆にもたらした連合赤軍事件の否定的な衝撃もあるが、たんなる社会学的な理由も見逃せない。

どの国でも〈68年〉を中心的に支えたのは、第二次大戦直後に誕生したベビーブーマーだった。日本では一九六七年、六八年の大学入学組が運動の中心を占めていたが、この世代も七一年から七二年にかけて大学キャンパスから姿を消していく。日本の〈68年〉が七二年にサイクルを閉じるだろうことは、この点からも予見できた。

六〇年代ラディカリズムをエネルギー源としてきた諸党派は危機の淵に突き落とされた。時代的な重圧に耐えかねた党派には、三分裂した共労党も含まれる。到来した厳冬には巣穴に閉じ籠もり、内圧を高めて生き延びるしかない。

綱領的意識性が稀薄な現場党員や赤色戦線活動家が、具体的な手応えのある大衆運動の誘惑に身を委ねたなら、たちまちたんなる大衆運動家に戻って、党的団結のための緊張は失われてしまう。未来に顕現するだろうプロレタリアートの階級意識を理論的に先取りしたルカーチ主義の党は、地域の個別課題運動や末端の労働運動に埋没し消滅してしまうに違いない。

解党の未来を予見させる新路線が都委員会で一二月末に決定される。反対票は黒木の一票のみ。この方針で指導する自信はないという理由で、都委員と書記長職の辞意を表明した。方針が正反対だから引き留めても無駄だと判断したのだろう、戸田や設楽は沈黙し、辞任は認められた。

党内闘争の曖昧な「勝利」が裏目に出るかもしれないという、一年前の予感が的中したことになる。一九六九年と七一年に続く三度目の組織的挫折に直面して、これで終わったという思いが募った。三度目のチャレンジの条件は存在しないからだ。五年間の苦闘の末に獲得した、左派共労党―赤色戦線―八・二五共闘という理想の陣形は、外見だけのがらんどうだった。

解党にしか行き着かない方針を選択した戸田や設楽にたいしても、怒りは感じなかった。第三世界革命や人民権力闘争では意思統一していても、もともと組織思想は違っていたからだ。いや、第三世界革命や人民権力闘争と、ルカーチ主義の党がどんな関係にあるものか、自分でも整理はできてはいなかった。会議を中座して寒い夜道を一人で歩いていると、息苦しいほどの徒労感が襲ってきた。この五年間は、いったいなんだったのか。

機関を離れた党員の活動は、「人民の中へ」路線を実践する気がない以上、定期の細胞会議に出席して党費を納め、八・二五共闘の集会やデモに頭数として参加するくらいしかない。

貧乏生活も本当に限界だったから、一党員に戻った直後から仕事を探しはじめた。短期のアルバイトのあと、一九七三年の春から新橋にある出版社で非正規雇用の仕事を見つけた。左派共労党の事務所も新橋だったから、通う先は以前と変わらないのが皮肉だった。

非正規の給与は大卒初任給よりも少ないが、交通費、資料費、交際費などは正社員の編集者と同じように遣えた。同僚たちとは毎晩のように六本木や新宿を飲み歩いて、タクシーで深夜帰宅するという、「豊かな社会」を謳歌する同時代の若者と同じような日々を過ごしはじめた。

ルンプロ活動家時代とは正反対の、平均的なミドゥルクラスの生活をしてみると、日本資本主義の危機やファシズム化の脅威という情勢認識にも疑念が生じてきた。六〇年安保の直後には池田首相の所得倍増計画が打ち出され、六〇年代の高度成長社会が到来した。一〇年後には田中角栄の日本列島改造計画が国民の期待を煽っている。七〇年代にも高度成長の時代は反復されるのだろうか。しかし、こうした七〇年代初頭の時代認識を超えて「平和と繁栄」の時代は延々と続き、八〇年代にはバブル景気と「ジャパン・アズ・ナンバーワン」の一時代が到来する。

本章に収録した「ふたたび『革命の意味』を問うこと」は「疑いもなく〈生活〉の流動はなおも深まりつつある」と書き出されている。一九七三年の石油危機と狂乱物価による社会的混乱を背景とした情勢認識で、それから二〇年も経済的停滞を続けたアメリカや西欧諸国にかんしては妥当な判断だった。しかし、その二〇年のあいだ一人勝ち状態だった日本資本主義にかんしては、予測は大きく外れたというべきだろう。こうした時代認識がリアリティを獲得するのはバブル崩壊以降、一九九〇年代に入ってからのことだ。しかし日本の経済と社会が長い衰退過程に入ろうとする時点ですでに、第三世界革命と二〇世紀コミュニズムの時代は終わっていた。

二一世紀の今日、アメリカとヨーロッパ諸国では極右レイシズムと福祉ショーヴィニズムが勢力を増している。半世紀前に「日本革命思想の転生」で構想したファシズム批判の作業は、二〇世紀コミュニズム＝ボリシェヴィズムの自壊的消滅やポスト・トゥルースや承認をめぐる闘争と交差性など二一世紀的な諸要素を繰りこんだ上で、あらためて再考しなければならない。

ボリシェヴィズムの観点からすれば、認識だけのコミュニストなど存在しえない。コミュニストとは革命党の一員として活動する者を意味する。その典型が二四時間政治生活の職業革命家だ。左派共労党の書記長を辞任して仕事を探しはじめた時点で、すでに気持ちは党から離れていた。離党することなく党員としての形式的な立場を保持したのは、この党の行方を最後まで見届けるためだ。それがコミュニストとしての最後の義務だろう。

一年後の一九七三年一二月、党東京都委員会は解散を決定した。二四歳になった翌月に、左派共労党は実質的に解党したことになる。予想し警告した通りの結末で驚きはないが、これが六年間の党生活の幕切れだと思うと耐えられないほどの疲労を感じた。

翌年早々に開かれた中西部地区党会議には、左派としての党活動には消極的だった武藤一羊氏も出席していた。その場で「規約上すでに党は存在しないから、この会合は党の会議ではなく元党員の私的な集まりにすぎない。このメンバーで新たに政治サークルを立ち上げるとしても参加する意思はない」と発言し退席しようとしたとき、武藤氏が「逃げるチャンスを窺っていたんだろう、逃げるなら逃げるといえ」と声を荒立てた。

入党の際の推薦人は武藤氏だった。そもそも入党を決めたのも、「形は作ったが、まだ中身はなにもない党だ。中身はきみが作ればいい」という武藤氏の言葉に誘われたからだ。だったらルカーチ党を作ってやろうと思った。革共同やブントでは不可能でも、寄せ集めの小党派ならルカーチ主義の実験は可能だろう。

しだいに理解できたのは、党は大衆運動の道具にすぎないという武藤氏の発想だった。この点は吉川勇一氏も変わらない。だから宮本共産党から二人とも排除されたのだろう。しかし二人の発想は、大衆運動は党の道具だという前衛主義の裏返しで、歴史に真理を到来させるものとしての革命党という、ルカーチの哲学的レーニン主義とは無縁だった。

〈68年〉革命の一時代は終わり党も解散した以上、あとはそれぞれが信じる方向に進めばよい。大衆運動家として運動を続けるのでも、総括作業に専念するのでも、職を得て市民生活に復帰するのでも。この発想が、武藤氏には運動からの逃亡に見えたのだろう。しかし、それは運動家の自己特権化にすぎない。

都委員会書記長を辞任した直後に離党しなかったのは、たしかに「転向」や「戦線逃亡」という非難を逃れようとする理念的自己保身からだったともいえる。その姑息さを突いたとすれば武藤氏の批判にも理はある。だとしても今回は「転向」でも「逃亡」でもかまわない、やるべきと信じることをやるしかない。そう思った。

運動から逃げてなにをするんだと問いつめる武藤氏に、この六年の総括として『受苦経験の現象学』を書くつもりだと応じた。下らない、それではキリスト教と同じだという反応に、これでは話は通じそうにないと思った。ちなみに武藤氏は名前からもわかるように、キリスト教の家庭で育った人物だ。ハイティーンの時代からさまざまに世話になったことには感謝しているが、その日に武藤氏との長年のつきあいは終わった。共労党の知識人党員でも吉川氏や栗原氏とは再会する機会を持ったが、それから武藤一羊、いいだもも両氏とは一度も話していないし、話したいこともない。先方も同じことだろう。

左派共労党が解党してからは、戸田や設楽とも疎遠になった。武藤氏のように絶交したわけではないが、今後はそれぞれに信じる道を進むしかない。それぞれの道が交差して、ともに闘う日もいつかは来るかもしれない。それまでは別個に進むしかない。

近い将来の解党は予想していたが、それが現実化したときの衝撃は想像をはるかに超えていた。二〇歳前後の六年のあいだ、その建設のため全身全霊を上げてきた〈党〉が眼前で消えていく。足元で大地が崩れていくような無力感、躰が中空に漂い出していきそうな虚脱感に襲われ、うちのめされていた。アイデンティティの不安から何者かであろうとして「日常生活の冒険」に出発しコミュニストに志願したのだが、その帰結は進退に窮するような精神の危機だった。

過度の心身の疲労のため躰が思うように動かなくなることを、学生運動用語で「消耗」という。家から外に出られなくなるような消耗状態は、プロ学同を追放され旧〈反戦学同〉グループの解散に追いこまれた直後の数カ月をはじめ、コミュニストだった六年のあいだに二、三回は体験していた。しかし党が解体したあとの消耗はかつてないほどに重症で、生涯で最大の精神的危機に陥っていた。半年で体重が五キロも減り、気分は沈んで黙りこみがちになり、人ともほとんど会わなくなった。元同志たちとは意志的に関係を絶った。綱領的団結が失われたなら人間関係も消去される、でなければ党は人脈集団だったことになってしまう。それがルカーチ主義者の倫理だった。

一月の地区党会議から二カ月ほどして出版社の非正規職はやめた。はじめから「人民の中へ」路線の結果が出るまでの腰掛けのつもりだったし、自主的な解党がなされた時点でモラトリアムは終わった。アルバイト編集者やフリー編集者の道を選んだ元新左翼活動家は少なくないが、同じように平穏な日常には着地できそうにない。コミュニストとして活動した六年間の意味をはっきりさせなければ、党の消滅から生じた精神的危機は超えられそうにない。それまで組織活動を中心に全生活を編成していたように、納得のできる結果を得るまで総括の作業以外はなにひとつも自分に許さないこと。とにかく、思考と執筆を優先できる新しい仕事を見つけなければならない。

出版社を退職したあと、四谷の小さなビルで管理人をはじめた。その仕事を紹介してくれたのは、国際放浪から帰国したばかりの田口孝吉氏。高校を中退して「日常生活の冒険」に出発するときに出遇った田口さんだが、それが終わるときも手を貸してくれたことになる。一年半ほどして、今度はフランスに行くよう背中を押したのも田口さんだった。

四谷の小ビルの管理人室に自己幽閉して、『受苦経験の現象学』のためのノートを書き続けた。人間関係に頼って気を休めることも救われることも拒絶して、寂寥の底まで下降しようと思った。ほとんど人と会うこともなく、休日には登山に出かけた。氷点下一七度の雪山の闇で、ツェルトを被って蹲っていると、なにか巨大なものから無関心に冷淡に見下ろされているように感じた。曖昧な意識が硬く氷結していく、都会では得られない純粋な感覚を山に求めていた。この頃の張りつめた生感覚は、フランスでたまたま書いた探偵小説の主人公に託した。とはいえ、この人物の内面はまったく描写されないのだが。

管理人室では一〇代半ばに愛読していた福永武彦の小説を再読し、福永論を書いた。『草の花』の汐見は、内心では失敗することを望みながら、生存率の低い結核手術を選んで死ぬ。それと似たような理由から、危険な冬山の単独登山を繰り返していたような気もしないではない。「(左翼)運動をやめたら運動不足になったから」と口にして、登山に熱中しはじめた元活動家は少なくないし、実際に冬山で遭難死した者もいる。

このまま日本に置いておくと危なそうだから、遭難しそうな山のない土地に送り出してしまおうと、田口さんは考えたのかもしれない。貧乏だからアルプスに行くための予算はなさそうだし。『受苦経験の現象学』のノートを旅行鞄に詰めてフランスに発ったのは、一九七五年の晩秋だった。

*

一九七三年に公表したのは「情況」連載の最終回で、「補論」の「第三世界解放革命—世界共産主義」論を中途で放り出すわけにはいかないという思いから、編集のアルバイトの合間になんとか書き上げた原稿だ。かろうじて「第三世界解放革命—世界共産主義」論の概略はまとめ終えたが、その先の構想は店ざらしになる。左派共労党の解体と自身の新左翼的エートスの崩壊のなかで、戸田徹とともに作り上げてしまった「第三世界解放革命—世界共産主義」の理論を、どう扱ったらいいのかわからない状態が続いた。その理論的正当性はなお疑いえないのに、打ち破らなければならない思想的な壁を前にして、第三世界革命論はまったく無力だった。ほんとうはその時、「正しい理論」という発想そのものが疑われるべきであったのだが、そのことが了解されえたのは数年の時間が過ぎてからのことだ。

ビルの管理人室で書きはじめたノートは、コミュニストとして活動した六年間の総括だった。パリの屋根裏部屋で『テロルの現象学』の草稿（仮タイトルは「受苦経験の現象学」から「観念論」に変更した）を書いて帰国したのち、一九七八年に田畑書店からアンソロジー『全共闘　解体と現在』への寄稿を求められた。そのとき七四年のノートを思い出し、そこから一部を切り出して新原稿を書き加えたのち編集者に渡した。

その際に書き足した第五節以外は七四年時点の原稿のままで、一九六八年にはじまる黒木名義の最後の文章でもある「ふたたび『革命の意味』を問うこと」全文を、本章には収録する。

第一節から第三節までは、左派共労党解体への問いを切り口に六〇年代新左翼運動の総括を試みた文章だ。「経済闘争にまで構成されない生活抗争」といった視点は、生まれて初めての職業体験に由来する。とはいえ生活に観念を対置する二分法は手放していないし、まだ観念批判という『テロルの現象学』の地平も見えてはいない。

第四節では連合赤軍事件が論じられている。「情況」一九七二年五月号の「連合赤軍特集号」が刊行されて、ようやく当事者の文章を読むことも可能となった。それを踏まえての論だが、この出来事を二〇世紀マルクス主義＝ボリシェヴィズムに宿命的な病理の一端として捉えるようになるのは、カンボジア虐殺事件を突きつけられてからのことだ。第五節を加筆した七八年の時点でも、いまだポル・ポト政権の実情は暴露されていない。

一九七四年の「情況」七月号には「観念と歴史　福永武彦論・序説」を掲載した。福永作品を論じているが文学論でも批評でもない。吉本隆明の『共同幻想論』から学んで、『テロルの現象学』では思想論の素材に文学作品を用いたが、その最初の試みが「観念と歴史」だった。日本的な共同体に拒絶されながら、西欧近代にも同化できないという『風土』や『草の花』の主人公に少年時代から惹かれていたのだが、近代＝前近代複合構造という発想には、福永作品読書経験も影を落としていたかもしれない。『テロルの現象学』に向かう最初の一歩という性格の文章だが、頁数の関係で本書には収録できなかった。

黒木龍思の名前で第一期「情況」に書いたのは、この文章が最後だった。スタイルは思想エッセイふうで、すでに学生コミュニスト的文体からは離れている。黒木は党名で、「情況」や「構造」に原稿を掲載するに際しては、末尾に「共産主義労働者党」と所属を明記していた。党が消滅した以上、党名を使い続けるのはボリシェヴィキ的原則に反する。「ふたたび『革命の意味』を問うこと」を例外としたのは、共労党員として活動した時期の総括文だからだ。すでに革命党の党員ではないのに、それでも組織原則に拘り続けたところにこの時期の精神的な過渡性があった。

ふたたび「革命の意味」を問うこと

1

疑いもなく〈生活〉の流動はなおも深まりつつある。生活を、人間存在における類および個の再生産の構造と規定するならば、深まりゆく生活の流動は、生活のために闘うことと生活のために闘わないことがその内部においては等価であるような人間存在の深層の場所で、後者から前者への静かな重心移動を促進しつつあるのかもしれない。〈生活〉の流動は、あらゆる固定的な諸構造の体系を寸断し切り裂き、なおもとどまることをしらぬだろう。時として歴史を襲うこの流動は、いまいちど、私たちの時代を覆いつくすにちがいない。この時代的直観に、事実と情報を、論理的分析と説明の意匠を着せかけてもよい。しかし、この直観を日常的自明性においてまるごと呑みくだそうと、あるいは分析と説明とによって合理化してみせようと、そこになにか積極的な差異が存在するわけではない。確かなことは、〈生活〉が、性と労働の交通形態が交差し固着する現実構造と、そこに自生する固有の観念過程の全領域にわたって、新たな混沌と流動の局面を深めつつあり、誰もこの歩みをおしとどめえないということだけだ。

知識層も大衆もともに自生的には国家に達しえない。知識層の自生性は自己観念の対象形態に、大衆の自生性は共同観念の即自形態に向かうものだからだ。知識層の自己観念がその対象形態への凝縮に向かう主題として国家を視座に含むだけであれば、それは国家に達しえたとはいえない。それはいわば、自己観念が権力闘争へとせりあがっていく度合に応じてのみ、可能性の現実性への転化を語りうるのみである。しかし、知識層は自己観念の対象形態である概念知（それを「科学」といってもよい）によって国家への構えをとることができる。いわばそれは、「科学」によって達しえない国家を透視するのである。しかし、国家を視ることと国家に達することとは、当然ながらまるで異なった経験だ。この差異を、知識層の所与性と規定性において超越しようと企てる時、そこに初めて党の発想が生まれる。

生活世界を共同的に実存する大衆の自生性が、いわば〈闘わない自然発生性〉から〈闘う自然発生性〉に転移し始める時、流動する生活の沸騰に介入すべきものとして、知識層の概念知による国家への構え（視られたものとしての国家）が与えられるのであり、これを「外部注入」することこそ大衆をその全体性において国家の領域に突入せしむるための唯一の方途であると考えるのが、レーニン主義の基本的な発想であった。だからこそレーニン主義の〈党〉は、その度をこしたスタイル性への固執（それはしばしば冷たく硬直した権威主義という批難を浴びることになる）と相即的に、国家への構えにまで達した自己観念の対象形態、すなわち「科学」あるいは「理論的意識」として想定されたのだ。全人民的政治暴露こそ「理論的意識」の部分性を全体化するものであり、革命的インテリゲンチャを知識層一般から区別するものであった。

一九六〇年代において語られた政治が、前権力闘争的水準という意味でまさに、全人民的政治暴露以外のものでなかったのは明瞭だ。しかし、全人民的政治暴露の連鎖は、権力闘争に転化することなく終息した。革命の政治が、市民社会や下部構造の上に固定的な構造として載っているのでないとしたら、それには始まりと終わりが、生成と終末が、つまり固有のサイクルがあるはずだ。一九六七年から開始された革命的な政治は、生気に満ちた混乱のなかをもみ合うようにして六九年秋にまでのぼりつめた。しかし、政治暴露が権力闘争に転化しうる瞬間はただ一度しかない。そして、私たちの政治の経験は権力闘争に転化しえぬまま解体したのである。なぜか。六〇年代新左翼運動の敗北の根拠は何だったのか。それは軍事的敗北であったのか、政治的敗北であったのか、あるいは理論的・組織的敗北であったのか。

しかしこれらは、敗北の「様々なる意匠」にすぎない。これらは敗北の真の根拠をなすものではない。六〇年代の政治暴露の主要な形態であった街頭実力闘争が警察によって封じこめられたことが、敗北の根拠なのではない。その閉塞を政治のヘゲモニーによって打破しえなかったからでも、それを理論的に予見しえなかったからでも、また閉塞をものともせぬ頑強な組織を持ちえなかったからでもない。敗北の客観的な根拠は、生活の流動がなおその端初における深さしかもちえなかったことに求められるだろうが、主体の問題としては、それはただ観念のあまりの脆弱性にあったといわなければならない。つまり、敗北は端的に思想の敗北であった。

六〇年代の高揚の日々、どのように未経験なアジテーターであれ、その吐く言葉には生活の流動の深部にむかう観念の尖光があったはずだ。概念知によって導かれる煽動は、生活の流動に直面し、なにごとかを開示しえた。国家と対峙し、究極的にそれを無化しうる力とは、この開示する力、意味づける力以外のものではない。黒々とした生活の流動が光を呼ぶのだ。生活の流動に喚びおこされて、その暗い混沌の頭上で炸烈する観念の尖光が流動する生活の混沌を意味づけ、照らし出し、開示した。敗北の根拠はただ、観念の永続する自己燃焼を支ええぬ、主体の思想的脆弱性にのみ見出されなければならない。

2

人はどんなことでも書きうる。それはあたかも、どんなことでもなしうるという事実に等しいようにさえ思える。しかし、この両者のあいだに横たわる距離はほとんど無限大だ。吉本隆明はこの違いを、前者がそ行為、すなわち観念的行為ならばなおさらだ。問題は社会学的な事実学ではなく、むしろ現象学的なのだ。ことに、「やってみる」ことが幻想性における行為、すなわち観念的行為ならばなおさらだ。

たとえば「革命戦争」という言葉を書き、あるいは語った者たちは無数にいる。しかし、たんに「いってみた」だけでなく、連合赤軍を構成した者たちのようにそれを「やって」しまえば、彼はもう行為した事実から簡単には逃れえなくなる。ところが「いってみた」だけの者ならば、その過去から無限に逃れ出ることができる。いや、意志的に逃れうるというだけではなく、言辞に対応する現実の影が薄くなればなるほど、「いってみた」事実に固執し続けることはほとんど不可能になっていく。

いうまでもなく問題は、節操の有無をめぐる道徳問題などとは無関係である。私たちの敗北の根拠であった思想の敗北の意味を探るために、あえてこの問題が問われているのだ。

観念それ自体は、いかにとるに足らぬ卑小なものであろうと、また妄想や錯乱に満ちたものであろうと、つねにそれ自体の内部で生活を超越しうるという構造を持っている。しかし行為へと構成的に外化された観念は、どのように高次な普遍性を持っていようとも、かならず生活によって超越されるという宿命をまぬがれることができない。だから、「いってみるだけ」と「やってみるだけ」の違いは、もたらす結果の相違や道徳問題に解消されえない、いわば世界の存在論的構造に由来する。しかし観念の意義は、それ自体のうちに生活を超越しうる点にあるのではなく、また行為の意義は生活と構造的に接触しうる点にあるのではない。もし観念がその存在意義を主張しうるならば、それはその内部において生活に触れることによってであり、行為の存在意義がありうるとするならば、それは宿命的な生活への同化と溶解の自生性をあえて断ち切ることによってである。すなわち、行為する姿態において観念の先駆性と自存性に固執することによってなのだ。この時、内部において生活に触れる観念と、観念の先駆性に固執する行為とは、かろうじてその核心部に思想を析出しうる。生活の流動の黒々とした闇を照射する観念の暗い光芒たりうるのである。

六〇年代の政治経験は、「やってみる」だけにおいて連合赤軍の自壊という極限的な敗北に逢着しなければならなかった。しかし、問題は連合赤軍が「やって」しまい過ぎた（情勢と階級闘争の発展段階を主観的にとびこして、と論評家はしたり顔で語ったものだ）ことにあったのではない。問題はただ、連合赤軍が「やって」しまったことを超えるほどに、誰もなにごとかを「いって」しまってはいないという点にのみある。連合赤軍敗北の総括を主体的な課題として固執するという態度は、少なくともこうした認識を持つことであり、それがいっさいの前提だ。

政治的なものの本質は、流動する生活世界の闇にむかって放たれる観念の尖光として把握され、次に観念は観念それ自体と、行為へと構成的に外化された観念の二肢性において考察された。そして、現在の課題が、内部において生活に触れる観念と、観念の先駆性に固執する行為との核心部にかろうじて析出される思想の形成にあることが指摘された。しかし、ほんとうの困難性はこの認識にあるのではない。それは、敗北が他ならぬ私たちの敗北であったという固有性のなかにある。敗北の固有の相貌について語るのでない一切の言葉は無であるにすぎない。

観念の実存的定在であることに、誰も耐えようとはしなかった。敗北の固有の相貌がここにあった。六〇年代の政治経験は、六九年、七一年と二度にわたる政治的敗北の後、〈人民〉と〈大衆〉をめぐる無力で空虚な大合唱のうちに自壊したのである。誰も観念の惨苦に耐えようとはしなかった。〈人民〉や〈大衆〉をめぐる言辞の愚かしい大洪水が去った後には、相も変わらぬ生活転向の思想風俗だけが残った。学生左翼の十人に九人は、定職や婚姻の経験によって、いかなる観念の格闘も経ることなしにあまりにも滑らかな思考転換を遂げていく。かつて彼の生を全的に意味づけ規定しきってきた観念（たとえば「世界革命戦争」だ）が、いずこへともなくひとりでに消えていく。もっと強烈な、あるいは正当かもしれない観念（「世界反革命秩序の維持」でもいい）がそれにとって替わったわけではない。人々はそれほど上等に転向しはしない。「世界革命戦争」のみならず、あらゆる観念の自立性と先駆性が捉えどころなく風化し、空洞化し、消滅していく。

敗北が、かくも膨大な生活転向の大群に帰結した事実は、はなはだ視る者の気を滅入らせる。六〇年代の政治経験を共有した私たちは、少なくとも戦後転向論の水準を前提に登場したのだと自負していた。観念の自然発生的な上昇生理が、重たく不可解な日本的現実に足をすくわれていくという種類の罠に関しては、充分以上の自覚を持っていたはずだ。しかしわれわれはちがう、というのが、「労働者階級の運命など俺たちの知ったことではない」とうそぶいた爽やかな「小ブル急進主義者」の決意だったはずだった。ところがどうだろう、群生した大衆もどきやにわか人民の思想水準は、情ないことに島木健作以下だった。六〇年安保世代は「挫折」したが、七〇年安保世代は「風化」した。こういえば悪い冗談めくが、それなりに事態を反映しているといえなくはない。

六〇年代新左翼の末路は、観念の実存的なひきうけであることに耐ええない思想的脆弱性の露呈であった。ようするに執念深くないのだ。敵対者への思想的屈服であるばかりか、観念の武装解除という点で自身にたいする思想的敗北でもあるというこの構造は、私たちの敗北の固有の相貌を浮き彫りにしている。すなわちそれは、近代日本におけるうち続いた観念の敗北史の連鎖にあって、現在のところその最も新しい環を構成するものである。

この極東の島国において、観念の屹立はなぜかくも不条理な困難を背負わなければならないのか。

この問いに答えきることなしには、いかなる試みも無であるようにさえ思われる。日本における革命は、その外部になんら依存せず、ただその内部にのみ根拠をもつ観念の析出によってのみ、はじめて現実の問題となりうるのではないか。生活の流動の深まりも、それを鮮烈に照らし出す観念の尖光を呼び寄せえないならば、永遠の流動と固着を無意味に繰り返す以外にない。

私たちは、家族と職業が錯合しつつ二重化した生活世界に実存している。私は家族生活と職業生活の錯綜する生活世界を反省的意識と実存的下半身において生きる。たとえば、吉本隆明の大衆像の原型が貧しい自家営業者として常に発想されていることには、わりあい重要な意味が含まれている。家族生活と職業生活が未分化な即自態にまどろんでいるような自家営業者とその一家が、暗黙のうちに大衆像の原点に据えられている。たしかに共同体的な諸形態にあっては、血縁共同体がそのまま生産関係の単位であるような構造が普遍的であった。しかし、近代の市民社会は二重に自由なプロレタリアートの出現によって、性と労働の、家族と職業の自生的結合体の廃墟の上に形成された。

性と労働の分裂と二重化は、吉本的な大衆像の構成を原理的に超えた事態を開示するもののようだ。この分裂は、家庭にも職場にも同一化しえぬ私の分裂であり、つまり家族生活と職業生活の内的な分裂でもある。大衆の受苦はこの奇妙な抽象性のなかにある。

党的な意識にとって、大衆という存在の最低位の位相は、いうまでもなく経済闘争における大衆である。しかし、経済闘争以前の場所には、いわば生活の抗争といったものがある。それは生活世界に充満し私をとりまき圧迫する。賃労働からする資本への経済闘争にまで構成されることのない、生活抗争の分厚い層といったものがあるのだ。そこに経済闘争がなければ社会的な矛盾は存在しない、あるいはそこに矛盾があれば必然的に経済闘争が発生するという発想は、たんにひとつの錯誤であるにすぎない。吉本隆明が語るように、日本の大衆は戦後憲法であろうと明治憲法であろうと、その法的な水準に現実的に触れたことなど一度もなかった。日本人の家が民法と無関係に存続してきたように、日本の労働者の過半は（そして本質的にはすべてが）労働法の水準と無関係な位相に存在してきたし、いまもしている。日本の労働者の多くは、疲労した同僚の貌、残業を命じる職場下士官の貌を眺めながら、納得できない、それでも嫌とはいえないような労働に耐えてきた。これは「民主的権利」に無自覚な遅れた労働者像だろうか。

そうではない。ここで露呈されてくるものこそ、経済闘争よりもさらに本源的な生活抗争なのだ。同じ職場の労働者同士が仕事をおしつけ合い、足をすくい合う。同僚よりも経営者のほうがより味方であるような位相で、やむにやまれぬ死闘と抗争を続けることを強いられる。この市民社会に充満しているのは、賃労働と資本という経済学的範疇以前の水準で闘われる。なんとしても生き延びるための死にもの狂いの抗争だ。

このような生活抗争こそ経済闘争よりも一義的であり本源的だ。家の内部での秘められた抗争と諍いが、ついに戦後民法にはすくいとられえなかったように、職場における執拗な無言の抗争は労働法の関知しうるところのものではない。こうした生活抗争の無量の実質が可視的な場所に現出しうるのは、大衆叛乱ないし大衆蜂起の局面においてだけだ。しかしレーニン主義の党が介在しようとしまいと、大衆の生活抗争はいつだってそこに存在し続けてきた。

とるにたらぬ反目や諍い、抗いと無言の訴え。生活の構造の全的な解放というものが、すなわち共産主義の理念といったものがもしも真に問題になるとしたら、生活抗争の呻きと軋りに応えるものとしてしか構想されえない。革命は経済闘争の高次な解決などではない。生活の流動とは生活抗争の激化なのであり、それだけが観念の炸裂を深く喚び続ける基本的な動力なのだ。生活の概念に本質的に受苦性の刻印が押されているとしたら、それは「闘争」にまで構成されることのない生活抗争の次元において以外ではない。

生活抗争を組織し経済闘争へと構成することに、現在なにほどかの意味があるとは考えられない。生活抗争は大衆叛乱の局面でのみ顕在化する。レーニン的な意味での経済闘争とは、この叛乱的に拡大する経済ストライキの洪水のことだった。

ところで、本来の経済闘争の奇怪な変態である、組織された巨大労働組合による圧力型の賃金・条件闘争とはいったい何なのか。民法が家の内部での秘められた諍いと不幸に触れえぬように、労働法が生活抗争に触れえないというのは、大衆の存在がそれ自体としては原理的に国家に達しえないことのひとつの表現でしかない。原理的に触れえないものが、擬制としてそこに接近しようとする時にのみ、巨大労働組合と労働者政党の複合体が発生する。このような事態には、近代の成熟を測定する指標として以外にさしたる意味がないのだとしても、近代の成熟は自然過程めいてこの擬制を累積していく。

家庭内での、あるいは職場内での抗争を、労働者サークルや経済闘争に意図的に構成しようと努力することに、なんらかの思想的な意味付与を企てるのは欺瞞である。六〇年代新左翼の解体過程で流行した人民主義は、決してこの生活抗争の意味を了解しえなかった。彼らに見えたのは経済闘争へと意図的に構成された擬制に過ぎなかったし、その後彼らの多くが言辞においてのみ区別されうる実質的な社民化の道を辿ったのも当然のことであった。観念の惨苦に耐ええずに空疎な人民主義へと逃げ出した者たちは、当然のことながら生活の惨苦、生活抗争の思想的位相にまで達することなく、悪しき経済主義の袋小路に逢着したのである。そして生活転向と社民化だけが残された道となる。

問題はただ、生活空間に充満している抗争と惨劇をたじろぐことなく真正面から凝視し、それに深く耐え切ることにある。この思想的な耐えの持久によってのみ、生活抗争の対極に、結晶のように純粋な惨苦する観念の輝きが析出されるだろう。時代性においてそうであったように、個的経験の内部にあっても、生活抗争の深まりだけがそれを照らし出すべき純粋観念を喚びおこすのだ。

3

六〇年代における政治経験は、時代的な地平のもとで生活が観念を喚びおこした時にその生成を開始し、観念が生活の流動を、すなわち生活抗争の深まりを意味づけ照らし出す思想的な力を喪った時に終焉した。

主体の内部においてそれは、自立した先駆する観念の屹立に耐えない思想的脆弱性として露呈され、空虚な人民主義の一時的流行と相も変わらぬ生活転向の大群を残したばかりに終わった。観念の惨苦に耐ええず人民主義に逃走した者たちには、当然のことながら経済闘争は見えても、叛乱の真の母体であり革命の真の根拠である受苦する大衆の生活抗争は見えていなかった。生活抗争を生きることも、その意味を問うこともなく、その末路は社民化すること以外になかった。彼らがそこから逃走した生活と観念のこの関係は、たしかに弁証法であるけれども、それは惨苦する弁証法とでも呼ばれるべきだ。叛乱のなかでの弁証法の冒険と、敗北にむかう弁証法の疲労とが経験された後、弁証法は解体するのでなければ長い惨苦の経験を生きねばならない。今私たちが生きているこの時代は、たしかに惨苦する弁証法の時代としかいえないのだが、それに先行する短い時期の経験の意味を改めて問い返してみることは、現在なお必要な課題であるように思われる。

それは一九六九年と一九七一年の二重敗北にはさみこまれた二年間であり、いわば生気に満ちて冒険を続けた弁証法が避け難い疲労に陥っていく時期であった。あるいは、生活の流動によって喚びおこされた観念が、生活世界の闇を照らし出す思想の光を喪っていく時期でもあった。ようするに六〇年代新左翼の解体期だった。この時期の発想と主張を、つまり現実態となった観念の意味を捉え返してみることは、弁証法の冒険と弁証法の惨苦を、つまり私たちの過去と現在を同時に照らし出すための企てとなるはずだ。そしてこの企てはまた、かつて私の属していた党派の自壊に関する、ささやかな総括という意味も持つはずである。

一九六九年の秋期決戦敗北という事態を拒否しようとして、私たちは三里塚九・一六闘争と七一年秋期沖縄闘争の上に日本における人民戦争の幻像を視るに至ったのだ。そして七一年の敗北を再度拒否する決意が、「綱領的立脚点の確立」を思念する私党集団と、「全国政治闘争の堅持」というも恥ずかしい空疎なカンパニア集会の繰り返しに逢着した時、六〇年代政治経験と私の党経験の終焉という事態が直視されなければならなかった。しかし、「綱領的立脚点の確立と全国政治闘争の防衛」の主張が実践的な限界に直面した時、ほとんどの党員は破局的な事態の前に屹立しその意味を徹底的に問い、思想的な執念をかけて事態の囁きの意味を聴きとろうとするのではなく、「疎外された前衛主義とカンパニア政治の自己批判」によって問題の解消を画策したのだ。時代の昏い力によってもたらされた事態にたいして、安直な自己批判も安直な出直しも、ただ欺瞞に欺瞞を重ね、破産に破産を重ねる以外のなにものでもありえないにもかかわらず。

空疎な自己批判は観念の惨苦を放棄した学的なものの残骸、ひからびた抽象的な概念知と、生きられつつある生活抗争とは無縁な言辞における〈人民〉の大洪水、救い難く卑屈な生活への拝脆の自生性との結合にのみ帰結した。それは疎外された姿態に完成された「理論と実践の結合」そのものだった。

敗北を強いられた者が執着しなければならないのは、ひからびた概念知としての理論などではなく、観念の惨苦が搾りだすように分泌する、生きられつつあるものとしての思想のはずだ。恣意的に切りとられた〈人民〉像（たとえば「人民戦線派大衆の流動化」「最下層労働者大衆の決起」「被差別・被抑圧人民の闘い」等々）をかつぎまわり、個別実体と観念が無反省に癒着した言辞としての人民に逃走することではなく、生活の惨苦のただなかでそれを思想化しうる方法を見出すことであるはずだ。「理論」と「人民」というボロ布をまとって党の再建、再組織を夢想することは、永続する動揺と破産を百遍繰り返したところで、それは零に零をかけるように零でしかない。私たちは思想的に敗北した。だから理論的にでも運動的にでも組織的にでもなく、私たちを思想的に再生させるための永く苦難に満ちた私闘が要求されていたのだ。この私闘のただひとつの武器は、執念深く徹底的であり、こだわりをこだわり切るという観念の執着の深さ以外にない。

情況の変動と主体の思想的敗北は、党の私党への転化を強制していた。解体期において主張された「綱領的立脚点の確立と全国政治闘争の防衛」が、恣意的な小集団によるカンパニア集会の連鎖に頽落していった事態の根拠は、なにも理論や人民が欠乏していた点にあったのではない。昏い時代の力が、かつて党であったものをたんなる私党にさし戻したにすぎない。この私党的な現実に、機能主義的なあるいは形式主義的ないかなる意味付与を企てたところで、それが党に再転化するわけはない。私党的な現実に耐ええない観念の脆弱性が、理論や人民という空疎な言辞に逃走することを結果していった。これは敗北期に露呈される固有の政治思想的病理現象であり、日本における革命思想の宿痾ともいうべきものだった。私の党もまた、この宿痾に骨の髄まで犯されていた。「疎外された前衛主義とカンパニア政治の結合」を自己批判して相も変わらぬ人民主義の方向に走り出したそれの自己解体は、まさに必然的であった。私党的な現実に耐ええない人民主義への逃走は、私党そのものの解体となって終わる以外なかったのである。解体の結果は、生活転向か社民化した政治サークルか、あるいはひからびた脳髄にマルクス主義の真理を詰め込んだ「共産主義者」、孤立した意識の内部で空疎に自足した「共産主義者」の幾人かを残したのみとなった。

一九六九年から断片的に語られて来たことがらは、七一年の敗北ののち一年間を通して「綱領―戦略―路線」の体系にまとめられた。ミネルヴァの梟が黄昏にとびたつように、六〇年代政治経験の反省的自己認識は、ただその現実的規定力の喪失期においてのみ体系化されえたのだ。ここでは特に、「第三世界解放革命―世界共産主義」の綱領的立脚点の意味について検討してみたい。

構成された概念の理論性において、綱領認識の理論的背景を提供した「近代世界批判」体系が誤謬に転化したわけではない。『資本論』解釈において、大塚史学批判において、『経済学批判要綱』の把握において、マルクスのインド・中国論の再構成において、私たちが試みた理論的探究はいまもなお有効であるはずだ。私たちがそこで目指したのは、太平天国の乱やインド大反乱からヴェトナム・インドシナ革命戦争に至る第三世界革命の歴史と現実を、原理的な理論体系の内部に包摂することだった。『資本論』体系に第三世界革命を原理的に位置づけることだったといってもよい。この理論作業の結論を撤回する必要は感じない。

また、かつて私たちの頭蓋に鉄槌で強打するほどの衝撃をもたらした第三世界革命の歴史的現実が、二〇世紀世界から消滅したわけでもない。第三世界のそこここで革命の軍隊は戦闘を持久している。つまり構成的な理論においても、感受される現実においても、かつてと現在のあいだにいかなる相違もないのだとしたら、変わったものは何か。

変容の意味を徹底して問うのなら、それは知解や感受においてではなく、まさに綱領性の了解において生じたのだ。

生経験のうちに了解された本源的な意味での認識を、概念と論理において悟性的に捉えつくそうとしても、その意味が確実な手ざわりをもってそこに「ある」のは、はかないほどに瞬間的だ。素手ですくいあげた水が指のあいだからこぼれおちていくように、意味は概念と論理による構築物には避け難い隙間からこぼれおちていく。しかし、生経験の意味がその体系の内部から流出してしまった後にさえ、論理はなお論理であり続ける。論理体系の空疎で壮大な構造は、なおなにものかであり続ける。

〈第三世界〉発見あるいは〈第三世界〉経験は、感受された情緒実体のたしかな存在感と、「近代世界批判」体系の悟性的な構成とのあいだでかろうじて、あやうい均衡を保っていた。この均衡こそが、〈第三世界〉経験の意味を生きられつつあるものとして析出する思想的空間だった。この空間が失われてしまったのだ。〈第三世界〉についての理論の内部から、〈第三世界〉経験の意味はこぼれ落ちてしまった。「近代世界批判」体系は、論理構造の重量感をもってそこに蹲るだけの死んだ抽象に転化した。

第三世界に感受した情緒的な実体とは、サルトル流の「飢えた二十億」でもあれば、ファノン的な「黒い膚と白い仮面」でもあり、「現実に銃をとっているのは誰か」というゲバラ風の理念的強迫、「世界構成における膨大な最下層」という直観的な把握でもあったろう。これらの情緒的なアマルガムにおいて、私たちは第三世界に存在の重々しさと、底知れぬ深さを感受したのだった。しかもそれは、共産主義にむかって活動し生起する実在であった。

第三世界は「近代知の極北としての実存的ニヒリズムを自己止揚する唯一の契機」として見出された。私たちはそれを、ハイデガー存在論の第三世界的顚倒として方法化していく。近代知の極北としての実存的ニヒリズムにとって、第三世界はまさしく意味の生成ときらめきの発見であった。T・H・ロレンスやアンドレ・マルローが、あるいはレジス・ドブレやリュシアン・セバーグが第三世界に憑かれていったように。

実存的ニヒリズムから第三世界へのあやうい道筋を辿ることから、概念知とマルクス的範疇の便宜的とりこみによって第三世界を固定化し始めた時、ある種の均衡が生まれたのだが、均衡の発生はそもそもの初めから支点における思想の死をはらんでいたのではなかったろうか。第三世界の安直な概念化を自己解体しなければならない。私の第三世界は、情緒や概念においてではなく、生活の抗争と観念の惨苦の渦巻く煉獄にいまいちどさし戻されねばならない。

第三世界とは、存在が「ある」という事態にたいして観念が抱いた畏怖のなかにのみ、思想的な意味を持ったのではなかったろうか。近代が立てた像としての世界を背後から切り裂く思想的なメスとして、私たちの第三世界はあったはずだ。この真実は、第三世界を像化することによって逆に隠蔽されてしまった。解体期において第三世界がふたたび眼前から隠蔽されていく事態があったからこそ、それへの絶望的な代償として像化された第三世界が、すなわち「近代世界批判」体系が構想されなければならなかったのかもしれない。正当な綱領認識はそれ自体では無力だった。綱領認識が妥当であろうと、敗北の危機を超える特効薬であるわけにはいかなかった。解体期の主張と発想はこのことを歴然と示している。

4

しかし、安直な自己批判は地獄への道だ。敗北の事実があまりにも明らかであればあるほど、自己批判は安直になされてはならない。たとえば、連合赤軍の永田洋子がこう語る時、そこには世界の存在構造に関する悲惨なほどの無知が露呈されている。

> 十四人を客観的には殺してしまった、とうけとめたのは、三月の下旬です。私はそれまでは闘おうとしたんだ、仕方なかったのだ、敵権力の前で泣くわけにはいかない。どうすればよかったのかと思っていたのです（略）。雪の上に坐らせた、髪を切った、赤ン坊をとりだそうと思った、殴った、しばった、冬の外にだした等々から出発するのではなく、何故「革命戦争の敗北＝死」と単純に決めつけたか（私自身そう思った）であり、やはり路線や指導の問題として考えたい。その次に、雪の上に坐らせる等の時、この誤りに何故気付かなかったかです。
> （「情況」一九七三年五月号）

「客観的には殺してしまった」ことを「革命戦争の敗北＝死と単純に決めつけた」が、それを「路線や指導の問題として考えたい」というこの文脈のなかに、なされてはならない自己批判の全要素が見出される。「客観的には殺してしまった」事実と「革命戦争の敗北＝死と単純に決めつけた」観念との関係は、前者は当時自覚しえなかっただけで誰も疑いえない事実認識であり、後者はこの事実を隠蔽した誤った観念である、だからこそ「路線や指導の問題」として事実に正しく照応する正しい観念を見出さなければならない。このように永田の論は構成されている。ここにあるのは、哲学的実在論の謬見が日本的現実感と癒着した姿である。

　事実と観念は、このような関係にあるわけでは決してない。その時の永田洋子が、飢えて疲労した肉体を一定時間一定温度の状態に放置すれば、その生命機能は当人の観念とも永田の観念ともまったく無関係に危機に陥り、ついには停止するという単純で因果的な事実関係を理解していなかったわけはない。永田が理解していなかったのは、事実と観念の錯合した相互関係の構造だったのだ。

「文明人」の眼には無意味な行為としか映らない雨乞いの儀礼を真剣におこなう未開人であろうと、弓を射る時に矢を反対につがえたりはしない。また矢の殺傷力の源泉はマナにあり、尖った鏃が身体組織に喰い入る事実にあるのではないと信じるとしても、彼は矢を反対につがえたりはしない。つまり因果関係を事実的に把握する能力の欠如や未成熟が、未開人による雨乞い儀礼やマナについての呪術的信念の根拠になっているわけではない。雨乞いも矢のマナも事実関係の世界とは別の、観念の世界の象徴的な出来事であり、人間を人間たらしめているのは因果関係の事実的な把握能力ではなく、事実を象徴に変容させる観念的な能力にある。

近代知は天候観測器具や気象衛星によって雨乞い儀礼を消滅させる。明日の天気を知りたければラジオのスイッチを回せばよい。ここでは人間存在に固有の意味形成的な能力、象徴世界を生きる能力は要求されない。しかし、因果関係の測定が万象に及び、世界には事実的合理性によって説明しえぬなにものも存在しないという確信が横行し始める時、呪術や神話から追放された人間存在の観念的全体性は復讐を開始する。

観念に、とりわけドストエフスキイがあれほどまで強烈に否認しなければならなかった革命という観念に憑かれる時、世界を像的に支配する事実関係の強固な実在感はたちまち稀薄化し消滅していく。永田が生理学的事実性のリアリティに麻痺し、「自己批判に耐えられないから死ぬのだ」と信憑するに至る時、そこには事実世界と象徴世界の安定した秩序の崩壊による観念のグロテスクな倒錯が露呈されている。永田洋子は事実と観念が異なった次元に存在することを了解しえなかった。このまま放置すれば凍死するだろうという事実認識と、総括に耐えられないから死ぬのだという観念が原理的に同居可能であることを理解しえていない。どのような「路線や指導」をもってきたところで、それ自体が観念である限り、ついに因果合理的な事実性とは無関係なものでしかない。だから事実に観念を適合させ、事実に正確にみあう観念を構成するという作意によっては、連合赤軍の経験は救出されえない。観念を疎外し、その規定力に自己をゆだねるという選択のなかに、既に同志殺しに至る一般的可能性が内包されている。そして革命は、さしあたり革命の観念として以外にはどこにも存在しない。

観念の屹立は革命にむかう唯一の出発点である。したがっていっさいの革命運動には、連合赤軍の惨劇に至る一般的可能性が内包されている。ただし、この一般的可能性を必然性に転化させないための条件は存在する。それは、この可能性の意味を読みとることであり、事実と観念をめぐる世界の存在構造についての問いを深めることだ。そしてなによりも、観念が観念である限り、身体と生活の構造を所有することはできないという原理的認識を手放さないことだ。

連合赤軍の文書を読んで感じるのは、ほとんど極限にまで達したニヒリズムである。一九五〇年代の日本共産党の文体で濫用される「人民」の概念が、その背後にいかなる実体も持たないというニヒリズムは、それ自体として批難されるべきものではない。ある意味でそれは観念の宿命であるから。しかし連合赤軍の理性は、この背理に関してまったく無自覚だった。無自覚なニヒリズムの累積が、革命の観念が内包する一般的可能性としての腐敗した暴力の泥沼に、彼らを押しやる現実的な力の一押しとなった。観念の屹立の意味を生活世界との拮抗において把握する原理を欠いていた連合赤軍は、生活世界に充満する抑圧と私刑と抗争を無批判に観念の裡に凝縮して再現したのだともいいうる。

一時期、連合赤軍総括と銘うって売りに出された駄文の数々ほど愚劣なものはなかった。解体期の現状にふさわしく、その基調は「正しい理論」あるいは「人民との結合」を欠いたことが連合赤軍の無惨な自壊の根拠であるというものだった。しかし、連合赤軍に致命的に欠けていたものが「理論」でも「人民」でもなかったことは繰り返すまでもあるまい。むしろそれは、生活の流動を照射すべき観念の光の衰えを、ひからびた理論と人民主義のウルトラ化によって補完しようとする企てだった。

連合赤軍とその批判者たちの違いは、前者が軍事闘争に向かったのにたいして、後者はより安易な経済主義の道を辿ったという点にしか存在しない。だから、連合赤軍の自壊は六〇年代新左翼総体の風化の鏡だったし、今もなお連合赤軍の記憶において六〇年代の政治経験は濃密に凝縮されて想起されるのである。

5

六〇年代の政治経験の渦中で発せられた「革命の意味への問い」は、近代派マルクス主義の階級闘争理論による合理化と固定化に抗して、革命という現象を生経験の発生の現場にまでさしもどそうとする企てだった。

叛乱の歴史はマルクス主義の歴史よりも古い。この自明の前提が、なぜかくも深く隠蔽されてしまったのか。マルクスからレーニンにいたる半世紀のあいだに、科学的社会主義による叛乱現象への固定的な解釈体系は、全般的な勝利を収め人々の思考を支配するに至った。生起する叛乱の現象を階級闘争理論の枠内におしこめようと、人々はやっきになってきた。しかしいつだって叛乱は、マルクス主義者の科学的説明の彼方から嵐のように襲来したのだし、その暴威は科学的合理性の存立する基盤そのものを打ち倒してしまった。

全共闘運動と総称される、六〇年代後半から七〇年代初頭にかけてこの国を襲った大衆的政治経験は、少なくとも叛乱を科学的社会主義による合理化と固定化から解放することで、人々を叛乱という現象そのものに直面させた。であるからこそ、それは近代的知性にたいする攻撃ともなり、また階級闘争理論にもとづく「指導」を拒絶して「展望なき叛乱」に終始したのだ。

全共闘運動を生きた主体にとって、叛乱が道具でも手段でもなく、それ自体で充足した完璧な瞬間を創りだす生経験の全体性に他ならないことは明白だ。叛乱とは、あれこれの「理想的な」社会経済状態を実現するための物理力なのではない。叛乱の本質はイデアルな世界変容であり、生経験の根源にむかって殺到する集合的投企に他ならない。曖昧な実感のなかで、このことは充分に承認されてきたように思われる。しかし、その意味はなお徹底して問われているとはいえない。全共闘以後十年の時代の地平が、革命の意味への問いを重ねて深く要求してきているにもかかわらず。たとえば、かつて次のような発言があった。

若いジャーナリストであり、五月闘争では行動委員会の組織のために活躍したジャン・コントネは、「労働者の立ち上った原因は何か」という私の質問に答えて、第一には、数カ月前からあらわれていた経済的ゆきづまりの兆候、とくに百万に達すると思われる失業者と賃金の事実上のストップ、第二には、グルピュスキュールの働きかけをあげたあと、それらの説明をみずから不満とするように、「もう一つ決定的なものがある」という。「何と説明していいかわからないが」とややためらいがちに前置きしながら、彼はそれを「バリケードの夜と大衆デモがつくりだした魔法(マジカル)のような雰囲気だ」という。

(武藤一羊『フランス五月の教訓』)

ここで語られている「バリケードの夜と大衆デモがつくりだした魔法(マジカル)のような雰囲気」とは、いったい何なのか。体験した者の誰もがそれを実感している。しかし、誰もが「何と説明していいかわからない」と、それについて語ることを「ためらう」のである。神話学者や人類学者による叛乱空間と神話空間の形態的類似性の指摘は、それ自体ではなにごとも明らかになしえない。多くの場合、論者の存在論的思考の欠如が指摘をたんに形態論的なものにとどめているからだ。この水準を超えるためにまず、記号と意味と象徴についての簡単な整理をすませておかねばならない。

かつて現象学者たちは、事物の意味は無限であると主張した。レイモン・アロンがサルトルにテーブルの上のカクテルを示したように、私たちもありふれたひとつのコップを例にとることができる。コップという存在者の内部地平は本来は無限だ。私はコップのなかにあらゆる意味を読みとることができる。冷たい手触り、滑らかな表面、陽光を浴びて輝く硝子の厚み……。私はそれに一輪の花をさしてみることもできる。それを卓の角で砕き、かけらを使って誰かの喉笛を切り砕くことだってできる。けれども私たちは、通常このようにコップを眺めはしない。いや、コップという事物を事物それ自体として眺めることなど、私たちの日常生活にあっては稀有な経験なのだ。つまるところそれは「液体を唇に運ぶための容器」であるにすぎない。だから私たちは、あるコップと別のコップとを区別したりしない。コップの機能が果たしうるものであれば、どのコップであっても構わないからだ。このようにして通常、私たちは「このコップ」という無限の内部地平を秘めた一箇の特権的な存在者から眼を覆って生活している。

現象学者は、事物の多義的な意味が一義的に狭められていくことを「意味の沈澱作用」と呼んだ。本来無限であるべきこのコップの意味が「液体を唇に運ぶための容器」というただひとつの意味へと沈澱させられている。

もちろん問題はコップだけではない。私たちの生活世界とは、私をとりまくあらゆる事物と他者たちが、すべてその豊かな意味の多義性を沈澱させられ、機能的に一義化されて配列されているような世界なのだ。それのみが一義的に特権化され沈澱した意味を記号と呼ぶことにするならば、私の周囲に拓けている世界は他ならぬ記号的な世界である無数の記号でぎっしりと埋めつくされてはいても、そこにはただひとつも固有の事物が存在しないような世界なのだ。

意識の超越性が事物に無限の意味を能与しうるにもかかわらず、私たちが事物の意味を記号化するようにしてしか存在できないのはなぜか。それは、ニーチェが語るように人間という存在が二つの極をもった過渡的な存在だからだろう。人間は事実性と超越性とに引き裂かれている。人間存在の超越性は、陽光にきらめきながら落下する一滴の水に全宇宙を視ることもできるのに、記号的世界の住人は水滴で床が濡れることを心配するばかりなのだ。そして、このような人間存在の事実性あるいは条件性の地平の上に、マルクスが歴史の土台と呼んだ全構造が聳え立っている。

ヴァン・ゴッホがありふれた黄色い椅子を画布の上に描く時、この椅子は決して記号的な対象ではない。ゴッホの眼には、それが唯一無二の特権的な事物として、すなわち実在として、無限の意味のきらめきに満ちて映し出されていた。だからこそゴーギャンは「こんなふうに椅子を描いた者はまだ一人もいない」という歓声をあげたのだ。同様のことがシュルレアリストのいう「手術台の上のミシンとコーモリ傘の出会い」にもいえる。それは、記号的合理性の観点からはまったく無関係なものをあえて衝突させることにより、記号化された事物に意味を甦らせ、事物を真の実在に向かって解放しようとする企てなのだ。

絵画に限らず芸術（アール）的なるものの一切は、機能的な意味沈澱から事物を解放しようとする企てである。そして芸術が灰色の記号的世界に鮮烈な裂目をこじあけるために用いるのが象徴（サンボル）だ。意味（シニフィカシオン）は事実性によって記号（シーニュ）へと疎外されるが、人間存在の超越性は象徴（サンボル）によって灰色の記号的世界から意味を解放しようと企てる。

五月革命の体験者が「バリケードの夜と大衆デモがつくりだした魔法（マジカル）のような雰囲気」と呼んだところのものは、まさに記号的な世界を切り裂いて噴出した意味的なるものの甦りの経験に他ならなかった。極度に空腹な人間は、見えるもののすべてを食べられるか食べられないかによって判別することだろう。ジュリアン・ソレルが眼前を飛翔する鷹を見て、そこに自身の野望の象徴を見るのは飢えていなかったからであって、もしも空腹な未開人の狩人だったらすかさず弓に矢をつがえたろう。ごく簡単な例であるが、事物の意味が機能的に狭められ記号化させられていく唯一の、そして究極の根拠をここにみることができる。それは、これまで人間存在の事実性あるいは条件性と呼んできた問題に関わる。人間は、いわば生殖と労働に呪われているのだ。人間を類的に存続させるためのこの条件性が、人間の超越性を不断に拘束する。文明史とは人間存在の条件性をより一層合理的に組織化する過程だった。それは「世界の魔術からの解放」（ヴェーバー）の過程でもあり、その完成としての近代が、一切の事物の商品化という機能的一元化、意味の記号化の完成であったことは指摘するまでもない。

エリック・ホブズボームは『反抗の原初的形態』で、文明の出発点である共同体社会とその終着点である近代社会の中間に位置する諸社会に普遍的にみられる叛乱現象を、「千年王国主義的運動」と呼んで考察している。千年王国主義運動であれ、他のどのような前近代的な叛乱現象であれ、それらの極度に際立った特質は、特定の利害集団の自己利害貫徹運動ではなかった点にある。社会が対立する利害集団に分裂した後、集団間に抗争が生じるようになったとしても、そのような利害抗争は本質的に叛乱とは異なる。共同体の共同利害とはつまるところ経済利害であり、それは人間存在の条件性の組織化の形態にすぎない。叛乱とは人間の存在条件の固定化・形態化がもたらした世界の記号化への意味の叛乱に他ならない。

叛乱が叛乱となるためには、まず利害集団としての共同体が解体され、それが別の新しい集団に再編、むしろ再生されねばならない。より直接的には、共同体が疎外した共同規範としての共同観念（倫理）から私が離脱し、そのような無数の私のあいだに新しい規範が形成されるのでなければならない。その意味は二重である。第一に、叛乱の真の根拠は意味的なものであり、決して経済的な利害やその観念化としての共同規範にあるのではない点。第二に、倫理的なるものの叛乱は同時に私的なるものの叛乱であり、決して自生的な共同性の叛乱ではありえない点である。つまり、叛乱の根拠は、利害集団から離脱した〈私〉が、共同利害の観念形態とは根本的に異なった新しい倫理主体として自己を超越することによってのみ形成されうる。

千年王国主義運動が、なんらかの預言者の登場を不可欠の契機にして開始されるのはこのためだ。預言者が告げる「現世、つまり邪悪なこの世界に対する真底からの全面的拒否」の言葉が、利害集団としての村落共同体の共同観念を破砕する。共同体の内でまどろんでいた諸個人は、改めて〈私〉としてこの預言者の言葉（倫理（モラール））を受けいれることによって、同じような別の〈私〉と出遇い、ここから新しい叛乱の共同性が形成されていく。人間存在の条件性の形態である利害共同体が、いわば記号的世界に属するものであるのに対して、新たに生起する叛乱の共同性は、「現世、つまり邪悪なこの世界に対する真底からの全面拒否」を象徴する暴力的な共同行為の裡に「魔法（マジカル）のような雰囲気」を、つまり意味の全的な甦りをもたらす。

問題を単純化することは許されないにしても、科学的社会主義＝マルクス主義の基本的な、そして今や無視しえないものとなっている謬見は、私的かつ倫理的なるものとしての叛乱から「魔法（マジカル）のような雰囲気」を剝ぎ取って、特定の利害集団の自己貫徹運動と同一視した点にある。そのためにマルクスは、部分的な自己利害貫徹が同時に類的な普遍的解放運動であらざるをえない特殊な利害集団というものを想定した。つまりマルクス的に意味付与された「プロレタリアート」である。この哲学的プロレタリアートは産業労働者階級（経済的プロレタリアート）と同一視されるにいたる。ここからマルクスは産業労働者をその経済利害において組織化し、その利害集団の自己貫徹運動を進めることが人間への類的解放の唯一の道だという結論を導いた。しかしマルクス以後百年の今日、歴史の現実はこのマルクスの発想を根底からくつがえしてしまっている。強力極まりない産業労働者の経済利害集団が組織されている。しかし、ロシア革命以降の一切の革命が露骨に示しているのは、そんなものがいかなる革命でも役に立ったためしはないという冷厳な事実だ。

階級形成は階級解体と論理的にも現実的にも同時進行する。人間存在の条件性に依拠して組織された利害集団としての階級が、ドラスチックに瓦解していく時に初めて、生の根源に殺到し世界に意味のきらめきを噴出させる叛乱主体としての、マルクス的な意味付与を排した本来の意味でのプロレタリアートが形成される。こうした階級解体と階級形成のダイナミズムを支えるものこそ、叛乱の根拠としての倫理的な〈私〉である。

全共闘運動以後十年の現在、ドラスチックな瓦解とはいいえないにせよ、諸個人の利害集団からの離脱傾向は、高度産業社会に関する限り確実に増大しつつある。その反面、利害集団としての労働者階級の非叛乱主体的な本質は、その政治代表部である社共両党の政権への接近と相即的に、誰の眼にも露わなものとなった。「赤い旅団」によるモロ元首相の誘拐事件に際してイタリア共産党が、極左派の「民主主義の破壊」に抗議してゼネストを指令するといった茶番劇さえ演じられた。

不況と失業とインフレの進行は、たんに問題を顕在化させる契機にすぎないが、高度産業社会の内的な腐朽化は、その深部にラディカルな倫理主義を、なにか鮮烈なものへのやみがたい渇望をますます強力に育んでいる。「邪悪なこの世界を真底から拒絶」しようとする倫理主義的熱狂が広汎な大衆を、一挙に、かつ劇的に捉えつくす可能性と現実性は明らかに増大しつつある。

かつてこの国に主体性論争と呼ばれる論争があった。「倫理的主体性」についての議論を中心とする論争を今日の視点からふり返るとき、なにか途方もなく倒錯した印象が浮かんでくる。そこでは叛乱の根拠としての私的＝倫理的なるものが、歴史と階級というふたつの必然性によって構成された、なにか物的に重々しい体系の「空隙」として把握されている。唯物論におけるこのような「空隙」が観念論の最後の逃げ場に利用されるので、なるべく早急に穴埋めされなければならないというのが、梅本克己による問題提起だった。少なくとも全共闘運動の政治経験は、このような倒錯を疑問の余地なく破壊しつくしたといえる。私的＝倫理的なるものは、埋められるべき革命の「空隙」などではなく、まさに叛乱主体としてのプロレタリアートを出現させる究極の根拠に他ならない。「その利益を享受できぬ将来の理想社会のために、人間はどうして死ぬことができるのか」といった梅本克己の設問の愚かしさは明らかだろう。「その利益を享受できぬ」からこそ、それが損得の問題ではなくまさに〈私〉の生の意味の問題であると確信するからこそ、あえて人は死地にも赴くのではないか。経済利害プラス倫理的主体性として革命主体が想定されることの初歩的な錯誤が、ここには露呈されている。

けれども梅本克己の初歩的な問題提起でさえ、この国ではついに真剣に扱われることがなかった。こうした負の思想的伝統が、全共闘運動ですらも超えることのできない限界性の根拠をなした。

叛乱の根拠としての私的＝倫理的なるものについての思想的な無自覚は、結局、六〇年代の大衆ラディカリズムをふたつの方向に分解させ、崩壊させることになる。第一は叛乱を集団の利害貫徹運動に還元する方向であり、それは実質上の社民化に帰着した。第二は私的＝倫理的なるものの部分的なウルトラ化と固着の方向であり、それは連合赤軍事件、東アジア反日武装戦線事件、そして革共同中核派の反革マル戦争という現実を生みだしてきた。

しかし、この両者を等置することはできない。前者が六〇年代ラディカリズム以前の水準への退行であるのにたいし、後者は、いかに疎外された姿態であろうと、あくまでも全共闘運動の際立った独自性から結果として生じた事実は否定できない。もしも六〇年代の大衆ラディカリズムが無であったと考えないのなら、後者の系列が七〇年代にわたって存続してきたという疑い難い事実のみが、それに微かな可能性を提供している。否定的な事実さえもがまったく存在しないのであれば、それを超えることなど夢想にすぎないだろう。

同じことが勝利後のカンボジア革命に関してもいえそうだ。六〇年代から七〇年代にかけてのインドシナ革命戦争の結果として生誕した新国家のなかで、おそらくカンボジアのみが新しい地平に向かおうとしているように思われる。おそろしく断片的で間接的な報道から窺われることは、カンボジアが左翼ジャコバン主義的な絶対水平主義に固執しているらしい事実だ。私的＝倫理的なるものとしての叛乱が、ついに国家を倒すに至った時、その唯一の、そして必然的な進路は、観念による現実の専制支配の体系を、すなわち倫理（モラール）の専制帝国を築くこと以外にない。ユートピアというよりもドストエフスキイによる大審問官の理想社会やジョージ・オーウェルの『一九八四年』のような、夢というよりも悪夢に似た世界だとしても、それは人間存在の事実性に甘んじることのできなかった超越的なるものへの投企の帰結であり、半ば必然的な倒錯に他ならないのだろう。

叛乱の根拠としての私的＝倫理的なるものは、長いこと無視され抹殺され続けてきた。その結果、私的＝倫理的なるものは部分的にグロテスクな固着をそこかしこで惹き起こしている。人間存在が本質的に刻印されている観念性は、「この邪悪な世界を拒絶せよ」という叫びとなって世界を覆い始めた。「邪悪な世界」への報復として思念される新しい型の個的な犯罪が激増し、そうしたエネルギーの政治的・党派的組織化としてのテロリズムは、利害集団としての労働者階級を含めた「国民世論」のヒステリックな怒号にもかかわらず頻発し続けている。社会の深部では鮮やかな意味のきらめきを渇望する大衆的緊張が不可避に増大しつつある。実利主義とオポチュニズムの傲慢が、耐え難い私的＝倫理的渇望によって全社会的に破砕される日が到来するだろうし、その足音を聴きとることは容易だ。

しかしながら、この時代的な波浪を捉える思考はまるで準備されてはいない。意味のきらめきに満ちた生経験の根源へ向かって殺到する集合的投企としての叛乱の思考が、深まる私的＝倫理的なもの、つまり観念的なものへの大衆的渇望を捉えうるものとなりえない時、それは疎外された姿態でおのれを実現するであろう。疎外された姿態とは、かつてファシズムと呼ばれたところのものかもしれない。この雪崩にも似た力を阻止しうるとすれば、それは依然として軍事でも政治でも理論でも組織でもなく、ただ執拗な思想的抗争の持続によってのみだろう。

附記

以上の文章の（1）から（4）までは、一九七四年に書かれた未発表の総括文書を要約したものである。全体を約三分の一に圧縮しなければならなかったため、論旨に多少飛躍が目立つが、六〇年代新左翼解体期の総括の視点をある程度は提示しえていると思う。（5）は、今回新しく書きおろした。通して読むと、四年間のうちに発想に微妙なズレが生じているようだが、事後的な整合化は控えることにした。

この四年間、叛乱における観念的なもの、私的＝倫理的なるものについて考え続けてきた。政治における観念のラディカリズムに固執しつつ、その疎外されたグロテスクな固着の形態を無化しうる方途が問われねばならなかった。この主題は、観念的なものの発生から死滅までの過程を現象学的に記述するという意図で執筆された私稿「観念論」によって、現在、端初的な展開をみるに至っている。この私稿については、改めて公表の機会を待ちたいと思う。

一九七八年一〇月

あとがき

一九六九年から数年のあいだ、黒木龍思の名前で政治思想論的な文章を書いていた。この時期の思考や行動について再考しはじめたきっかけは、加藤典洋の遺作『オレの東大物語』を手にしたことにある。一九八〇年代には親しかった加藤だが、湾岸戦争とソ連崩壊の九一年を境として立場の相違をたがいに意識し、まもなく顔を合わせることも稀になる。竹田青嗣を含めた三人で村上春樹の作品を論じたことが、その最初のきっかけだった。

『村上春樹をめぐる冒険』（一九九一年）として刊行された鼎談は、八ヶ岳高原のわが家で行なわれた。たがいに妥協できない激論が続いたためか、玄関先で見送ったとき加藤の表情は硬かった。幾度も泊まりがけで遊びにきていた加藤だが、その日を境にわが家への訪問は途絶える。

村上春樹の『風の歌を聴け』『1973年のピンボール』『羊をめぐる冒険』の初期三部作の主人公はノンポリでシニカルな都会派青年の「僕」だが、分身の「鼠」は全共闘派だ。鼠が消去された『ノルウェイの森』は評価できないと、わたしは鼎談で否定的な意見を述べた。

他の二人は『ノルウェイの森』擁護派で、竹田によれば全共闘的な社会批判はすでに失効している。若い世代の意識変化が示しているように、六〇年代ラディカリストの鼠が退場したことはポストモダン社会の必然である。

これまで全共闘的な反社会感情として「回収されない否定性」を手放さないできたが、もうやめることにしたと加藤は語った。六〇年代ラディカリズムに固執し続けることは、ポストモダン社会で真に批評的であろうとする意志や緊張感の放棄にすぎない。「反社会的な回路を通じて何か世界に対する異和とか外部性を出そうというあり方は、現在の状況にとってはむしろないものをあるかのごとく設定して、それを通路にするという意味しか持っていない。もうそういう道はない」。全共闘的な絶対否定の精神を作中に持ちこんでいた鼠は過去の亡霊にすぎない、鼠が消えた高度消費社会のリアルを受け止めることこそが問われている。「回収されない否定性」という反社会感情を自覚的に拒否することが、あれから二〇年後の今日では避けられない思想的な課題になっている。

八〇年代に左翼倫理主義とポストモダニズムへの批判で同じ側にいた友人による、こうした発言には唖然とした。それまでマルクス主義批判を、あるいは理念的自己保身にすぎない無自覚な左翼的言説への批判を中心的な仕事としてきた者にとって、加藤の発言はいまさらのように感じられたからだ。理念的自己保身にすぎない凡庸な否定性や反社会感情を拒否することから、どうして〈68年〉は終わった、〈68年〉を忘れることこそ批評的だという結論が導かれてしまうのか。

加藤が病床で書いたという〈68年〉の回想録『オレの東大物語』には、東大全共闘の活動家だった恩地豊志の「戦線離脱宣言」が引用されている。「私は今日以降／42LⅢ6D授業粉砕委員会―LⅢ闘―駒場共闘・全共闘―東大解体運動／の一切の戦線を離脱することを宣言する。／共同的個体としての私にとって、上の共同性に拠って闘う意義は、ほぼ完全に失われた。（略）私はそれらの〈敗北〉と内的脆弱性への『責任』の一端を担う」。

東大闘争に敗北してのちも「回収されない否定性」を抱えこんで鬱屈していた加藤は、その時期のことを回想し、恩地のように思考し行動すべきだった、しかしできなかったと語る。

鼎談のころに加藤はようやく、かつての恩地と同じように曖昧で不健全な反社会感情を拒否し、いわば

「負けた、やめる、考える」と率直に発言できる境地に達したのかもしれない。この事例を話してもらえたら、加藤の主張も腑に落ちたような気がする。ポストモダンのメッキが剝がれて微温的な左翼性が露出した「文学者の反戦署名」への批判から、戦後民主主義派を逆撫でする『敗戦後論』などの仕事に加藤が取り組みはじめたのも、その時期からのことだ。わたしは「反戦署名」批判では同意見だったし、戦後民主主義良識派からの攻撃には『敗戦後論』を擁護した。

最後の細胞会議で「負けた、やめる、考える」と口にして、武藤一羊氏に面罵されたことは本文でも書いた。気楽にいえることではないから、相応の覚悟で会議には臨んだ。心身の疲労を口実とする活動休止や、フェイドアウト的に組織離脱する者がほとんどだが、あえて角を立てるべきだと思った。すでに党が存在しない以上、たんなる政治サークルとして活動を続けることは当人の恣意的な選択にすぎない。それよりも敗北を認め、その場所から一歩も動くことなく徹底的に思考し続けるべきではないか。

いつも正義の側にいたいと思う自堕落さこそ悪だ、小説の主人公にこう語らせたことがある。恩地豊志は無党派活動家として戦線離脱を宣言したのだろうが、わたしが「負けた、やめる、考える」と発言したのはコミュニストとしての倫理による。ボリシェヴィキはボリシェヴィキをやめるときもボリシェヴィキ的でなければならない。しばしば見られた失踪による自然離党も、フェイドアウト的な活動停止もボリシェヴィキ的ではない。

加藤典洋の回想録を一読し、あらためて考えた。〈68年〉をコミュニストとして通過した者と、そうでない者とでは体験の質が根本的に違うのかもしれないと。

『限りなく透明に近いブルー』の村上龍を先頭に、ある時期から〈68年〉を体験した表現者が続々と登場してくる。坂本龍一など文学以外のジャンルで活動をはじめた者も多い。しかし年季の入った党派活動家は、桐山襲と小嵐九八郎しか思い当たらない。中核派だった高橋源一郎の活動家レヴェルはよくわからない。コミュニストとして自己規定した専業的な党派活動家から、表現者が輩出していない事実をどう理解するべきなのか。

戦争終結後も抗戦を続けることは至難だが、身柄として復員することは誰にもできる。というか、戦死していなければ復員しないわけにはいかない。しかしコミュニストとして党の言葉で思考し、党の言葉で語った者にとって「言葉の復員」は容易ではない。いや、ほとんど不可能に近いことを、先の事例は示しているのではないか。桐山襲と小嵐九八郎は早稲田大学の社青同解放派だった。新左翼党派としては例外的な反ボリシェヴィキ派だったから、党の言葉という呪縛からは比較的自由だったのかもしれない。

わたしの敗北は当初、戦後社会を瓦解させる闘争の敗北として、そのための革命党形成の挫折として把握された。敗北の根の深さは、時間の経過につれて徐々に意識化されていく。連合赤軍事件からカンボジア虐殺共産主義にいたる一九七〇年代の暗澹たる経験は、二〇世紀マルクス主義＝ボリシェヴィズムの倒錯と、「解放の虐殺への転化」という必然性を逃れがたいものとして突きつけてきた。

二〇世紀マルクス主義＝ボリシェヴィズムに自己拘束し、コミュニストとして思考し行動したいっさいが虐殺への加担だった事実を、欺瞞的な責任逃れを拒否して全面的に承認しなければならない。この袋小路にもしも脱出口があるとすれば、二〇世紀マルクス主義＝ボリシェヴィズムという倒錯的観念の批判を徹底化する以外にない。その前提は、観念的倒錯に帰結した自身の思考と行動の根拠を抉り出すことだ。たとえ肉を裂き骨を削る作業になろうとも、それを回避してはならない。

わたしにとって戦線離脱の宣告は出発点だったにすぎない。ボリシェヴィキを「やめる」ことは、〈68年〉からの卒業を少しも意味しない。たとえ「やめて」も、ボリシェヴィキとして活動した事実と、その責任は解消されえないからだ。また「やめて」も、それに自己拘束した根拠は無傷のまま人格の底に残されている。コミュニストたろうとした根拠を徹底的に自己解体しなければ、本当に「やめる」ことはできない。

恩地のように「負けた、やめる、考える」と率直な言葉を口にできないまま、全共闘的な「回収されない否定性」を曖昧に抱え込んできたことを反省した加藤典洋は、あの鼎談での発言にいたる。話が嚙みあわなかったのも当然だった。一方には戦線離脱を宣言できないことが問題だった、「やめる」と宣言して〈68年〉の呪縛から解放されなければならないという立場がある。「やめる」の宣言は当然の思想的前提で、それでも〈68年〉は終わらない、終わらせるべきではないという立場が他方にはある。

かつて自身と一体化していた党派観念を解体する作業として、ひたすら『テロルの現象学』を書き続けた。自己解体の試みは思考の領域を超え、実存的自己還元として生存の底にまで及んだ。格率は「簡単な生活」だった。ちくま文庫版のあとがきには「パリの屋根裏部屋で『テロルの現象学』を書きはじめた頃、わたしは人間が生きて味わうものを、もはや底まで経験し尽くしたと感じていた。魂の奥底で時間は停止し、歴史は終焉していた」とある。いま読み返すと大袈裟に感じないでもないが、当時の実感だった。

『羊をめぐる冒険』の物語の中心には、背中に「星の斑紋のある羊」が位置している。それは適格者を選んで憑依し、「あらゆる対立が一体化する（略）完全にアナーキーな観念の王国」を実現しようとする超自然的な力だ。羊を呑みこんだ鼠によれば、「観念の王国」は「気が遠くなるほど美しくそしておぞましいほどに邪悪なんだ。そこに体を埋めれば、全ては消える。意識も価値観も感情も苦痛も、みんな消える」。

羊とはボリシェヴィズムに典型的な絶対観念を寓意する。ただし村上春樹とは意見が違って、作中に登場する右翼黒幕の「先生」のモデルらしい児玉誉士夫が、「完全にアナーキーな観念の王国」という絶対観念に憑かれていたとは思わない。児玉は保守政財界のフィクサーに相応のオポチュニストで、ドストエフスキイの『悪霊』に登場するようなラディカルな観念家ではない。

絶対観念に憑かれた者のみが大量虐殺を惹き起こすとは限らない。ホロコーストは魔女狩りや異端審問に連なる、対立者を完全抹殺する絶対観念の犯罪だ。しかし南京虐殺は計画的な虐殺というより、丸山眞男が

「歴史意識の古層」で論じた「いきほひ」の暴発によるところが大きい。芥川龍之介が「神神の微笑」で描いたような、一神教の絶対観念さえ呑みこんでしまう、アニミズムの腐敗した沼地から漂い出す日本的な暴力の瘴気。観念による組織的な虐殺と「いきほひ」による無組織的な虐殺は、近代日本では二重化してあらわれることも多い。

病床にある高齢の「先生」を見限った羊は、新たな宿主として鼠を発見する。憑依されながらも鼠は羊を拒否しようとするが、そのために可能な方法はひとつしかない。美しくも邪悪な絶対観念を地上から抹殺するために鼠は自殺する。

呑みこんだ羊を自身とともに葬るという発想には、『テロルの現象学』の方法と似たところがある。対立者をも自己膨張の「契機」として利用し、統合してしまうマルクス主義的な主体＝実体を拒否するのに、外からの批判は無効だ。その内部に潜入して観念の時限爆弾を仕掛けるしかない。マルクス主義的な主体＝実体とは、ようするにボリシェヴィズムの革命党のことだ。

いずれにしても鼠は、禍々しい絶対観念と差し違えるために自殺する。絶対観念を内側から自壊させる実存的ディコンストラクションを敢行した点で、この青年は六〇年代ラディカリストの道を貫いたことになる。わたしが鼠のキャラクターに共感し、鼠的なるものを抹消した『世界の終りとハードボイルド・ワンダーランド』や『ノルウェイの森』に否定的だったのも当然だろう。ただしオウム事件後の『海辺のカフカ』や『1Q84』で、この作家への関心は部分的に復活する。

もう一点、作者は重要なことを語っている。この青年が羊から適格者として選ばれた理由だ。「キー・ポイントは弱さなんだ」と鼠は主人公に語る、「その弱さを君は理解できないよ」と。「もちろん人間はみんな弱さを持っている。しかし本当の弱さというのは本当の強さと同じくらい稀なものなんだ。たえまなく暗闇にひきずりこまれていく弱さというものを君は知らないんだ」「俺は十代の半ばからずっとそれを感じつづけていたんだよ。だからいつも苛立っていた」。

鼠が告白する「弱さ」は欠落、欠如、空虚とも言い換えうる。真空が大気を吸引するように、空虚の度合いが大きいほどに人は意味を、その凝固態である観念を激しく呼びこんでしまう。戦後社会は若者たちから「存在の根（アイデンティティ）」を剝奪していた。アイデンティティを見失った者は不安定で無方向で精神的に脆弱だ。ようするに空虚で弱い。鼠が絶対観念に憑かれたのは、誰よりも徹底してアイデンティティを奪われていたからだ。もちろん都会的なシニックの主人公よりも。

とすれば鼠の前歴は、ボリシェヴィキ的な革命観念に憑かれた党派活動家だったと解したほうが、無党派の全共闘活動家とするより適切かもしれない。加藤典洋の遺作は〈68年〉当時の無党派活動家の生活と思考を記録しているが、作者が革命や破壊をめぐる絶対観念に憑かれていた様子はない。加藤もまた「生の直接性と、果てまで行こうとする意志と、絶対を問うということ、その三つのものへのひどい渇き」に衝き動かされる二〇世紀青年だったが、アイデンティティの不安定や空虚感は絶対観念を呼びこむことなく、「回収されない否定性」という反社会的心情で満たされえた。

ボリシェヴィキ的な革命観念に憑かれることを回避しえた加藤典洋が、連合赤軍事件からカンボジア虐殺共産主義にいたる一連の出来事に思想的な責任を感じるいわれはない。他人ごととして無視したとは思わないが、精神的な傷は浅かったろう。

鼠の実存的ディコンストラクションによって、「星の斑紋のある羊」は封印された。しかしそれは物語のなかのことで、絶対観念が現実世界から消えたわけではない。初期三部作の主人公のような「一般論の王国の王様」は、一九九〇年代には鼠という批判者の忠告や助言なしに絶対観念の暴力に直面することになる。村上春樹がオウム真理教のテロリズムに衝撃を受けたように。地下鉄サリン事件は9・11で開幕するテロと反テロ戦争の暴力が世界を覆う新時代を予告していた。

『テロルの現象学』は四部構成で、第一部の自己観念論と第二部の共同観念論の中心的な主題は、「弱さ」をめぐる自己批判的な検証だ。そのころ思いついた寓話に、アンデルセン「マッチ売りの少女」の別ヴァージョンがある。真冬の夜、マッチ売りの少女が寒さのあまり商品のマッチを擦ってしまう。すると幸福な幻影が浮かんでくる。幻影に誘われてマッチを最後の一本まで燃やしてしまった少女は、死んだ祖母に連れられて天国に行く幻想のなかで凍死する。

これがアンデルセンの童話の大筋だが、その別ヴァージョンとして考えたのは「マッチ売りの放火少女」の物語だ。硝子窓ごしに一家団欒の光景を覗き見た少女はマッチを擦る。小綺麗な家に火を放った少女は、幸福そうな一家や年越しのご馳走や綺麗に磨かれた家具を燃料とした豪勢な炎に呑まれ焼死する。マッチの小さな炎では指先しか暖まらないし、すぐに燃えつきてしまう。全身が暖まる大きな焚火を、少女は望んだのかもしれない。あるいは、自分からは奪われているものをすべて所有する豊かな一家への嫉妬と羨望、敵意と復讐心に駆られて火を放ったのか。

優しい両親がいない、注がれる愛情がない、温かい食事も暖炉の火もない。これらの不在、あるいは空虚が暴力を呼んだのだとしよう。その上で少女は放火を、富や幸福の独占者に実力で抗議する行為として意味づけるかもしれない。『テロルの現象学』で批判した「現実的世界喪失の観念的自己回復」という倒錯的論理を、「マッチ売りの放火少女」の物語は寓意している。

物語の「放火少女」は鏡に映った自分だった。共同観念から脱落するところにラディカルな自己観念は必然的に生じる。それは肉体憎悪、生活憎悪、民衆憎悪として完成されていく。事例として検証したのは、三島事件と肉体憎悪、連合赤軍事件と生活憎悪、「狼」事件と民衆憎悪だった。そして自己観念は党派観念に転化していく。

わたしが求めたルカーチ主義的な革命党とは、自立した諸個人の理性的な盟約による、死の可能性をも共有する純粋結社だった。純粋結社は「結晶」のように硬く美しくなければならない。ボリシェヴィキ党の伝統的なイメージは「鋼鉄」だ。鋼鉄としてイメージされる前衛党には、鉄を鍛える労働者の存在が含意されている。ボリシェヴィズムの象徴は組みあわされた鎌と鎚の図像だが、わたしは工場であれ農場であれ仕事も労働も嫌いだった。

鋼鉄でなく結晶という発想は、ハイティーンの時期に愛読したサルトル『嘔吐』の影響かもしれない。この小説で主人公のロカンタンは、存在の無意味性に拮抗する特権的な意味性として、女性歌手が歌う「結晶のように硬く美しい」ジャズを、ひいては芸術を発見する。『嘔吐』のサルトルが美に見出したものが、わたしの場合は革命の政治だった。

近代的な知は肉体、生活、民衆などの対立項を無化しえない。だから知の主体は対立項を啓蒙し管理し、あるいは統制し支配しようとする。しかし完璧な支配など不可能だから主体は客体と分裂し、宿命的な二律背反に陥らざるをえない。主客の二律背反を批判するルカーチのヘーゲル＝マルクス主義は、外部に肉体や自然の領域を持たない究極の権力知ではないのか。完璧に観念化された身体、身体化された観念とは戦闘サイボーグならぬ革命サイボーグで、これは連合赤軍の理想でもあった。永田洋子が回想するところでは、革命精神があれば弾に当たっても死ぬことはないと、当時は真剣に信じていたという。戦略や路線で連合赤軍を批判していたにもかかわらず、山岳アジトでの連続「総括」死に衝撃を受けたのは、そこに直視できないまでに倒錯した自身の顔が映されていたからだ。

戦闘サイボーグを理想化する人間観には、第一次大戦の大量死を体験した二〇世紀人の美意識が潜在している。たとえば戦車というマンマシン系の大群が、荒野を疾走する光景に崇高なものを感受し、それに戦慄するような美的感性。近代人の啓蒙や教養の理想を嘲笑し足蹴にする、二〇世紀的に徹底化された過酷な政治思想はボリシェヴィズム、そしてナチズムとして完成された。戦闘サイボーグを理想とする二〇世紀的感性という点でも両者は通底している。

『テロルの現象学』の第四部はルカーチ批判を含む党派観念批判だ。どうして人は自身が享受しえない未来社会のためにわが身を犠牲にできるのか。梅本克己が抱えこんだ難問は、ルカーチのヘーゲル＝マルクス主義によって綺麗に解消される。いかに微小で些末な「私」であろうと、歴史に精神を到来させるための必要不可欠の「契機」である。このようにしてルカーチ主義は、神を失った者たちの迷える魂、空虚な魂をさらい取る。

アイデンティティや存在理由を捏造し、それを餌にして迷える弱き者たちを釣ろうというのはカルトの手口だ。宗教カルトを警戒する程度には知性のある若者も、ルカーチ的な革命カルトの誘惑には無警戒だった。わたしを含めてボリシェヴィズム＝コミュニズムに引きよせられた二〇世紀青年には、この詐術に引っかけられた者が少なくない。ただし『歴史と階級意識』の革命的千年王国主義の精神と、ヘーゲル＝マルクス主義のカルト的三百代言は区別しなければならない。哲学者ルカーチはボリシェヴィズムの恫喝に屈して前者を放棄し、後者の優等生的な代弁者になり終えた。

鼠の消失を容認できないと思ったのは、たとえポストモダンな高度消費社会であろうと観念的倒錯は、さまざまに形を変えながらも再生産され続けるからだ。オウム事件を出発点として宗教的観念のテロリズムは、二一世紀世界を津波のように浸してアメリカの覇権を半ば以上も覆した。また旧西側先進諸国では、鬱屈し被害者意識にまみれた弱者たちがおのれの存在の意味を渇望し、陰謀論とファシズム的暴力と右派ポピュリズムに流れこんでいる。

加藤典洋にとって観念批判が決定的な主題にならなかったのは、ボリシェヴィズムの絶対観念に誘惑されたことがないからだろう。ただし加藤の戦後民主主義や微温的なリベラル左派への批判には、観念批判が稀薄であるぶん限界があると思う。戦後社会がまっとうになるために必要なのは、加藤が語るような平和憲法の選び直しではない。具体的な形態はともかくとして、思想的には本土決戦の戦い直し以外にない。「放火少女」の物語でいえば、どれほど凍えていようと嫉妬や羨望や復讐心による放火や、その観念的な正当化は容認しえない。ただし世界を呑みこむほどの巨大な焚火を求め、消尽の欲動に衝き動かされて火を放ったのであれば安直には否定できないし、否定すべきではない。

反革命義勇軍に虐殺される数日前のことだ、ローザ・ルクセンブルクが「革命は常にある」との確信を記したのは。この信念を共有することに、かつてもいまも変わりはない。ただし、この場合の革命とは社会システムの変更ではなく、激流のように主権権力を呑みこんでいく大衆叛乱あるいは大衆蜂起を意味する。

二〇世紀の常識的な用法を踏襲して、これまではボリシェヴィズムとコミュニズムを同義としてきた。政治用語としてのコミュニズムは本来、フランス大革命期の平等主義的急進派が源流であるバブーフ、ブオナロティ、ブランキなどの革命家と革命思想の系譜を意味していた。正義者同盟はドイツ人の渡り職人による革命結社だったが、その改組に際して「共産主義者（コミュニスト）同盟」が新名称に選ばれたのは、指導権を争っていたシャッパーとヴァイトリングのいずれもがバブーフ以来の系譜に連なっていたからだ。シャッパーに依頼されてマルクス・エンゲルスが起草した綱領的文書も、同じ理由から「共産党（コミュニスト）宣言」と題された。

ボリシェヴィキ党による権力奪取の翌年、ロシア社会民主労働党（ボリシェヴィキ）は党名を共産党に変更する。第一次大戦の開戦を支持して社会排外主義に転落したとレーニンが非難した、第二インターナショナルの社会民主主義諸党との相違を鮮明にするために。バブーフ以来の急進主義潮流に批判的だったマルクスが、依頼主のシャッパーに妥協して用いたコミュニズムの語を、レーニンが二〇世紀マルクス主義の正式名称として採用し、あるいは横領することからボリシェヴィズム＝コミュニズムの等式は成立した。

こうした歴史的経緯を考慮するなら、ボリシェヴィズムを否定してもコミニュニズムを放棄することにはならない。「共産党（コミュニスト）宣言」でマルクスも渋々ながら認めているように、七月革命からパリ・コミューンにいたるバリケード神話の四〇年を通して、フランスではブランキこそコミュニズムを一身に体現する革命家だった。

ブランキ的精神は「革命は常にある」ことを確信する。鼠の消失をめぐる加藤典洋との対立は、絶対観念の問題に加えてこの確信とも無関係ではなかったと思う。消費社会の高度化やポストモダン社会の到来程度のことで、人類史とともに古い集合観念としての革命、大衆蜂起の連鎖が消えてなくなるわけはない。

コミュニストとは「革命は常にある」ことを確信する者だ。『テロルの現象学』第三部の集合観念論は、大衆蜂起の起源を未開社会のイニシエーションや中世末期の革命的千年王国主義にまで遡って検証した。自己観念─共同観念─党派観念の倒錯的運動の極点にボリシェヴィズムが生じ、それに対抗する集合観念はコミュニズムとして存在してきた。『テロルの現象学』はボリシェヴィズムの観念的暴力とコミュニズムの象徴的暴力をめぐる書として、一応の完成をみる。

本書のために、黒木名の文章を再読して確認したことがある。階級形成論から第三世界革命論まで近代派マルクス主義への批判は一貫しているが、近代化主義的な歪曲からマルクスを救出しようというモチーフは、『テロルの現象学』を書き進める過程で放棄された。マルクスがブランキ、プルードン、バクーニンらに勝利して社会主義運動の覇権を得ることができたのは、革命が打ち倒すべき近代と、その潜勢力を革命の力に転化するという弁証法的思考の詐術による。とすれば二〇歳前後に徹底批判した近代派マルクス主義こそ、マルクスの思想そのものではないか。この結論に達したとき、かつてのマルクス論はそのままマルクス批判の論理に転化した。

「ふたたび『革命の意味』を問うこと」第五節にある「おそらくカンボジアのみが新しい地平に向かおうとしている」との予感は、想定をはるかに逸脱するかたちで的中した。二〇世紀マルクス主義＝ボリシェヴィズムによる総体的テロリズムは、一九七〇年代の内外の諸事件によって疑いがたいものとなる。日本国内では連合赤軍事件と革共同内ゲバ戦争、国際的にはヴェトナムとカンボジア、中国とヴェトナムの社会主義国家間戦争、統一ヴェトナムの難民造出によるボートピープル問題、『収容所群島』の刊行とソ連＝絶滅収容所国家の可視化、中国文革の暗部の暴露、等々。もっとも衝撃的だったのは殺戮と飢餓のため国民の三分の一を死の淵に突き落としたポル・ポト派の虐殺共産主義だった。ボリシェヴィズムによる民衆抑圧の歴史に、こうして完全に「新しい地平」が拓かれた。その根拠はマルクス主義それ自体にあるのではないか。

悪いのはレーニンを歪曲したスターリンだとか、トロツキーやレーニンも含めてボリシェヴィズムは悪いがマルクスは曲解を蒙った被害者だとか、この種の逃げ口上を今度こそ許してはならない。そのように意を決した。

「ふたたび『革命の意味』を問うということ」の第一節から第五節まで、一九七四年に執筆した箇所でもマルクスへの距離感は明瞭なものとして窺える。党が消滅した以上、マルクス主義に自己拘束するための前提は失われたからだ。しかし、近代派マルクス主義がマルクス主義の本体ではないかと考えはじめても、マルクス主義批判を思想作業の中心に据えることにはならない。カンボジアの虐殺共産主義をめぐる事実を否定しがたいものとして突きつけられたことが、マルクス主義批判を公然と開始するための決定的な一撃となった。それまでも重苦しい自問を強いられてきた連合赤軍事件だが、その極限値をポル・ポト事件に見たともいえる。

クメール・ルージュを支持し虐殺に加担した自身の犯罪行為を隠蔽することなく、おのれの思想的責任を全面的に引き受けること。その出発点として一九七九年、戸田徹と長崎浩に声をかけてマルクス主義批判をテーマとする座談会を開いた。メンバーに小阪修平と津村喬を加えた座談会は、編集部による「マルクスを葬送する」とのタイトルで公表される。収容所国家の権力としてマルクス主義は依然として「生きている」からこそ、それと対決しなければならない。であるならば「葬送」という言葉は的を外れている。しかし座談会のタイトルから、津村を除いた参加メンバーは「マルクス葬送派」と呼ばれることになる。

本書に収録した旧稿には、ボリシェヴィズムを差し引いても残るだろうコミュニズムの発想があちこちに点在している。たとえば経済ソヴェト論と人民権力闘争はその後、主権権力の「公」とも資本主義の「私」とも異なる民衆の「共」や、リバティではないフリーダムとしての自由をめぐる着想に引き継がれた。半世紀後の政治ソヴェト論や人民武装闘争の観点から、排外主義暴力と路上対決するブラックブロックなど欧米の街頭政治勢力に注目してきたし、新大久保から在特会を一掃した広義「しばき隊」の運動を支持したのも同じ理由からだ。日本では三里塚闘争の枠を超えられなかった人民権力闘争だが、一九七〇年代のイタリアではアウトノミアの運動として持久的に展開されていく。その中心人物の一人だったネグリは、二一世紀には「共(コモン)」について語りはじめる。

第二次大戦後、旧植民地従属国や非同盟諸国は第一世界(西側諸国)、第二世界(東側諸国)との対比で第三世界と称されてきたが、第二世界が崩壊したことで第三世界の概念も意味を失ったように見える。しかし社会主義の終焉から三五年、グローバリズムと新自由主義の一時代を通過した今日でも、かつて第三世界として語られていた諸問題が解決されたとはいえない。旧第三世界は新興工業国とそれ以外に分裂し、後者の低開発と貧困はさらに深刻化している。中国をはじめ経済的離陸に成功した諸国にも、そして旧西側先進諸国にも貧困はまだら状に分布している。かつて地理的に区切られていた第三世界は、いまや無数の細片と化して地球のいたるところに散乱し終えたようだ。二一世紀の今日、近代世界総体が第三世界化したともいえる。

中国などに富裕層と中間層が形成された反面、欧米や日本では「総中流」社会の崩壊が進行し、急激にデクラセ化した産業労働者は排外主義化して、リベラルデモクラシー社会に仕掛けられた時限爆弾と化している。「日本革命思想の転生」で予告したところのファシズム化の危機は、半世紀後になってついに現実化しはじめた。

かつての近代世界批判では、南米の奴隷制労働者と西欧の毛織物マニュファクチュア労働者をそれぞれ起源とするところの、二つの革命主体の「合流」が展望されていた。しかし今日、後者にかんしては徹底的な多数化が求められている。農村から追放されて流浪し、都市の最下層に堆積していくプロレタリア貧民、フーコーのいわゆる「大幽閉の時代」に救貧院、癲狂院、労働監獄などの拘禁施設に隔離された「社会の汚物」、あるいはフェデリーチが語る「魔女」としての女性などを含める方向で再考しなければならない。これらマルクスによって階級革命から排除された貧民プロレタリアと、そして銀鉱山や砂糖や珈琲プランテーションの奴隷労働者の子孫たちこそが、二一世紀のグローバルな「南」と「北」を縦断する変革主体たりうるだろう。

グラムシの陣地戦や毛沢東の人民戦争の発想とともに人民権力闘争の理論的背景をなした国家独占資本主義論は、社会主義崩壊後の新情況を踏まえながら『例外社会』の例外国家／例外社会論として、また近代世界批判の一部は『新・戦争論』の世界戦争／世界内戦論として新たに展開することになる。マルクス主義の階級革命論への批判は群衆革命論として深められた。わたしのボリシェヴィズム＝コミュニズムの思想的原点は戦後社会への非和解的な意識と、それに由来する「生の直接性と、果てまで行こうとする意志と、絶対を問うということ、その三つのものへのひどい渇き」にあった。『探偵小説論』連作では、それを二〇世紀精神の核心である行動的ニヒリズムとして再定義した。探偵小説の矢吹駆連作の主人公ヤブキはコミュニスト、ヴェルナーはファシスト、デュ・ラブナンはアナキストとして登場するが、いずれも行動的ニヒリズムを宿した二〇世紀青年で精神的な三兄弟といえる。

かつて構想した共産主義綱領の核心には、「人間の解放は人間からの解放である」というテーゼが刻まれていた。このアイディアは、『悪霊』のキリーロフが語る「地球と人類の物理的変化」のヴィションに由来する。キリーロフ思想はロシア宇宙主義を経由して、二一世紀には加速主義やポスト・ヒューマンや「絶滅」をめぐる思考にまで達した。コミュニズムの三極である自己革命／社会革命／存在革命のうち、第三の存在革命の原点はブランキの宇宙論にある。到来したポスト・ヒューマンの時代に、存在革命のヴィジョンを深めることは今後の課題だ。

「負けた、やめる、考える」と宣言して以降の時間は、党派観念から集合観念を分離し、ボリシェヴィズムの泥沼からコミュニズムの小石を探り出す作業に費やされた。かつて「戦術＝階級形成論の一視点」を掲載した「情況」誌に、二〇二三年から『テロルの現象学』の続篇として『ユートピアの現象学』を連載しはじめたのも、半世紀をかけて探し集めた小石の数々を一覧してみたいと考えたからだ。無事に書き終えることができれば、わたしの〈68年〉もひとつのサイクルを閉じるだろう。

＊

本書の企画と編集では言視舎の杉山尚次氏に面倒をおかけした。鵜山ユウジ氏、塩野谷恭輔氏、堀内崇志氏による編集実務の分担も不可欠だった。高橋若木氏には後継世代の視点からの解説をお願いした。ここに記して諸氏の協力に感謝したい。

解説——高橋若木

世界戦争と非マルクス主義的な叛乱を語る社会思想家であり、『哲学者の密室』や『煉獄の時』などの作品で知られるミステリー小説家の笠井潔は、二〇代の半ばまで「六八年」のマルクス主義活動家「黒木龍思」として行動した。本書に読まれるのは、はじめて一冊の書物として出版される黒木龍思の革命論と、今回あらたに加筆された年代別の7つの自伝的文章である。

自伝では、戦後民主主義の「寛容的抑圧」に反発して学校をやめた少年がベトナム反戦運動に加わり、叛乱の限界まで行くことを目指して共産主義労働者党（共労党）の専従的活動家として過ごした日々が、何度かの壊滅的な挫折経験とともに語られる。とくに興味深いのは、黒木＝笠井の叛乱が党にすら向けられ、新左翼の衰退期に第三世界の革命（中国、アルジェリア、ベトナム等）との共鳴が模索されていくプロセスだ（**自伝「一九七二年」**）。

とはいえ、本書は歴史を振り返るためだけにあるのではない。本書を際立たせるのは、黒木という若い活動家が突きつけてくる問いの現代性である。二〇世紀的な革命が不可能だとすれば、今日の運動は何をなしうるのか。運動の現場に発生する力を、どうしたら党派政治のために犠牲にせず、かといって自己目的化もせずに、政治的な闘争に接続できるのか。反差別運動の決定的意義を主張しながら、当事者性の尊重とは異なる活動の根拠をどこに見出すことができるのか。本書は「六八年」に「ついて」論じるというより、「六八年」の継続する地平を未決の問いとともに露出させている。

たとえば「**階級形成論の方法的諸前提**」で取り組まれるのは、二〇世紀の社会主義のモデルとなったロシア革命の戦術がほぼ不可能な社会で、いかに革命運動を行なうかという難問だ。二一世紀に私たちが直面するこの問いが、新左翼運動のあとではなく、最初から問われていたことに注意したい。政府や通信施設をはじめとする主要な権力拠点を一挙に軍事制圧することで全国的な革命を遂行するとか、その中心に組織された産業労働者が農民と手を結んで真っ先に登場するといったロシア革命的なモデルは、現代では通用しない。このとき選択肢として浮上するのが、西欧マルクス主義最大の理論家であるジェルジ・ルカーチが定式化した、大衆と党のあいだの弁証法的な関係である。労働者大衆は安定をもとめ、叛乱的ではない。ルカーチはそれを、叛乱への無意識的な傾向がイデオロギーによって忘れられた事態として理解する。日常的な意識に抑圧された無意識が噴出しようとするとき、その自由のかたちを先取りして言語化するのが党だ。党は、一方で情勢のなかで大衆自身の動きに内在しながら、他方で理論にもとづいて革命情勢を伝えていくような、大衆との弁証法的相互関係をもつ。**自伝「一九六八年」**で語られるとおり、黒木がこのようなルカーチ主義を選択したのは、前衛党が大衆を一方的に指導すると想定する新左翼党派への批評でもあった。

「**戦術＝階級形成論の一視点**」では、ソ連よりも日本に類似する先進工業国で試みられた二つの革命（一九一八年のドイツ革命、一九二〇年のイタリア評議会運動）が考察される。自伝によれば、この論考が書かれる直前の第三回党大会（一九六九年五月）で、共労党はそれまでの平和共存・反独占という民主主義路線からトロキズム的な「現代世界革命」へと移行した。その戦術を具体化することを目指して黒木が焦点を当てるのが、ソヴェトという制度（＝評議会）だ。評議会はある種の民主主義だが、数年に一度だけ選挙を行なう議会制民主主義ではなく、働く現場における日々の自治と自主管理の組織である。また評議会は、社会主義国家による生産手段（工場など）の国有化や政府管理とも異なる。赤い二年（Bienne Russo）と呼ばれた一九一九年から一九二〇年、グラムシらの活動家グループ（オルディネ・ヌオーヴォ）は、生産の運営を株主や経営者に任せるのでもソ連のように国家官僚に任せるのでもなく、労働者による自主管理を試みた。

最後に、評議会は労働組合とも区別される。労働組合は、賃労働と資本主義的な分業を前提としたうえで条件改善をもとめる。評議会は、自分たちを労働力商品と見做すことを克服するような集合を作り出す。黒木は、そのような評議会を経済ソヴェトと呼ぶ。だが、経済ソヴェトは競争相手や治安権力によってすぐに潰されてしまう。したがって、それを防衛し、一般的な労動者との連帯へとつなぐ政治ソヴェトが必要となる。この観点から論じられるのが、一九一八年のドイツ革命で結成された評議会（ドイツ語ではレーテと呼ばれる）である。まず各地域で、ラディカルなストライキを打つ一部の労働運動と学生や失業者の叛乱が結合する。つぎに、政治的な闘争に特化した評議会（政治ソヴェト）が運動を全国的なうねりに繋げて、一般労働者を巻き込んでいく。

一九六九年、黒木は新宿郵便局の占拠とストライキ（評議会）を街頭占拠行動（叛乱）と連動させることでそのような展望を具体化しようとした。**自伝「一九六九年」**は、党に承認されないまま行なわれた作戦とその失敗の経緯も詳細に明かしている。この作戦は、国会や官邸などを軍事的に攻めようとする新左翼の中央決戦型の戦術観に対するオルタナティヴでもあった。

ところが、大半はまさにそのような中央決戦型で強行された秋期決戦は、首都における政治革命の勝利が資本主義の危機によって準備されるとみなす運動観とともに敗北していく。本書所収の「**革命の意味への問いの究明**」と「**戦後解体期の時代精神　長崎浩論**」は、そのあとに書かれた。

黒木は、歴史の勝者として予告されることのない叛乱の定式化を長崎浩の『叛乱論』に見出し、賛辞を惜しまない。長崎『叛乱論』の基本的な意義は、叛乱を史的唯物論の経済法則に照らして予言される客観的勝利としてではなく、社会に常に伏在する潜在的な力として捉えたことだ。黒木における長崎への共感は、ハイデガー哲学の受容とも連動することで、ルカーチ的な革命をスターリニズムを含む近代世界総体への叛乱として捉える方向に向かう。

さらに黒木の場合、この叛乱が第三世界革命への合流として捉えられることで、長崎『叛乱論』からさえも離反することになる。黒木は、『叛乱論』が叛乱の経験を純粋に記述するがゆえに叛乱とファシズム的反動が十分に区別されないことを批判する。また『叛乱論』は、叛乱が国家や党といかに向き合うべきかという問いにも十分に答えられていない。黒木は、こうした困難への答えを第三世界的な革命、とくに毛沢東の人民戦争論に期待していたと思われる。**自伝「一九七〇年」**で語られるとおり、共労党は一九七〇年二月の第四回党大会で、沖縄を基点とする韓国、台湾、香港との革命的連動や、入管闘争や三里塚などの地域拠点の形成を掲げていた。黒木は大阪から上京した同志の戸田徹と、先進国中心の革命とはことなる第三世界革命を本格的に理論化しはじめ、共労党内で産業労働者の特権的な役割を強調し続ける人々と対立する。

ただし黒木の第三世界革命論は、近代の外部にあるマイノリティの世界をロマン的に描くこともない。「**日本革命思想の転生　近代主義革命思想への〈ロマン的反動〉批判**」が、そのようなロマン化への批判を集約的に示している。七〇年代のはじめ、新左翼のなかにも近代社会以前の「原始」にもどろうとする傾向や、階級よりも民族やアイデンティティに注目する傾向が広がった。戦士共同体と呼ばれる新左翼運動の盟約集団化も、前近代志向のひとつであった。黒木は、新左翼のそうした傾向が、日本社会全体のファシズム傾向と共鳴していたと見る。両者の共鳴関係は七〇年代初頭には顕在化していなかったが、この視点の予言性は今日から見て明らかだろう。戦後民主主義的な近代に対する新左翼の批判と革命の挫折は、結果的にある種の相対主義やシニシズムを準備した。八〇年代に瀰漫したその空気が、九〇年代には歴史修正主義、新保守主義、さらには露骨な排外主義へと変転していく。二〇二〇年代の私たちも、この隘路から逃れられていない。

こうした反動化に対抗する現代の反差別運動の嚆矢とも言える思想を「六八年」のなかで作り上げたのが、津村喬だ。津村は革命の最前線を気取る党派を批判し、大学における日常の解体的な変革を目指した。津村にとってそれは、マイノリティに対する民族的責任の問い直しと不可分だった。全共闘は党派による国家との「決戦」に収斂させられるべきではない。新左翼運動を大局的に見れば、黒木の立場はそのような津村の指摘に比較的近かったと言えるだろう。黒木もまた、「決戦」が遂行できるかどうかで全てを判断する姿勢を批判し、街頭叛乱と大学封鎖の意義を強調していたからだ。しかし黒木は、津村が反差別の日常的な社会運動と国家に関わる全国的な政治運動を対立させることを批判する。両者はたしかに矛盾し、その接合は失敗した。だが、決戦と切り離された日常生活の改革は、先端的な左翼文化をめぐる頷き合いに終わる。

もうひとつ、黒木が納得しないのは、差別問題に向き合う主体を「日本人」という民族集団だけに見ることだ。黒木によれば、差別への根本的な闘争は共産主義運動が担うしかないものである。差別残存の責任は革命運動にある。革命は民族問題を従属させてはならないが、だからといって民族を最終的な主語にすると、「「抑圧者」にとって「被抑圧者」はある種の「像」として、あるいは「表象」として存在する」（265頁）ことになる。ここで必要なのは、マイノリティ運動を革命の決定的テーマとして理解する理論だろう。

その理論を素描したのが、「**「近代世界」の基礎構造と「第三世界解放革命－世界共産主義」**」だ。マルクス主義は、近代の資本主義の破滅的な発展の先に共産主義社会を展望する。伝統的には、先に近代的な資本主義を発展させたイギリスがモデルとして論じられていた。これに対して黒木は、『資本論』に登場する「世界貨幣」が一六世紀から一八世紀の世界貿易で通貨となった銀であり、その銀がスペイン領アメリカで先住民および黒人の奴隷労働によって掘り出されていたことの意味を論じる。また、イギリスにおける先進的な資本主義の発展と「世界市場」の生成が、血塗れのベンガル収奪によって可能となったことを示す。黒木の展望のもとでは、先進国の「労働者」の運動は第三世界の「奴隷」の運動と連携するときにのみ、「近代世界の墓掘り人」としての役割を果たすことができるのだ。

このような第三世界革命の基本的見地からすれば、差別との闘いは、マイノリティが市民として社会に権利を認められ、包摂されることだけにあるのではない。収奪と排除は、はじめから近代化の裏面としてある。私たちは、近代への包摂がある部分で果たされるとき、他の部分が新たに排除されるさまを繰り返し見てきた。他方で、だからといってマイノリティをその特殊性に閉じ込めたり、尊重するだけでもいけない。黒木の第三世界論は、近代と資本主義によって排除される構造的な位置を特定し、その立場から、前近代に留まるのでも近代化に狂奔するのでもない別の世界を作り出そうとする。

党と大衆の弁証法的関係、評議会という制度、歴史の勝者とは異なる叛乱と第三世界革命、マイノリティを「像」にしない革命的志向をもつ反差別運動など、黒木龍思が提示した方針は、この解説の最初に挙げた問いと同じく、きわめて今日的である。にもかかわらず、黒木龍思の時代は一九七二年ころに終焉を迎え、第三世界革命論は凍結される。本書の最後に収められた「**ふたたび「革命の意味」を問うこと**」が批判するのは、七〇年代をとおして続くことになる革命戦略なき地域闘争やマイノリティ運動の散発的キャンペーンと、敗北に向き合おうとしないマルクス主義者である。**自伝「一九七四年」**で語られるとおり、連合赤軍事件は「ふたたび「革命の意味」を問うこと」で言及されるものの、新左翼運動退潮の決定的象徴とはなっていない。むしろ印象的なのは、七一年の沖縄と三里塚の闘いを最後に、社会全体の革命をもたらすためのプログラム（綱領）を掲げた運動の凝集力が失われ、観念の実感が擦り切れていく様子だ。日常のなかで反差別やローカルな労働運動を続ければ運動の実感は得られるが、システムそのものを変える総体的な運動はそれだけでは見出されない。

笠井が黒木龍思としての活動を停止しなければならなかったのは、笠井にとってマルクス主義がたんなる知的理論ではない組織された党の政治運動だったからだろう。それは、個別の運動イシューに還元できない近代世界の総体への叛乱でもなければならなかった。その後の笠井がマルクス主義批判の論陣を張り、組織された現実の勢力としてのマルクス主義が生み出した収容所、革命裁判、仲間内のテロル、虐殺の悪と向き合ったのは、総体的な叛乱としての革命の可能性を残すためだったのではないか。今日、カイロやロジャヴァからニューヨークまで、かつての黒木と同じ年齢の若者たちが「革命」を臆面もなく語りはじめて久しい。筆者はこの解説を書く前、FREE PALESTINEデモでも新しい人々に出会った。ひとたび凍結された黒木理論は、彼女たちのように変革を求めて行動する人々によってこそ解凍されうるだろう。

著者……笠井潔（かさい・きよし）

1948年東京生まれ。79年『バイバイ、エンジェル』でデビュー。98年編著『本格ミステリの現在』（国書刊行会）で第51回日本推理作家協会賞評論その他の部門を受賞。2003年『オイディプス症候群』（光文社）と『探偵小説論序説』（光文社）で第3回本格ミステリ大賞小説部門と評論・研究部門を受賞。主な著作『テロルの現象学　観念批判論序説』（作品社）『例外社会　神的暴力と階級／文化／群集』（朝日新聞出版）『哲学者の密室』（創元推理文庫）『例外状態の道化師ジョーカー　ポスト3・11文化論』（南雲堂）『新・戦争論「世界内戦」の時代』（言視舎）他多数。

装丁…………山田英春
DTP組版…………勝澤節子
協力…………田中はるか

自伝的革命論
〈68年〉とマルクス主義の臨界

発行日❖2024年2月29日　初版第1刷

著者
笠井潔

発行者
杉山尚次

発行所
株式会社言視舎
東京都千代田区富士見2-2-2 〒102-0071
電話03-3234-5997　FAX 03-3234-5957
https://www.s-pn.jp/

印刷・製本
モリモト印刷㈱

ISBN978-4-86565-262-8 C0036